U0062475

鉴余杂稿（增订本）

中国古代书画品鉴

谢稚柳 著

鉴余杂稿（增订本）

中国古代书画品鉴

文博大家丛书

上海人民出版社

目　录

伯希和考察队所摄莫高窟第三百四十四窟

敦煌石室记

敦煌莫高窟（俗称千佛洞），在敦煌东南，西接鸣沙山之麓，与三危山遥相对。窟东向，壁立十余丈，长可一里许。碧树千章，流水弯环。自敦煌至莫高窟，其间沙漠四十余里，黄沙逆风，不见茎草，至此无复荒索之意矣。窟之东，有上、中、下三寺。上、中寺为僧刹，下寺为道观。上、中寺，其始即唐之三界寺，清道光时，始分为二。光绪年间，道士圆录以藏经致富，建道观，以下寺为中寺，道观为下寺。寺后有巨流，名宕渠。源发于南山，广及十余丈，今则细流数弯，不复成渠矣。

莫高窟之名，始自何时，无可考。按石室所出《唐右军卫十将使孔公浮图功德铭》:“谨选得敦煌郡南三里孟受渠界，负郭良畴，厥田上上。凭原施砌，揆日开基，树果百株，建浮图一所，漠高窟龛图画功德二铺。”又《大蕃故敦煌郡莫高窟阴处士修功德记》:“将就莫高山为当今圣主及七代凿窟。”《孔公功德铭》与《阴处士功德记》皆唐时物。莫高窟（莫又作漠）盖就山名，因以为窟名者。

莫高窟建始于苻秦建元二年（晋海西公太和元年，公元366年）。按《唐李怀让重修莫高窟碑》(在第十四窟内):“莫高窟者，厥前秦建元二年，有沙门乐僔；戒行清虚，执心恬静，尝杖锡林野，行至此山，忽见金光，状有千佛，因就此山造窟一龛。次有法良禅师，从东届此，又于僔师窟侧，更即营造。伽蓝之起，滥觞于二僧。复有刺史建平公、东阳王造作相仍（中略），乐僔、法良启其宗，建平、东阳弘其迹，惟甲子四百余岁，计窟至一千余龛。”

《唐李怀让重修莫高窟碑》，立于武周圣历元年（公元698年），其时已至一千余窟，此四百余年间，可谓盛极一时。圣历以后，至五代、赵宋，并有营造，或系新建，或就旧窟更新。世异时移，兵燹相仍，崩毁至多，其尚有壁画者，今惟四百有余窟。

此四百余窟，栉比相连，绵亘一里许，其高处有筑洞至四层者。据张氏之编号，为三百零九窟。其编次自南而北，复自北而南。其间小洞若干，俱附属于大洞，为某号耳洞，不再另立号。其上层诸窟，窟前原均有走廊。盖每窟窟内互不相通，自甲窟至乙窟，非借走廊不能达。清同治时，敦煌白彦虎起义，走廊尽毁，上层诸窟，遂不可登。光、宣之间，道士王圆箓招工将窟内壁凿穿，俾窟与窟间得相贯通。

莫高窟营建巍峨，丹青千壁，自魏迄宋，代有继作。然千百年来，此灵严净域，简籍不载，往哲无闻。自英人斯坦因，法人伯希和，先后来敦煌，窃夺经卷等文物，为国人所闻知，敦煌石室之名，始大噪于人间。盖自清光绪年间，有湖北人王圆箓，初在肃州巡防军为卒，后退伍为道士，来至敦煌，穷无所归，投宿于第一百四十三窟。敦煌寺院俱为红教，诵番经。独王圆箓诵道经，作汉语。以是，人多乞其礼忏，生涯不恶。因佣一杨某，为之抄经。杨某就第一百五十一窟甬道间，置一案。抄经之暇，吸旱烟，以芨芨草（芨芨草如芦）燃火。杨某背壁坐，常以燃余之草，插壁间裂缝中。某日吸烟，余草稍长，仍插其处，乃深入不可止。以手击壁，其声中空，疑有它，因告王道士，王道士夜半与杨某击破壁，则内有一门，高不足容一人，泥块封塞，更发泥块，则为一小洞，约丈余大。有白布包等无数，充塞其中。装置极整齐，每一包裹经十卷，复有佛幡、绣像等，则平铺于白布包之下。此光绪二十六年（公元1900年）四月二十七日事。盖宋时避西夏之乱，秘藏于此，即世所传藏经洞也。王道士于是延城中士绅来观，士绅辈不知其可贵，谓此佛经流落于外，诚大造孽，辄嘱仍还置窟内。王道士颇机诈，思借之以贸利，私载经卷一箱至酒泉，献于安肃道道台满人廷栋。廷栋不省，以为此经卷其书法乃出己下，无足重。王道士颇丧沮，弃之而去，时嘉峪关税务司比国人某将回国，来谒廷栋，临行，廷栋出数卷赠之。此比国人行过新疆，

王圆箓道士与三层楼“西游记”壁画

斯坦因（1862—1943）

伯希和考察队在莫高窟（1908年）

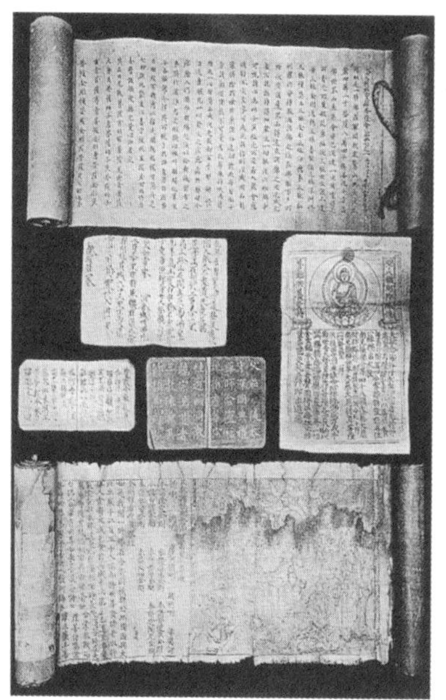

斯坦因所掠汉文文献选萃

斯坦因所拍摄藏经洞口堆经情况

斯坦因所掠完整之写经包袱

伯希和在藏经洞翻检盗掠文物

伯希和考察队所摄莫高窟南段窟群

复谒长庚将军（亦满人）及道台潘某。相与道敦煌事，复以经卷分赠长庚与潘道台。有英人斯坦因，自印度来中国，至新疆，闻知其事，遂来敦煌，晤王道士，密语利诱，且为之说唐僧取经故事，谓此经卷唐僧本取自西方，今仍还之西方固宜。兼许银三百两，王道士惧城中士绅，初不敢应，及见赠银，意始为动。斯坦因就莫高窟近处，设帐篷于沙漠中。雇一湘阴人名蒋资生，夜就窟中为斯坦因检视藏经，历若干日，取其精好者，及佛幡、绣像等，捆载四十驼而去。时为光绪三十三年（公元1907年），此事轰传国外。有法国人伯希和，不久接踵来敦煌，再晤王道士，于是王道士知藏经之可贵，不复肯轻许之。伯希和计无所出，重许以银元宝，伯希和终得载去十大车。至其赠银若干，敦煌人至今无有能详言之者。伯希和至北京，颇扬言于士大夫间，尝为梁任公曰："吾载十大车而止，过此亦不欲再伤廉矣。"宣统元年（公元1909年），北京学部始令甘肃省将余经尽缴北京，则仅八千卷而已。初，学部委新疆巡抚何彦升（字秋辇）代表接收此项经卷，以大车装运北京，当车至北京打磨厂时，何彦升子何震彝（字鬯威）先将大车接至其家，约同其岳父李盛铎（字木斋）、刘廷琛（字幼云）及方尔谦（字大方）等，就其家选经卷中之精好者，悉行窃取。而将卷之较长者，一拆为二，以充八千之数。事为学部侍郎满人宝熙所悉，谋上章参奏，会武昌起义，事遂寝。其后如日本之大谷光瑞所派遣之探险队及吉川小一郎，亦来敦煌，骗取藏经一百余卷，橘瑞超为三百六十七卷。至民国十三年（公元1924年），美国人华尔纳复私自来敦煌，在石窟中剥离壁画二十余处，窃取而归，祖国文物，千载宝藏，几扫地以尽！

伯希和考察队所摄小牌坊和古汉桥

莫高窟既肇始于乐僔，此窟已无可考。以窟而论，第二百三十三窟为最古，以历代之重加修建，若干窟已不复存其原状，其原画大多亦已涂去，故今壁间，有隋、唐、五代、宋之画，累叠至三四层者。乐僔窟既不可知，则法良、建平、东阳诸窟，亦俱不可知矣。

按窟之形式，其顶有如船篷者，有如屋顶者，有平顶者。佛龛有在西、南、北三壁间者，有在窟中央建一大方柱，就柱之四面为佛龛者，

橘瑞超（左）与敦煌房东合影（1912年）

华尔纳盗掠第三百二十窟壁画遗痕

此皆为元魏时窟，而以顶如船篷者为最早。隋窟与魏窟相仿佛。至唐则尽变其形，顶分四方，渐向上缩小，成一小方为藻井。佛龛在西壁间，间亦在西、南、北三壁俱有者，但甚少。亦有在壁中央建一佛台者，亦甚少。此类窟或即就前代窟所改建。五代、宋窟，大致俱类唐，抑或即利用前代旧窟。

每窟佛龛中，必有塑像。其数，视窟之大小而定，大致最小之窟，必有本尊一躯，此外有三躯者，则为本尊、迦叶、阿难，有五躯者，为本尊、迦叶、阿难及二护法神。其最大者为九躯，为本尊、迦叶、阿难、文殊、普贤、观音、大势至，及二护法神，亦有塑涅槃像者。至其形态，魏塑与魏画同风，隋唐亦然。

敦煌藏经既空，惟千壁丹青，至今犹屹然无恙，其流派可略而言者：元魏之制，骨体肆野，用笔飞动，窟内诸画，大致南、北壁上，三之二为释迦树下说法像，或佛传图，贤劫千佛。两壁佛龛之左右帐门及佛龛内，为十大弟子。左右帐门上端最多者为普贤供养品，间亦有作文殊问疾品，然甚少。窟顶上多为散花、神怪、飞仙，或贤劫千佛。亦有为佛传图者。东、南、北壁最下端及佛龛下，为窟主之一家供养人像，亦有为夜叉者。

南、北壁间之佛传图常占全壁三之二，颇似后世之横幅。有上下连续三段者，故事中人物、状态，连接而错杂。骤视之几不可辨，盖写故事之演进，而用连环式者。似此画法，至唐时始不复见。

考壁画之时期为最难，画史无题名，惟有赖于造窟时之发愿文，然十九剥落，且诸窟非必有发愿文者，以是，可依据者甚少，要当仍以研求其画派为第一，然后证之以纪年，或供养人像题名之可考者。如第八十三窟北壁上有两发愿文，其一纪年为大统四年（公元538年），其一为大统五年（公元539年）。大统为西魏文帝（元宝炬）年号，元魏之窟近百，其有年号可证者，仅此窟耳。

第二百四十九窟　西魏　狩猎

西魏画之最完整者，当推第八十三窟为第一。南壁上之五比丘故事，上下连作三段。即前所述之连环式者。窟顶之禽、兽、神、怪等生动率野，以论其笔，妙在奔放，而短于敦厚。其敷彩，富于艳冷，而啬于温缛。其状物，夸张取势，不无过当，然其风格，固清空放荡，矫健有余也。

第二百四十九窟　西魏　飞天

北魏画，如第二百三十三窟为前期，第二百四十八窟以下数窟，则颇与大统相近，已启西魏之风。北魏、西魏，所不同者，北魏乏西魏之劲爽。北魏有质朴之意，西魏入矫诞之境。至其熔裁通变，固波澜莫二也。

隋自文帝（杨坚）开皇，至越王（杨侗）皇泰（581—619），先后四十余年，为时至暂，画派初承元魏，惟骨体稍圆（第九十四、九十六窟有开皇五年发愿文）。开皇以后，则凝厚纯正，肆野之气已绝，温婉之风渐生。四十余年中，神采气质之间，与元魏卓尔殊途矣。

唐自武德（618—626）以后，画派郁起，风规灿然，逮及开元（公元713年），将百年间，骎骎乎入于无极矣。稽其流派，盛衰之间，约可分判者：一、武德年间。二、垂拱年间（685—688）。三、天宝年间（742—756）。四、肃宗上元年（公元760年）后。五、建中年间吐蕃时（780—783）及大中（公元847年）以后。

武德年间与开皇以后，陶染所凝，风沿波接，区别尚微，今可证者，为第一百九十窟北壁下男供养人像第三身题名有“幽州总管府”5字尚

第二百五十四窟　北魏　降魔变

第二百五十四窟　北魏　菩萨那太子本生

可见。按《资治通鉴》隋炀帝（杨广）大业元年（公元605年）废诸州总管府，至唐高祖（李渊）武德元年（公元618年）边要州复置总管府，以罗艺为幽州总管，武德七年（公元624年）后复改总管为都督，此窟题名，必武德元年至七年间（公元618—624年）事。设以此为大业以前窟，则第九十四、九十六诸窟，皆开皇年间者，其画派实与此门户不伦，大异其趣，无可附会也。

武德以后，日趋雍容，清新华贵，精彩绝艳，南北壁间多作经变，四周图花边。佛传图，式如今之屏幅，册页然。佛、菩萨等，俱尚壮美，一洗元魏清癯之风，堂皇绚烂，得未曾有。武德以后之有年号者，为第一百三十七窟，有垂拱二年（公元686年）发愿文、佛龛内之收伏外道，尚间含魏隋遗意，颇为独特。它如第一百三十三窟之各部落酋长听释迦多宝说法，第一百三十六窟龛内之维摩变，第一百五十八窟之释迦树下说法像，俱为初唐画之绝精者，而第一百三十四窟之维摩变，渊穆凝厚，风骨高华，终唐之世，遂为独步，固知武德之后，天宝以前，其画派日趋于厚重沉练之境，虽至天宝全盛之时，犹足以高视其间。

天宝之唯一可证者，为第二十窟，此窟高八丈五尺，深二丈四尺，广五丈三尺，塑像亦高七丈零八寸，营造之大，仅次于第四十四窟，洞口南北壁间，供养人像高可六七尺，兼作花柳绿茵，为园林之境，北壁男像四身，后有持杖拂等四人。南壁女像三身，后女侍九人，北壁男像第一身，乌帽、青袍、束带，须髯甚美，手持长柄香炉，高六尺七寸，前题名两行，石青底，字作三寸大，立粉堆金：

朝议大夫使持节都督晋昌郡诸军事守晋昌郡太守兼墨离军使赐紫金鱼袋上柱国乐庭环供养时

南壁女像第一身，钗钿、簪花、锦衣、红裙、罗带垂肩际，高四尺八寸，题名一行：

都督夫人太原王氏一心供养

乐庭环史籍无可考。按《旧唐书·志·地理三》：“河西道瓜州下都督府天宝元年（公元742年）为晋昌郡，乾元元年（公元758年）复为瓜州。”《旧唐书·志·职官三》：“武德改郡为州，州置刺史。天宝改州为郡，置太守。乾元元年，改郡为州，州置刺史。”晋昌郡自天宝元年置，乾元元年废，凡十六年，乐庭环守晋昌，要当在此十六年间，墨离军不知始于何时。按《新唐书·志·地理四》瓜州晋昌郡下，但言“西北千里有墨离军”。《新唐书·张守珪传》：“王君㚟死……诏以守珪为瓜州刺史，墨离军使。”王君㚟卒于开元十五年（公元727年）。又《新唐书·王忠嗣传》：“讨吐谷浑于墨离，平其国。”天宝五年，王忠嗣为河西陇石朔方河东节度使，讨吐谷浑在领节度使时，是乐庭环之守晋昌郡，兼墨离军使，又当在天宝五年（公元746年）后。天宝十四年，安禄山变乱，肃宗（李亨）在灵武，尽召西河戍卒，收复两京。以一郡守，自不能在出师收京之时，悠然自营功德窟。至德二年（公元757年），西京收复，明年为乾元元年，而晋昌郡废，是此窟当始于天宝五年后，成于天宝十四年前。

榆林窟第十七窟里窟，亦天宝时画，东壁卢舍那佛，南壁西方净土变，北壁弥勒变，西壁左右文殊、普贤，及四壁隙处之十六观、未生怨、释迦、诸菩萨等，俱极美好。粲焉若新。莫高窟四百余窟，未有完好若此者，至其经变中山水树木，莫高窟第三十六窟晚唐画，实滥觞于此。乐庭环夫妇供养像，堪与此窟画称双绝。

天宝之际，与垂拱体法稍变，而神趣顿异，秾缛新丽，实又过之，供养人像，俱尚肥壮，作数尺高，亦前所未有者，譬诸诗篇，犹李、杜之于鲍、谢矣。

肃宗时，风雅顿歇，如第一百八十六窟之有上元年号者，则粗俗荒率，了不足观。盖其时中原祸乱虽靖，而吐蕃乘虚扰乱河西。丹青妙手，鸿飞绝迹，故其壁画，转不逮大中以后笔。盖历代画派，盛唐以前，后世必视前代为成熟。元魏不如隋温厚，唐初新创，丕焕成章，逮及盛唐抵于至极，盛唐以后，间有佳者，然风骨情采，日就微弱矣。

自德宗（李适）建中二年（公元781年）[①]后，沙州陷于吐蕃，中原间阻，英才遂空，虽体制仍旧，然笔漫而意芜，神荒而气衰。间有清才，情文茂发。如第三十六窟之经变，第六十八窟之释迦等，并为妙制，然犹病其外腴而中疏，文高而质虚矣。诸窟维摩变中，有吐蕃赞普画于各国王子之前者，此吐蕃据沙州时之作。其流派并可于此证之。

自宣宗（李忱）大中二年（公元848年）[②]后，河西归义军节度使为张议潮。第三百窟有张议潮夫妇出行图。此图仪仗甚盛，人物繁密，骨体沉练，亦一时之妙制，晚唐之逸骥矣。

唐大中中，河西十一州节度使张议潮，当建中年间沙州陷于吐蕃。议潮生长虏中，然心系唐室。阴结豪俊谋归唐，会吐蕃国乱，议潮乘隙一旦率众擐甲噪州门，汉人皆助之，吐蕃守将惊走，遂摄州事，时为大中二年。于是遣其兄议潭，州人李明达、李明振等，献瓜、沙、伊、肃、鄯、甘、河、西、兰、岷、廓十一州图籍于唐，因擢议潮为沙州防御使。拜明达河西节度衙推兼监察御史、明振凉州司马检校国子祭酒御史中丞。旋复于沙州置归义军，领沙、甘、瓜、肃、鄯、伊、西、河、兰、岷、廓十一州，以议潮为节度管内观察处置押蕃落营田度支等使。咸通八年（公元867年）入朝，又加议潮为右神武统军，赐田宅于京师，命其从子淮深代守归义。咸通十三年（公元872年）八月，议潮卒，淮深嗣为节度，淮深卒，即有托孤于议潮婿瓜州刺史索勋之事，勋乃自为节度。景福元年（公元892年），朝命许之。议潮第十四女为凉州司马李明振妻，杀索勋，请于朝，以议潮孙嗣为节度使。朝廷乃命使者赍诏诣沙州慰问，并以李明振长子李弘愿，充沙州刺史兼节度副使。次子李弘定充瓜州刺史墨离军押蕃落等使。第三子李弘谏充甘州刺史。时乾宁元年（公元894年）也。议潮夫人，广平宋氏，及卢氏。兄议潭，夫人巨鹿索氏，子淮深，今按诸窟中张氏供养人题名，复为掇记之。

按《五代史记》、《吐蕃传》、《东都事略》、《西蕃传》并作张义朝。《旧唐书》：《宣宗纪》、《懿宗纪》，《新唐书》：《宣宗纪》、《吐蕃传》，《资治通鉴》并作张议潮。兹据第四十六窟题名为议潮，其题名：

> 叔前河西一十一州节度管内观察处置等使金紫光禄大夫检校吏部尚书兼御史大夫河西万户侯赐紫金鱼袋右神武统军南阳郡开国公食邑二千户实封千百户司徒讳议潮

张议潮兄，按《太平寰宇记》、《册府元龟》、《旧唐书·宣宗纪》并作义潭。《资治通鉴》作义泽，兹据第四十六窟题名为议潭，其题名：

> （上缺）光禄大夫检校户部尚书守金吾卫（中缺）兼御史大夫赐紫金鱼袋南阳郡开国公讳议潭

第三百窟张淮深题名：

> 侄男银青光禄大夫检校太子宾客上柱国（中缺）鱼袋淮深一心供养

同窟并有男女二出行图，其一题名已剥落，其一书：

宋国河内郡夫人宋氏

又按第四十六窟三女供养像题名：

(上缺) 姑藏郡太夫人巨鹿索氏

叔母宋国太夫人宋氏

叔母夫人卢氏

第四十六窟议潭及巨鹿索氏题名，上半虽皆残损，以议潮与宋国太夫人宋氏及夫人卢氏题名称叔及叔母，是议潭与巨鹿索氏当为淮深之父母，议潮为议潭之弟。第三百窟之二出行图，为议潮夫妇。第三百窟为议潮功德窟，其时正守归义。第四十六窟为淮深功德窟，其时议潮、议潭已卒，淮深正嗣为节度，观题名可知也。

第一百五十五窟二男供养像，前一身为童子，题名：

(上缺) 光禄大夫检校司徒同中书门下平章事南阳郡开国公张承奉一心供养

后一身题名：

(上缺) 检校右散骑常侍兼御史大夫索勋供养

第三百零五窟二男供养像题名：

敕归义军节度瓜沙伊西等州管内观察处置押蕃落营田等使(中缺)军检校户部尚书兼御史大夫巨鹿郡开国公食邑贰仟户食实封□百户赐紫金龟袋上柱国索勋一心供养

男故太保孙 (中缺) 守沙州长史兼御史□□□承一心 (下缺)

按议潮既卒，侄淮深嗣为节度使，据敦煌出张景球撰《归义军节度使检校司徒南阳张府君墓志铭》云："府君讳淮深，字禄伯，敦煌信义人也。……考曰议潭，赠散骑常侍。府君伯，大中七载（公元853年），便任敦煌太守。……乾符之政，以功再建节麾，特降皇华，亲临紫塞，中使曰宋光廷。……公以大顺元年（公元890年）二月二十二日殒毙于本郡，时年五十有九。……兼夫人颍川郡陈氏，六子，长曰延晖，次延礼，次延寿，次延锷，次延信，次延武等，并连坟一茔。"其铭曰："竖牛作孽，君主见欺，殒不以道，天胡鉴知。"按墓志所记，淮深嗣议潮为节度使，直至大顺元年至其卒为止。且其卒兼夫人及六子，俱死于非命。以其后有篡夺之事推之，淮深之死，似并出于议潮婿索勋之谋杀。又按《索勋纪德碑》题为"河西道归义军节度使索公"。其文云："上褒厥功，特授昭武校尉持节瓜州诸□□□□□□□。”又云：“于是景福元祀，白藏无射之末，公特奉丝纶，就加。”是索勋为节度使，在景福元年（公元892年）。《李氏再修功德记》[李碑立于乾宁元年（公元894年）]碑末题：“……伊西等州节度检校司徒张淮深，妻弟前沙瓜伊西□河□节度使张淮氵。”是淮氵之为节度，要当在淮深死后，托孤之前，为时至暂，诸张氏窟中，亦竟未得一见淮氵题名。《李氏再修功德记》有云：“假手托孤，幾辛勤于苟免。”是所托之孤，在篡夺之际，固并未被杀害。又按第一百五十五窟张承奉题名，当在景福元年之前。第三百零五窟索勋题名，则为景福元年，第一百五十五窟之索勋题名，其结衔虽为“归义军节度管内观察处置押蕃落营田使检校右散骑常侍兼御史大夫”，然与第三百零五窟索勋题名之结衔实有不同，而其“检校右散骑常侍兼御史大夫”与同窟瓜州刺史李弘定，沙州□军使李弘谏之结衔一同。据《索勋纪德碑》，索勋为节度使前之官职，则为“昭武校尉持节瓜州诸□□□□□□□”，而张承奉之结衔为“检校司徒同中书门下平章事”，其“检校司徒”，正与议潮、淮深之结衔同。窃意承奉即为所托之孤，嗣为节度使者。盖自淮深被杀后，索勋尚虚意为掩饰，故不得不由托孤而后加以篡夺，盖承奉袭位时，年事尚小，所谓托孤，或即由索勋摄行节度使事。以石窟之题名观之，颇觉唐宋之际，其官职每有不可解者。如宋初河西归义军节度使为延恭，第二百二十八窟，即曹延恭为节度使时之功德窟，而同窟其弟廷禄题名，并称“弟新授归义军节度使”，同时何得有二节度使，似延禄之节度使，系属虚衔。《李氏再修功德记》淮氵之题名，得毋与曹延禄之题名，其事相同，而第一百五十五窟之索勋题名，或亦并出于自封，况当其时正在托孤之际耶。承奉既非淮深子，是否为淮氵子不可知。《李氏再修功德记》有云：“所赖太保神灵，辜恩剿毙，重光嗣子，再整遗孙。”虽未明指其人，而敦煌出有“乾宁二年（公元895年）三月初十日归义军节度使张承奉及节度副使李弘愿施物疏”。是索勋被杀后，承奉仍复位为节度使耳。第三百零五窟之《故太保孙》题名，太保即指议潮。其名为一“承”字，或即为承奉。其沙州长史，乃为索勋废后所畀予之官职欤？又按《新五代史·四夷附录·吐蕃传》：“沙州，梁开平中。有节度使张奉，自号‘金山白衣天子’。”敦煌出“西汉金山国圣父神武帚与宋惠信敕”其印文曰：“金山白衣王。”当即张奉。

而《吐蕃传》所载沙州节度使张奉，即或为张承奉。盖承奉始被废黜。终遭亡国，遂屡变名字，始则“张承”，继又“张奉”。若出两人，则何其与“承奉”之名，若是巧合也。

五代之作，风规槁木，情采死灰，自郐以下矣。然于经变诸作，犹能经营巨制，力虽不胜，尚思奋飞，固已局促于晚唐之后，翱翔于赵宋之前。后唐庄宗时，瓜沙归义军节度使为曹议金，世守河西，以迄于宋。营建之多，前所未有，其有年号可考者，并详列于后。

宋初法体，与五代性近风接，流派未湮，五十年间（907—959），附声攀响，犹堪接武。供养人像清新俊逸，亦难能矣。其后复有千佛、菩萨之类，则千百类同，俱出于模印矣。

五代唐同光时，瓜沙州归义军节度使曹议金。据《宋史·沙州传》：“至朱梁时，张氏之后绝，州人推长史曹议金为帅。”《五代史·吐蕃传》：“至唐庄宗（李存勗）时，回鹘来朝，沙州留后曹义金亦遣使附回鹘以来，庄宗拜义金为归义军节度使、瓜沙等州观察处置等使。”兹复据诸窟曹氏题名，详为疏列，以明其官爵、眷属，与夫姻娅交亲之迹云。

第七十九窟男供养像题名：

故敕河西陇右伊西庭楼兰金满等州节度使检校太尉兼中书令托西大王□议金供养

第二百二十八窟男供养像题名：

皇祖敕河西陇右伊西庭楼兰金满等州节度使检校侍中兼中书令□西□□讳议金

榆林窟第十窟里窟男供养像题名：

敕归义军节度使检校太师兼托西大王谯郡开国公曹议金一心供养

第四十二窟男供养像题名：

故外王父前河西一十一州节度管内观察处置押蕃落支广营田等使金紫光禄□□万户侯赐紫金鱼袋上柱国（下缺）

按第四十二窟窟主为于阗国皇帝。是议金之婿。此题名称外王父，似即为曹议金，所书河西十一州节度及万户侯，则为他处所未见。

按《册府元龟》，薛欧两史、《宋史》等，俱作义金，兹据诸窟题名为议金。又按薛史《唐庄宗纪》同光二年五月：“乙丑，以权知归义军留后曹义金为归义军节度使、沙州刺史、检校司空。”《唐明宗纪》长兴二年正月：“丙子，以沙州节度使曹义金兼中书令。”《晋高祖纪》天福五年二月：“沙州归义军节度使曹义金卒，赠太师。”按史书所记议金官爵中，沙州刺史、司空，诸窟题名俱未见。至题名中之太尉、侍中、托西大王，并为史书所无。

石室所出《曹良才画像赞》：“公讳乙，字良才。即今河西一十一州节度使曹大王之长兄矣。公乃是亳州鼎族，因官停辙于龙沙。谯郡高原，任职已临于西府。祖宗受宠，昆季沾恩。”按议金为托西大王，赞中称曹大王之长兄，当即议金之兄。

第七十五窟女供养像题名：

故伯母武威郡夫人阴氏一心供养

按第七十五窟，系议金第三子元忠为窟主。阴氏殆即良才妻，于元忠为伯母。

第七十五窟三女供养像题名：

故母北方大回鹘国圣天的子敕授秦国天公主陇西李（下缺）

故母新授郡君索氏一心供养

故慈母敕授广平郡君太夫人宋氏一心供养

第四十二窟三女供养像题名：

敕授汧国公主是北方大回鹘国圣天可（下缺）

郡君太夫人巨鹿□索（下缺）

郡君太夫人广平宋氏一心供养

按第七十五窟窟主浔阳郡夫人翟氏。翟氏为议金第三子元忠妻（即曹元忠窟，此窟曹元忠像已毁，题名详后）。按诸窟男女供养像，其列次长幼有序，其题名尊卑之称，悉以窟主为主，第七十五窟题名，于回鹘天公主，巨鹿索氏，广平宋氏，俱书母，是此三氏并为议金妻。第四十二窟，回鹘天公主题名书汧国公主，当系秦国天公主前之封号。

第三十九窟男供养像题名：

敕河西归义等军节度押蕃落等使检校司空谯郡开国公曹元德一心供养

榆林窟第十窟外窟男供养像题名：

（上缺）归义军节度瓜沙等州（中缺）谯郡开国侯食邑□□户

食实封三百户曹元德

按薛史《晋高祖纪》天福五年："……义金卒，赠太师，以其子元德袭其位。"《晋少帝纪》天福八年："沙州留后曹元深加检校太傅，充沙州归义军节度使。"

第二百五十三窟男供养像题名：

敕归义军节度押（中缺）国（中缺）元氵一心供养

按此题名虽有残损，当为元深无疑，又第二百二十八窟男供养像第一身题名曹议金，第二、第三身题名，俱已剥落，第四身题名书曹元忠，又第三十九窟元德像，位次于议金。是议金有三子：长元德，次元深，三元忠。又按第七十五窟（元忠窟）女供养像题名，于回鹘可汗之女李氏，巨鹿索氏书故母，于广平宋氏书故慈母。是元忠当为广平宋氏所出。石室所出《曹夫人赞》："夫人者，即前河西十一州节度使曹大王之夫人也。"又云："广平鼎族"，又述夫人于将死时事云："辞天公主，嘱托偏照于孤遗，别男司空，何世再逢于玉眷。"又于赞内云："辞天公主，偏照孤孀。执司空手，永别威光。"按此曹夫人当即广平宋氏。天公主即回鹘可汗之女李氏。司空即元德，文辞中之玉眷、威光，知元德必非宋氏所出，而回鹘可汗之女李氏，或即为元德之生母。

按《旧五代史 · 晋少帝纪》开运三年（公元 946 年）三月："以瓜州刺史曹元忠为沙州留后。"而《太平寰宇记》，薛、欧两史《吐蕃传》，《文献通考》俱载周显德二年（公元 955 年）"以元忠为归义军节度使"。《宋史 · 沙州传》："授本军节度、检校太尉、同中书门下平章事。"石室所出《大圣毗沙门天王像》刻本后有题记云："弟子归义军节度使特进检校太傅谯郡曹元忠。于是大晋开运四年丁未岁七月十五日记。"是元深为节度使，为时颇短，《旧五代史》虽称元忠为留后，其时元忠似已实际为节度使。又按开运止三年，是岁晋亡。开运四年，即汉高祖元年，称天福十二年（公元 947 年）也，又石室所出《金刚经》刻本，后有题记云："弟子归义军节度使特进检校太傅兼御史大夫谯郡开国侯曹元忠。天福十五年己酉岁五月十五日记。"

按晋天福止八年为癸卯，十五年当为汉乾祐三年，而乾祐三年为庚戌，己酉乃乾祐二年（公元 949 年）也。

第七十九窟洞口南壁男供养像第二身题名：

敕归义□□度瓜沙等州观□□置押蕃落（中缺）检校太尉□御史大夫谯郡（下缺）

第三身题名：

敕受（中缺）功臣归义军节度瓜沙等州（下缺）

第四身题名：

窟主敕推诚奉国保塞功臣归义（下缺）

第五身题名：

侄□□□州防御使（下缺）

按此窟第一身题名为议金。此下题名，虽已残损，然其第二身为元德，第三身为元深，第四身为元忠可知。按《续资治通鉴长编》、《文献通考》及《宋史·沙州传》："建隆三年（公元962年）加兼中书令，子延敬为瓜州防御使，赐名延恭。"此窟第四身元忠题名书窟主，第五身题名书侄。且正为□州防御使，必为延恭无疑。诸史当以元忠侄误为元忠子。此时元德、元深卒已久，然诸题名除第一身议金书故外，第二、第三身俱未书故，不识何故。

第二百十二窟窟檐题记：

维大宋乾德八年岁次庚午正月癸卯朔二十六日戊辰敕，推诚奉国保塞功臣归义军节度使特进检校太师兼中书令西平王曹元忠之世创建此窟檐记

按乾德止五年，八年当为开宝三年（公元970年），边陲僻远，时不免致误耳。《资治通鉴长编》："太平兴国五年（公元980年）元忠卒，诏赠敦煌郡王。"按第二百二十四窟窟檐题记，末书"开宝九年曹延恭之世创建记"（题名详后）。开宝止八年，九年当为太平兴国元年（公元976年），其时延恭已为节度，是元忠必卒于开宝八年（公元975年）前，《续资治通鉴长编》所记当有误。至诸窟题名及石室本等所书官爵，亦大半与史互有出入。

第四十窟女供养像题名：

女甘州回鹘国可汗天公主（中缺）供养

第七十五窟二女供养像题名：

姊甘州圣天可汗天公主一心供养

姊大于阗国大政大明全封至孝皇帝天皇后一心供养

第四十二窟女供养像题名：

大朝大于阗国大政大明天册全封至孝皇帝天皇后曹氏一心供养

按第四十窟为议金窟，第七十五窟为元忠窟，故第四十窟之题名称女。第七十五窟之题名称姊，是并为议金之女。又第七十五窟于阗国天皇后像位次于回鹘可汗天公主，是于阗国天皇后为妹，并为元忠之姊。按欧史《回鹘传》：“其可汗常楼居，妻号天公主。”兹据诸窟题名，回鹘于女亦称天公主。盖于可汗下加“的子”二字。如第四十窟议金妻题名，为“圣天可汗的子陇西李氏”。

第二百十七窟女供养像题名：

敕授凉国夫人浔阳翟氏一（下缺）

第七十五窟女供养像题名：

窟主新授浔阳郡夫人翟氏一心供养

按第二百十七窟洞口南北壁男女供养像仅各一身。南壁之男像为元忠，与浔阳翟氏像相对，当为元忠妻。第七十五窟翟氏题名，当为第二百十七窟以前事，翟氏当先授浔阳郡夫人，后授凉国夫人者，按《续资治通鉴长编》：“太平兴国五年四月，授延禄为归义军节度使，又以其弟延晟为瓜州刺史，延瑞为牙内都虞候，母封秦国太夫人，妻陇西郡夫人。”按延禄之母为凉国夫人浔阳翟氏，翟氏题名中未见此封号。延禄妻为于阗国公主李氏。按当时凡李氏俱称陇西郡，于阗国皇帝系赐姓李氏，然延禄妻题名未见有书陇西郡夫人者。

榆林窟第十二窟里窟童子供养像题名：

男将仕郎延禄

同窟小女子供养像题名：

长女小娘子延鼐一心供养

榆林窟第二十六窟里窟童子供养像题名：

男司马延禄

同窟小女子供养像题名：

长女小娘子延鼐一心供养出适慕容氏

榆林窟第十二窟、第二十六窟童子像前一身题名为元忠。小女子像前一身题名为浔阳翟氏、延禄、延鼐，当并为元忠所出，延鼐为延禄之姊。

第二百二十四窟窟檐题记：

维大宋开宝九年岁次丙子正月戊辰朔七日甲戌敕归义军节度瓜沙等州观察处置管内营田押蕃落等使特进检校大傅兼中书令谯郡开国公食邑一千五百户食实封三百户曹延恭之世创建记

第二百二十八窟男供养像题名：

窟主敕归义军节度瓜沙等州观察处置管内营田押蕃落等（中缺）中书令谯郡开国公食邑□千五百户食实封五百户延恭（下缺）

按延恭像前一身题名：

叔父敕推诚奉国保塞功臣归义军节度使特进检校太师兼中书令天册西平王讳元忠供□

按此窟于元忠题名书叔父，第七十九窟于延恭题名书侄。是延恭当为元德或元深之子。

第二百二十八窟女供养像题名：

窟主敕授清河郡夫人慕容氏一心供养

按此窟延恭题名书窟主，慕容氏亦书窟主。当为延恭之妻。

第二百二十八窟男供养像题名：

弟新授敕归义军节度使□□检校太保谯郡开国公食邑五百户食实封三百户延禄

按此窟延恭题名为归义军节度使，而延禄亦授此官爵。同时何得有二节度使，延禄之归义军节度使，当为虚衔耳。

第二百十四窟窟檐题记：

□宋太平兴国五年岁次庚辰二月甲辰朔廿二日乙丑敕归义军节度瓜沙等州观察处置管内营田押蕃落等使□□检校太傅同中书门下平章事谯郡开国公食邑一千五百户食实封七百户曹延禄之世创建此窟檐记

按此窟窟檐题记，书太平兴国五年，其时延恭必已卒。要之元忠卒后，嗣元忠者为延恭，而延禄则嗣延恭者。《续资治通鉴长编》："太平兴国五年闰三月，归义军节度使曹元忠卒，其子延禄自称留后，遣使修贡。四月丁丑，授延禄归义军节度使。"于延恭事无所记，元忠之卒，既在开宝八年前，或者《长编》以曹延恭卒误为曹元忠卒。其弟延禄误为其子延禄。正如元忠侄延敬误为元忠子延敬。又按第二百十四窟窟檐题记，延恭之卒与归义军节度使之授延禄，俱在太平兴国五年前。第二百十四窟窟檐题记，首书太平兴国五年岁次庚辰二月。而《长编》记太平兴国五年闰三月归义军节度使曹元忠卒，四月授延禄归义军节度使，转在创建窟檐年月之后，实不可能。且创建窟檐动需数月，是此窟檐之建始，又当在太平兴国五年前。创建窟檐之年月，纵与《长编》所记合，亦不足以证之为归义军节度使初授延禄之时，况又在其前耶？

《续资治通鉴长编》、《文献通考》、《宋史 · 沙州传》："咸平四年正月，封归义军节度使曹延禄为谯郡王"。

榆林窟第二十五窟里窟男供养像题名：

敕推诚奉化功臣归义军节度瓜沙等州观察处置管内营田押蕃落等使特进检校太师兼中书令敦煌王谯郡开国□□食邑一千七百□曹延禄一心供养

按诸窟延禄题名，未见书谯郡王者。其题名所书官爵，大半亦为史所无。

第七十五窟女供养像题名：

大朝大于阗国天册皇帝第三女天公主李氏为新授太傅曹延禄姬供养

按议金第二女为于阗国皇后。延禄姬李氏或即为议金第二女所出，与延禄为中表。

《续资治通鉴长编》："太平兴国五年四月，授延禄为归义军节度使，又以其弟延晟为瓜州刺史，延瑞为牙内都虞候。"按《文献通考》、《宋史 · 沙州传》、石室本《大般若波罗蜜多经卷》后题名俱作延晟。元忠子诸窟题名惟延禄一人。延晟延瑞或为元德元深之子，延恭之弟。又诸窟题名中无延晟题名。石室所出《大般若波罗蜜多经卷》第二百七十四、第二百七十五两卷末并有题记云"清信弟子归义军节度监军使检校尚书左仆射兼御史大夫曹延晟"，后署乾德四年丙寅岁五月一日。按乾德四年曹元忠为归义军节度使时。

榆林窟第二十五窟里窟男供养像题名：

节度副使守瓜州团练使金紫光禄大夫检校司徒兼御史大夫谯郡开国男食邑三百户曹延瑞供养

按《宋史》等所记延晟、延瑞官职，与诸窟题名及《波罗蜜多经卷》

题名俱不合。

榆林窟第二十五窟里窟二女供养像题名：

敕授清河郡夫人慕容氏一心供养

敕授武威郡夫人阴氏一心供养

按此窟洞口南壁男供养像二身。洞口北壁女供养像则为三身。南壁之延瑞像为第二身，其第一身为延禄像。北壁之慕容氏像前第一身，为于阗国公主像，是为延禄妻。按延禄妻，诸窟题名中于阗国公主外，未见更有他氏者，慕容氏与阴氏，当并为延瑞之妻。

兹依诸窟题名，曹氏为瓜沙归义军节度使，其卒立世次，大致为唐同光二年（公元924年）至晋天福五年（公元940年）为议金。自天福五年至天福七年（公元942年）为元德，自天福八年（公元943年）至开运二年（公元945年）为元深。自开运三年（公元946年）至宋开宝八年（公元975年）前为元忠，自开宝八年前至太平兴国五年（公元980年）前为延恭。自太平兴国五年至咸平四年（公元1001年）后为延禄。

自来论绘事，未有及西夏者。西夏当宋仁宗之世，离宋自立。西北万里坐拥二百年。其画派远宗唐法，不入宋初人一笔，妙能自创，俨然成一家。画颇整饬，但气宇偏小，少情味耳。榆林窟第一、第二、第三、第六、第二十诸窟画，俱出西夏人手。经变等并兼禅宗密宗，与夫供养人像等，并足知其当时文物、衣冠及信奉之所归。

莫高窟自乐僔建始，迄今为一千五百年有余，自隋为一千三百余年。自唐为一千三百余年。自五代为一千余年。自宋为九百年有余，既去古之已远，今日犹得流连展观于其下，可谓难能矣。世异时移，天时人事之变莫能免，其损坏、剥落、颜色褪变者，十居八九，今日壁间诸画，无论佛、菩萨、鬼怪与夫供养人像，十之三四为灰黑色，或枣黑色，十之四五为彩色者，亦有半为彩色半为灰黑色者。元魏人好作夜叉，夜叉裸身，有作肤色，间或作绿色者。复有一种灰黑色，其身体手足边缘之黑色，阔壮如带，一若其勾勒行笔，豪放若此者，实则为画时所作之底，乃敷色之深处，以之表现立体。今面上之勾勒，并已不见，颜色亦尽变，其深处，其色黑；其浅处，其色灰。此即为肤色所变，实无有灰黑色夜叉也。灰黑色为银朱与白粉所变，肤色乃银朱与白粉相合而成。古时俱用重色（矿物质）。重色中之青、绿、朱、黄，永不变色。惟银朱与白粉俱能变。白粉变黑、银朱亦变黑。白粉与银朱合变黑。乃至青、绿、朱、黄与白粉合，则青、绿、朱、黄，俱变黑。白粉、银朱亦有不变者，此或出于特制，或为偶然，非常理也。今窟中诸画，凡灰黑与枣黑者，俱系变色，非本来面目矣。

西千佛洞去敦煌城西七十余里。戈壁中分，广及百丈，下临党河，水发于南山，北注过此，东流而人于敦煌。南、北两壁直立，约二十余丈，其北壁有佛窟绵亘约三里许，即西千佛洞也。窟崩毁几尽，自东至西，凡尚完好及有残迹可见者，据张氏所编号，为十九窟。考其壁画，其建始当不在北魏后。又依其所占戈壁之长，其数当尤在莫高窟之上。今窟中自北魏至宋、回鹘、西夏，俱有壁画。

榆林窟（俗称万佛峡）。去安西城南一百六十余里，当三危山之麓，树木苍茂，急湍中流，其境至类千佛洞。窟仅二十有九，据张氏编号，为东壁二十窟，西壁九窟，每窟分里外窟，中有甬道，可与他窟相通连。元时曾重修，其建始于何时无可考。今窟中自唐至宋、回鹘、西夏，俱有壁画，而以五代、宋为多。

水峡口，在安西至榆林窟之间，奔流壮激，南北峭壁，有佛窟若干，然崩毁垂尽。今所存者，据张氏编号，仅北壁一窟，南壁五窟耳。亦作里外窟，审其旧迹，盖亦长数里，绵延与榆林窟相接，壁上画虽俱出宋人，然按诸窟形状，当亦建始于元魏间。

注释

① 《元和志》卷40，沙州条："建中二年，陷于吐蕃。"又英国伦敦藏石室本S—788残《沙州地志》记寿昌县云："右汉龙勒县，正光六年改为寿昌郡。武德二年（公元619年）为寿昌县，永徽六年（公元655年）废，乾封二年（公元667年）复改为寿昌，建中初陷吐蕃，大中二年（公元848年）张议潮收复。"

② 英国伦敦藏石室本S—3329卷子记云："敦煌晋昌收复已讫，时当大中二载……沙州已破吐蕃，大中二年遂差押牙高进达等驰表函入长安城，以献天子。"

第三百二十一窟　初唐　飞天

《敦煌艺术叙录》后记

1942年至1943年，我在敦煌，当时纯为研究壁画，因此记下了《石窟叙录》。由于窟内的壁画，错综繁密，很不容易记。一铺铺的“经变”，记壁上的位置，还较容易。至于零碎一些的，就很觉难于明确。窟中的文字，如“发愿文”、“题记”、“题名”等等，大半隐约不清，抄录颇难，谨慎宁缺，仍恐不能无错，当时自己最不满意的，是一些“经变”、“佛经故事”之类，由于我的不懂佛经，以及当时手边又无此类书籍，面对着这些题材的画，竟不知道描写的是哪一故事。因此，只能笼统地记下“经变”或“佛传图”而已。这说明都是很不够的。

在整理石窟叙录的这些日子里，仿佛又回到了莫高窟。从北魏到赵

第二百五十七窟　北魏　九色鹿本生

宋，绚烂高华的千壁丹青，都浮现到心目中来，当我到敦煌，经过了一短时期之后，我逐渐惊心于壁上的一切，逐渐发现个人平时熟习于一些明、清的以及少数宋、元绢或纸上的绘画，将这种眼光来看壁画，一下子是无法妥洽的。这正如池沼与江海之不同。平时所见的前代绘画，只是其中的一角而已。今天要论祖国的传统艺术，循着当时的历史与社会背景，来认识和辨析它的变迁和盛衰之迹，因而对莫高窟自北魏到赵宋，这惟一的、有系统的人民艺术，是更能得到较全面的理解的。

从殷商的青铜器、玉器上的花纹，战国的漆画，汉代的壁画、石刻和砖画，这些在莫高窟北魏到唐的壁画里，可以见到它的继承系统和演变之迹的。特别要指出，自从佛教到中国后，在艺术方面，起了很大的刺激，使中国艺术开创了新的道路，在现存的石窟以及书籍所记载的历代寺院壁画，说明中国艺术是为佛教开拓了广大领域的。

所有这些佛教艺术中，如佛、菩萨等的形式，也有完全采取西域方面的。唐张彦远《历代名画记》卷三，记“东都寺观壁画”：“敬爱寺，佛殿内菩提树下弥勒菩萨塑像，麟德二年自内出。王玄策取到西域所图菩萨像为样。巧儿、张寿，宋朝塑，王玄策指挥，李安贴金。东间弥勒像，张智藏塑，即张寿之弟也，陈永承成。西间弥勒像，窦弘果塑。已上处像光及化身等并是刘爽刻，殿中门西神，窦弘果塑。……殿中门东神，赵云质塑，今谓之圣神也。此一殿功德，并妙选巧工，各骋奇思，庄严华丽，天下共推。”这里说明的是“敬爱寺”佛殿内的塑像，是用的西域的图样，此处都是出于“巧工”的“各骋奇思”。根据莫高窟北魏到隋的上半期，无论塑像和壁画佛、菩萨等，它的体态，是瘦削而清癯的，装饰是简单而朴素的。隋的下半期起到唐，就转为丰腴的宝相与华贵的宝饰。以及“经变”、“佛经故事”等，题材增加了，布局扩展了，这些从外表到内容，确是有它自己的实践过程，然后形成的，而在某些形式方面，必须或多或少地采取西域的形式，因为，佛教根本是西域来的。

根据壁画，它的画法和程序是开始在壁上起稿时描一道，到全部画好时，这起首的线条，已被颜色所掩没不见，必须再在颜色上描一道，也就是完成时的最后一道描，在魏、隋的起首一道描，是用赭色的。至隋末起，渐用墨描。后一道描，都不外乎赭与墨。但魏画，如青色，则是用白粉来描的，从壁上的脱落部分可以看到，唐画的起首一道描，往

第二百八十五窟　西魏　伏羲女娲

第二百八十五窟　西魏　五百强盗成佛

往有马虎的，但在最后一道描，却都很精妙，且在部位等方面，与第一道描，有时也不免有出入。壁画是集体的制作，这里看出，高手的作家，经常是只作决定性的最后一描的。但事实也有例外，北宋米芾《画史》，有一条记吴道子的画法：“关中小孟，人谓今之吴生，以壁画笔上绢素，

第二百九十六窟　北周　驼队

第三百二十三窟　初唐　张骞出使西域

一一如刀割，道子界墨讫，则去，弟子装之，色盖本笔，再添而成，唯恐失真，故齐如划。小孟遂只见壁画，不见其真。”这是说高手的吴道子，担任了起首的一道描。因为上颜色，又须把它掩没，而这些弟子们惟恐在最后一道描时，无论在哪一方面，会失去第一道描的精神，因此，只好沿着第一道描来填上颜色，庶不致把原来的描笔掩盖掉，然而那些原来的描笔，仍不免显得刻划和板滞。这一种画法，在莫高窟中，并没见到有同样的例子。

从北魏到唐，中间的隋，短短四十年，起了过渡时期的重大作用，它轻轻结束了魏的矫诞夸张的格调，导引了唐的气度雍容，中和真实的作风。唐的艺术是大成了。从武德起到天宝为止，一系列的壁画，好像花一样，清楚地看着它从含苞到盛放，快极了，真有一日千里之势。在唐初画坛上，图画《秦府十八学士》的阎立本，起了领导的作用。到盛唐，在大同殿壁写三百里嘉陵江山水的吴道子，起来代替了阎的地位。从初唐到盛唐以后，后起的作家，“不入于杨，则入于墨”，阎和吴的画派，前后分占了当时的艺术领域。莫高窟唐代的壁画，到盛唐为止，从它的流派来分析，其源盖出于阎立本，唐李嗣真《续画品录》：“自江左陆谢云亡，北朝子华长逝，象人之妙，号为中兴。”这是对唐阎立德、阎立本的画派而言的，与莫高窟这时期的壁画风格，正是循着这条道路而来的。

石窟自元魏到隋开皇的壁画而论，这一时期的画风，都可以看出前后的渊源关系，至隋开皇以后至唐，画风的丕变，在石窟壁上，就完全看不出它的演变之迹，看来，自东晋顾恺之画派确立之后，笼罩了整个绘画艺术，石窟自隋开皇至唐的画风，已完全脱离了传统的格体，而是接受了顾恺之画派所新兴的风貌了，试从顾恺之的《女史箴图》和东晋的绘画史来看，将证实这一论证。

历来尚论敦煌艺术的渊源，是接受了印度的佛教艺术，即“犍陀罗”艺术。说敦煌艺术受了印度的影响，是无可非议的，正如上述敬爱寺的塑像，在某些形式上有所依据，而且，佛教本身正是从印度来的。

但是，除此而外，看来不再有什么瓜葛了，以印度阿旃陀（AJATA）石窟的壁画与敦煌石窟的壁画来进行比较分析，可以证明各自依靠自己的传统分道扬镳。但是，有一个问题值得提出。阿旃陀的第六、第十一、第十六、第十七等窟的壁画，与其他窟的所有壁画截然不同，却与敦煌初、盛唐之际的画派如出一辙，阿旃陀的开凿年代，从公元前一二世纪到公元六七世纪，7世纪以后，随着佛教在印度的衰落，这个石窟，据说已不再发展而隐没不为人所知了，而上列的几个石窟的开凿年代，据说相当于中国的初、盛唐之前，那么，那几个石窟的壁画应该可以说明与敦煌壁画之间的渊源关系了。敦煌艺术研究所所长常书鸿先生曾见告，印度文物局长诺克拉伐蒂曾经对他说过，阿旃陀石窟的壁画有一些是当年中国人来画的，经久的这个谜，终于揭晓了，从上述阿旃陀的那几个石窟的壁画而论，无疑，印度文物局长所叙说的是完全可靠的。

北齐壁画　出行图

北齐娄叡墓壁画与莫高窟隋唐之际画风的渊源关系

近年山西太原南郊发现了北齐娄叡墓，经过发掘，出土大量的随葬品，墓壁全部绘有壁画，除一部分已经漫漶，大致都尚完好，而尤以墓道西壁之《出行图》色彩行笔如新。以绘画而沦，这是重要的发现。

墓主娄叡，出土墓志：是北齐的外戚，高祖高欢妻之兄子。初为高欢帐内都督，旋迁至骠骑大将军。后主高纬武平元年（公元570年）卒。追赠太宰、太师、太傅、开国王。

这里要论列的是这一墓葬的壁画。

在北朝（420—589）时期的绘画流派，使我们习熟的是敦煌莫高窟的北魏、西魏壁画。初以为是代表了整个北朝的画派。这一墓葬壁画的发现，揭示了魏与北齐之间画派出人意表的不同。北魏与北齐，时期是衔接的，如果来两相检校其差异，从行笔到形体，北魏、西魏是率野放荡、夸张过当，以及色调的艳冷。北齐则突然与之分道扬镳，几乎是不可思议！

以娄叡墓墓道西壁的《出行图》来辨析它的描写宗尚，高度的写实，所有率野放荡夸张的表现已荡然无存，人物的面部都比较长而丰下，这几乎是它的特征。眼小，眉眼口鼻或须而外，没有更多的一笔。双骑武士，那宽袖的皱褶，用连续屈曲的线条一笔而下，突出地显出写实的巧妙，仅仅一笔，概括了衣袖这一倏忽的动态，是新奇的表现，自描写人物以来，艺术的形象思维，被注意到这一角度，为前此所未有。是一种完全新的写实手法。用笔劲爽，有时尖锋直下，灵动而潇洒，因而使整体艺术形象，饶有一派清高而流畅的气质，令人蓦然相识北齐画风的剧变已至于此。

北齐有国之日，从文宣帝高洋天保元年（公元550年）到高恒承光元年（公元577年）共27年，如果再加上高欢在北魏孝武帝元脩时为大丞相及东魏孝静帝元善见武定五年高欢死时（532—547），这一时期的国家权力，已不在于北魏、东魏而在于高欢，先后达十余年，如果加上高欢的这段时期，高氏从北魏、东魏直至北齐之亡，总不过40年，画派的勃兴，令人惊异的在此短短时间中何所凭依而能与元魏的画风背离违隔而卓然自立！

从而想到敦煌莫高窟壁画，直至隋开皇，始终与元魏的风规了无二致，而开皇以后至唐，突然改弦易辙与元魏绝缘。试从娄叡墓的画风来引证，莫高窟这一时期的壁画，是与之有所呼应的。

以论莫高窟隋唐之际的壁画与娄叡墓壁画之间的异同，不在于形体风格而在于描写的繁简。北齐简而唐繁一些，衣纹的表达，唐已不用屈曲的描绘而归结于直线而圆转的行笔，不用尖锋。面部的线条加多了。至于马，也与唐的描写手法和风格一致，但如马头，则唐深刻，形神周到，描绘的手法加深了。总的艺术情调，北齐灵动，而唐凝重，北齐清高潇洒而唐敦穆，然而北齐的风貌是动人的。

当年我在莫高窟，对隋唐之际的画风突变，如无源之水，看不出从何而来。渐次分析，认为：如顾恺之的《女史箴图》，南京西善桥南朝墓出土的砖刻画《竹林七贤图》这类体貌，到隋开皇以后，开始传到了莫高窟壁上，从而脱离了元魏的画格，它的渊源应出于顾恺之。当娄叡墓壁画的风规所示，开始发现隋唐之际画风的突变，其与顾恺之的渊源，将不是直接的。直接的是北齐。

唐张彦远《历代名画记》“叙师资传授南北时代”中说：“若不知师资传授，则未可议乎画。”以北齐画派而论，它的兴起，看来当以当时号称画圣的杨子华为先河，从而使娄叡墓壁画这一体貌形成。按《历代名画记》：“杨子华，世祖（高欢）时任直阁将军员外散骑常侍，尝画马于壁，夜听蹄啮长鸣，如索水草；图龙于素，舒卷辄云气萦集，世祖重之，使居禁中，天下号为画圣，非有诏不得与外人画……阎立本云：自像人已来，曲尽其妙，简易标美，多不可减，少不可逾，其唯子华乎。”《历代名画记》又记：“只如田僧亮，杨子华，杨契丹，郑法士，董伯仁，展子虔，孙尚子，阎立德，阎立本，并祖述顾（恺之）陆（探微）僧繇。”其中田僧亮亦为北齐画家，然以杨子华为早，当高欢之时，北齐尚未有国，因而烜赫的画圣之名，不始于北齐，实起于北魏。田与杨，他两人的渊源都是祖述顾恺之的。唐李嗣真云：“自江左陆、谢云亡，北朝子华长逝，象人之美，号为中兴。”这是对唐阎立德、立本而言的。《历代名画记》也说：“二阎师于郑（法士）、张（僧繇）、杨（子华）、展（子虔）。”可见杨子华对二阎的影响，及对从北齐到唐初的影响。娄叡墓壁画的流风，正是“简易标美”，如阎立本评述杨子华的体制，可以怀想其画派与杨子华的关系。当隋统一而后，渐次追随了杨的这一画派。祖述顾恺之的展子虔正是从北齐入隋的。即上列的杨、郑、董、孙，也都是隋的健将。唐初画派的兴起，与隋不能无涉，与二阎不能无涉。二阎与杨、展，正是师承渊源的关系。莫高窟当隋唐之际，所以能脱离旧辙，翻然自新，正是杨子华画派所孕育而成。由此可见，自东晋顾恺之而后，画派的宗尚，朝代虽有南北之分，而风气的趋向，却并未受到地域的阻隔。

莫高窟在隋开皇以前，所有壁画，都为自汉以来一脉相承的民间传统，逐渐流衍成自己的体貌。而北齐首先转向江左士人画一面，赫然以新的体貌旗鼓称雄。“自苍生以来所未有”的顾恺之，起了导引的作用，致使民间的原有传统自此归于澌灭。这一趋势虽后于南朝，然在西北一方，正是北齐起了登高一呼，众山皆应的作用。

娄叡墓壁画的发现，使人亲眼见到了画风渊源习尚，揭开了从东晋到隋唐之际艺术流衍之谜，使这一时期文献不足征的空虚绘画史得到了充实。

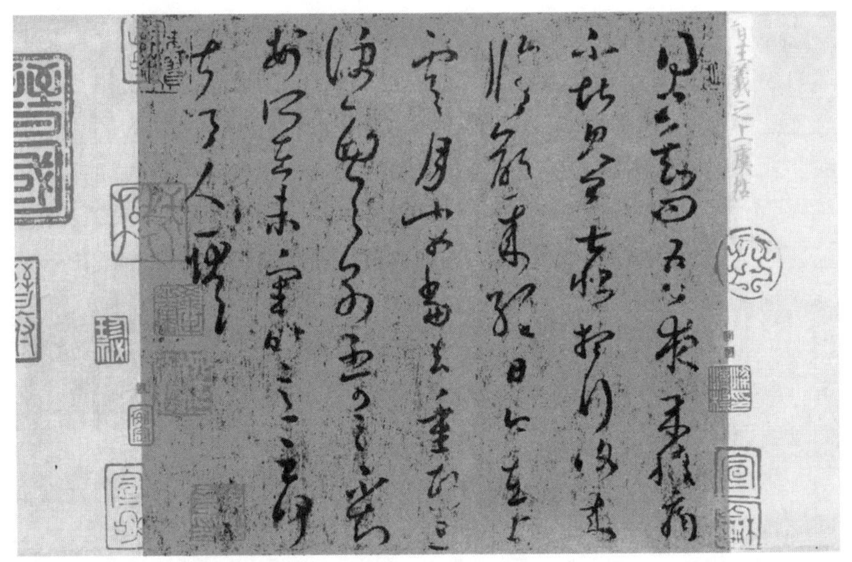

王羲之　《上虞帖》

王羲之《上虞帖》

晋王羲之《上虞帖》，现藏上海博物馆，此帖刻于《淳化阁帖》等诸帖中。明詹景凤《东图玄览》、清安仪周《墨缘汇观》续录都曾提到。但原本的流传，多少年来湮没不彰，寂然不为人所知。

《上虞帖》为唐摹本，北宋内府旧藏，至今尚保存原装。前隔水近帖的上端，有月白绢签，宋徽宗金书“晋王羲之上虞帖”七字。在绢签下角和隔水及帖本身跨押朱文双龙圆印骑缝印，隔水前押“御书”葫芦骑缝印，帖之前下角与后上下角与前后隔水相接处均押“政和”、“宣和”骑缝印，后隔水与拖尾相接处押“政和”骑缝印，拖尾中间押“内府图书之印”朱文大印。

除宋徽宗的题签和印之外，在帖的前后上角尚有墨印半印，其文字虽有破损，尚可辨认是南唐的“集贤院御书印”。上述的“政和”印正押在此墨印之上，帖的后下角，有南唐的“内合同印”朱文大印。此帖在明代，曾藏晋王府，有“晋国奎章”、“晋府书画之印”等五印。后归韩逢禧，有“韩逢禧”等两印。韩为礼部左侍郎韩世能之子，家藏甚富。至清初为梁清标所藏，帖前后均有“梁清标”等骑缝印。梁的原签亦尚装在帖前。此帖后归宛平商载。商字仲言，为嘉庆时翰林，任御史等职，至太平天国时，商之孙女将此帖缝诸衣衽自金陵逃出，后又归大兴程定夷。程曾为道员，收藏颇多。《上虞帖》的流传始末，所可考见的大致如此。

北宋徽宗时内府所藏的法书，其装潢是统一的格式。如晋陆机《平复帖》、晋王羲之《行穰帖》等，与《上虞帖》均为同一格式。

《上虞帖》为硬黄本，纵23厘米，横26厘米，草书七行，其文曰：

得书知问吾夜来腹痛

不堪见卿甚恨想行复来

修龄来经日今在上

虞月末当去重熙旦

便西与别不可言不知

安所在未审时意云何

甚令人耿耿

帖中大都是回答来书所问，其中提到的三个人：修龄是晋王导的从弟王廙之子王胡之的字，与王羲之为从兄弟。重熙是郗鉴之子郗昙的字，是王羲之的妻弟。另一个“不知安所在”的安，当是谢安。按《晋书·王羲之传》：“会稽有佳山水，名士多居之，谢安未仕时亦居焉。孙绰、李充、许询、支遁等皆以文义冠世，并筑室东土，与羲之同好，尝与同志宴集于会稽山阴之兰亭，羲之自为之序以申其志。”当时谢安也参加了这次宴集，时在晋穆帝永和九年癸丑（公元353年）。又按《谢安传》：“初辟司徒府，除佐著作郎，并以疾辞……复除尚书郎，琅邪王友，并不起。吏部尚书范汪举安为吏部郎，安以书距绝之。有司奏安被召，历年不至，禁锢终身，遂栖迟东土，尝往临安山中，坐石室，临浚谷……尝与孙绰等泛海……”谢安寓居在上虞县，帖中所称“不知安所

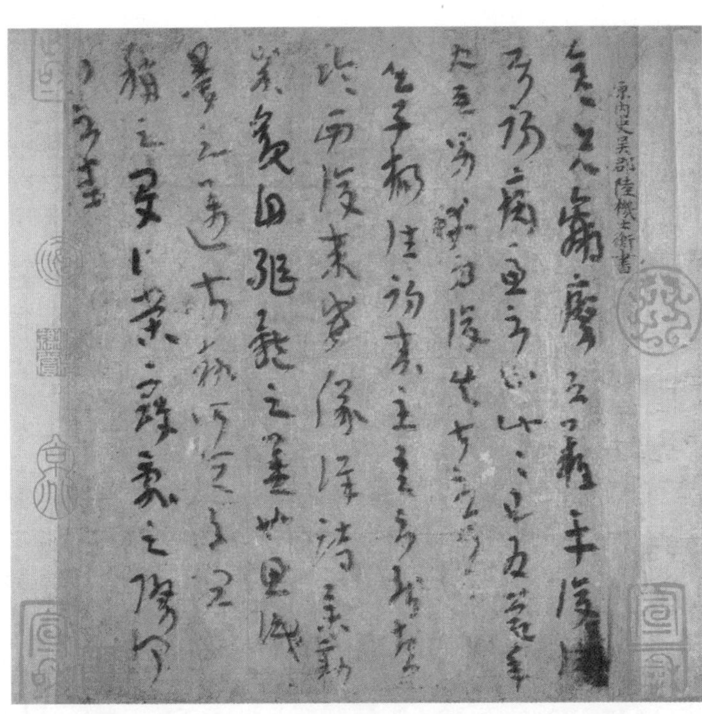

陆机 《平复帖》

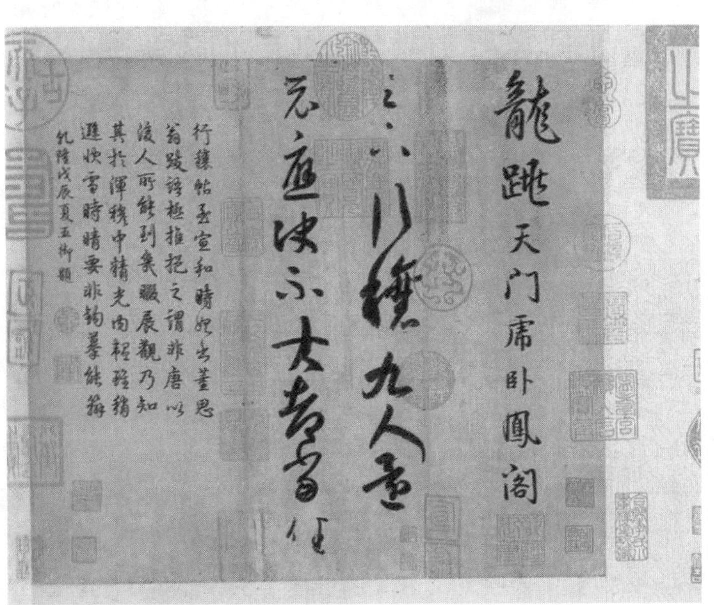

王羲之 《行穰帖》

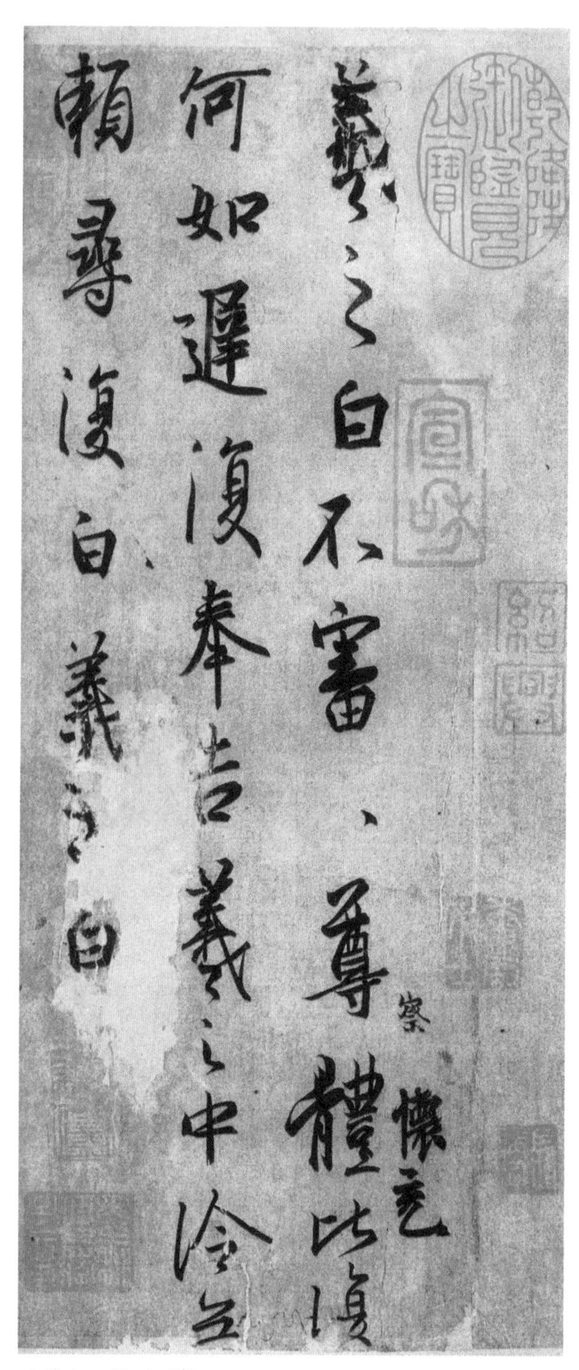

王羲之 《何如帖》

在”，可知其时谢安不在上虞，当在临安山中与泛海之际。故王羲之不知谢安在何处。谢安屡举不起，当时在朝士大夫频有烦言，今又不知其所在，故云“未审时意云何”。

又按《王廙传》“以胡之为西中郎将，司州刺史，假节，以疾固辞，未行而卒”。《资治通鉴》以王胡之为司州刺史事系于晋穆帝永和十二年丙辰（公元356年），时谢安37岁，王羲之为50岁。[①]永和九年谢安在会稽。故《上虞帖》当在永和九年之后，十二年之前所书。

《宣和书谱》所载王羲之法书有“《得书帖》三”，而不载《上虞帖》。《淳化阁帖》中连续刻有《得书》三帖，《上虞帖》正是《淳化阁帖》的《得书》第三帖。看来宋徽宗为避免帖名的类同，因而题为《上虞帖》的。

论书画鉴别，一些历代的收藏印记，仅足说明书画的流传有绪，并不能依之来解决书画的真伪问题。因为，书画本身自有它的体貌、个性和时代风格在，而如一些古摹本，表达的是原作的精神面貌。至于勾摹者的个性、风格等，则于此并无迹可寻。因此，仅能从摹本的整个面貌及久历风霜的自然老态来证明它的时代久远。然而时代的所谓久远，究竟是五百年还是八百年，是这一朝还是那一代，摹本的本身就很难证明了。这里，历代的流传印记，却起着一定的证明作用。《上虞帖》从它的行笔来看，不是出于书写而是出于勾摹。它的久历风霜的盎然古貌，虽昭示了它的时代久远，但北宋徽宗的金题朱印，却证明了《上虞帖》的重要流传。而南唐的朱墨印记，更说明了它的流传上限还要前于“宣和”一百五六十年。凭此流传上限，证明《上虞帖》的勾摹时期具有一段更以前的历史，构成了它在南唐时的文物地位，这是《上虞帖》为唐摹本的特有证据。南唐的“内合同印”、“集贤院御书印”即宋人称之为金图书的，在并世流传的古书画上，并有此两印的也仅见于《上虞帖》。

同一时期的摹本有优劣，这是勾摹者手段技巧问题，《上虞帖》以摹本的现象而论，逊于《万岁通天帖》的王羲之书，这又与王羲之的原墨迹以及历代的保护整修等问题分不开的。但以此帖体势的灵动绰约、丰肌秀骨，却远较王羲之的《何如帖》为胜。

《上虞帖》与《淳化阁帖》中的得书第三帖，在字体方面有着明显的相异之处。而《上虞帖》既久没于尘埃之中，阒焉无闻于世，其突然出现，就引起了生疏的感觉，反不似习闻于世的《淳化阁帖》使人感到亲密了。两者既有相异之处，而《淳化阁帖》所据以摹刻的原本与这本唐摹《上虞帖》究竟有无关系？

宋拓《淳化阁帖》号称佳本的，一为明王铎题为初拓本的，上有清安仪周藏印，世称临川李氏本（下称李本）。一为宋拓王右军书（即清陆谨庭力辨此非宋拓而为南唐升元帖者，下称陆本）。试以李本与陆本为据，作一分析。

《上虞帖》的现状，有大小破损共18字，而李本与陆本是一字不损的。然而即在李本与陆本之间，也并不一致（事实上，与各种《淳化阁帖》的翻刻本也都互相不一致），笔势各异，出入颇大。凭此来论《上虞帖》，真所谓“刻舟求剑”了。然而有一个突出之点，即《上虞帖》中的“言”字，与李本、陆本的这个“言”字相异，而李本与陆本是相同的。李本与陆本的“言”字作四点，其第三第四点是屈曲相连的，而《上虞帖》的“言”字其第三点不作一点而直下与第四点相连。

《上虞帖》的“言”字尽管与刻帖不同，其实并不奇怪，因为它很清楚，并没有错，更不能构成别一个字。奇怪的是见于李本与陆本的王羲之《子嵩帖》，其中“不可言”的“言”字，李本的是清清楚楚各自独立的三点，陆本的是清清楚楚的“之”字。三点或“之”字，究竟孰是孰非呢？或者竟是两者都不对？《子嵩帖》的原本绝迹，证据已失，无可考核，然而同一个字两帖竟有这样大的出入，不免使人怀疑刻帖的忠实性到底有多少？

明文徵明说：“世传《淳化阁帖》为法帖之祖，然传刻蔓衍，在宋已有三十二本，其间刻拓工拙，楮墨精粗，虽互有得失，而失真多矣。”②王肯堂更进一步推论：“世以《淳化阁帖》为法书之祖，然皆王

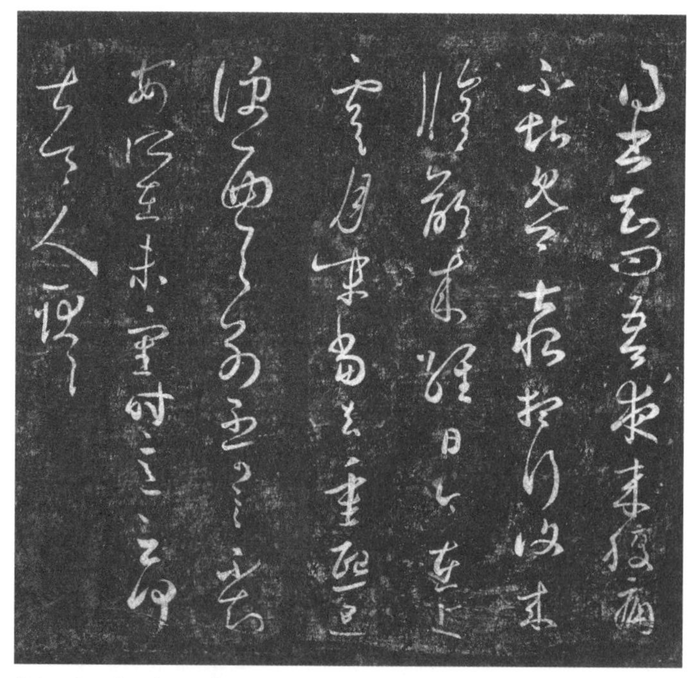

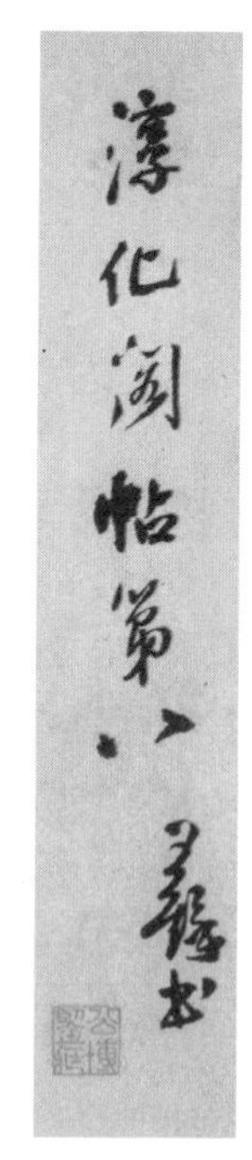

《淳化阁帖》（临川李氏本王铎题签）《上虞帖》

著临书，非从真迹响拓双勾者，何以知之？余见宋时御府所藏晋人真迹，及唐摹右军帖多矣，凡阁帖所在，仅得其仿佛，甚则并点画形似尽失之，岂有摹脱真迹，而舛误如是？”[③]姑不论《淳化阁帖》初刻本是否出于王著临书，即以各种翻刻本从帖到帖所经过的勾描镌拓的重重难关而论，不要说对原本的忠实性，即对据以摹刻的拓本的忠实性，也已说不上，它离原本是更远了。《上虞帖》与《淳化阁帖》之间的矛盾，不正是明证吗？

如果抹杀了《上虞帖》的一切流传证据，而必须服从《淳化阁帖》，因而认为是出于伪造，那么，据以伪造的又是何物？它必然要以某一本《淳化阁帖》为依据，既然各种翻刻本中“言”字的四点分明，那么，伪造《上虞帖》者怎么对那个“言”字的四点独伪造不出呢？刻帖要经过四道手续，而摹本只须经过一道摹，因此，摹本对真迹比刻帖要亲切而逼真，这是显而易见的。所以从来对摹本之佳者，称为“下真迹一等”。

王羲之的《上虞帖》墨迹，看来早已绝迹，否则《上虞帖》的摹本决不会受到南唐的如此珍视，这是可以想见的。如果淳化刻帖时，王羲之的墨迹尚在宋内府，那么，宋徽宗所珍视的应该是墨迹，而绝不会对这一唐摹本如此重视而加以如此的装潢和题签，这也是可以想见的。北宋苏东坡曾说：“今官本十卷法帖（《淳化阁帖》）中，真伪相杂甚多，逸少部中，有《出宿饯行》一帖，乃张说文，又有不具释智永白者，亦在逸少部中，此最疏谬。余尝于秘阁观墨迹，皆唐人硬黄上临本。”[④]由此可见，北宋内府所藏的就是这本《上虞帖》。也由此可见，《上虞帖》正是《淳化阁帖》所据以摹刻的祖本。

明詹景凤曾记：“右军《上虞》、《思想》、《旦寒》、《嘉兴》、《行穰》、《知西》、《气力》七帖，皆墨迹，独《思想》纸为蠹耗尽，而墨迹独存，字字无恙，亦异数也，此为真迹，余皆唐摹之绝精者，独《气力》帖稍劣，殆宋人为之。”[⑤]又说：“盖字之妙，在波发，则刀笔所不能形象，昔人谓不见唐摹，不足与言知书，良然。”[⑥]

《上虞帖》有韩逢禧藏印，詹与韩相识，他所谈到的《上虞帖》当是在韩处所见，足证詹所谈的即现在的这一本，并认为是“唐摹之绝精者”。《上虞帖》从明万历到现在，又经历了四百年，当时应该比现在要更完好是无疑的。

“峄山之碑野之焚，枣木传刻肥失真”，《淳化阁帖》的失真又岂止在肥瘦之间而已。我们欣幸地见到了《淳化阁帖》所刻《得书》第三帖的祖本，并将凭此来发现《淳化阁帖》的种种不忠实之处，而决不可能反以《淳化阁帖》来怀疑《上虞帖》。以《淳化阁帖》来怀疑流传有据的《上虞帖》，是以据以翻刻的拓本来否定它的祖本，这样的论证，根本颠倒了。

《淳化阁帖》十卷，王羲之书居其三卷，其祖本流传，已为星凤，而传刻纷纭，尤多失真。《上虞帖》经历了千百年沧桑，幸未湮灭于尘埃之中，得以重耀于今日。羲之墨迹既久绝于世，唯此唐摹，犹足为文物之精英，艺苑之瑰宝，使千百年后，犹得令人想见王羲之五十之年的翰墨风流。

注释

① 王羲之的年岁。据清鲁一同《王羲之年谱》。

② 见《万有文库》本明汪珂玉：《珊瑚网》法书题跋，卷21，第486页。

③ 同上书，第500页。

④ 同上书，书品，卷24上，第680页。

⑤ 见明詹景凤：《詹东图玄览编》卷3，第11页。

⑥ 同上书，卷1，第28页。

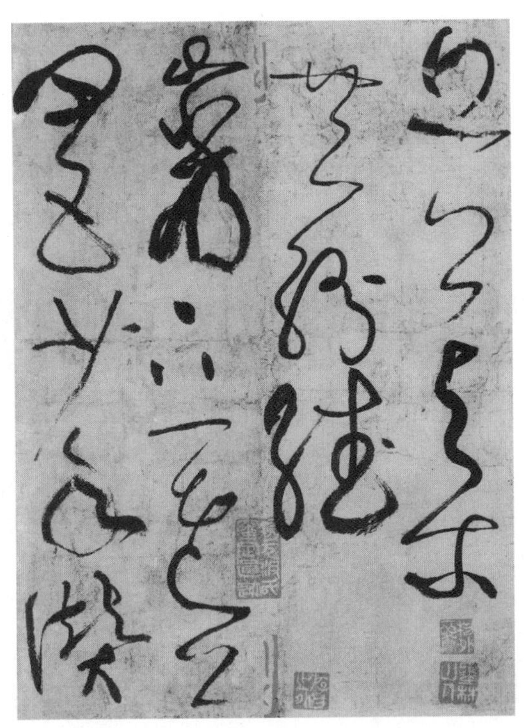

唐　张旭《古诗四帖》局部

唐 张旭草书《古诗四帖》

此卷草书古诗4首，前两首为北周庾信《步虚词》，后两首为南朝宋谢灵运《王子晋赞》与《岩下一老公四五少年赞》，共40行，188字，五色笺。卷前后当有残缺，后段谢灵运二赞并书名氏及赞题，而前两首之庾信《步虚词》开首并无名字及诗题，卷末无款，亦无余纸，已被割截可证。卷中有宋徽宗赵佶的“政和”、“宣和”骑缝印，均已半残，后隔水尚是宣和原装，前隔水有赵子固二印，则为后来所配上者。按卷中收藏诸印，其流传之迹，宣和而后，仅有明华夏、项子京及清宋荦。尚有其他前代印记，则已残缺漫漶不可辨。后有明丰坊两跋，其一为作文徵明体的正书，及董其昌一跋。按明汪砢玉《珊瑚网》所记，此卷有元至正庚子荣僧肇一跋和项子京一跋，而无丰坊、董其昌等三跋。清顾复《平生壮观》所记，则有荣、丰、项、董而未提及作正书者，此卷已为后来所割截可知。

此卷的作者，历来纠缠不清，在丰坊和项子京的跋语中都说见过北宋嘉祐年间拓本，题为“谢灵运书”，到董其昌才认为是唐张旭所书。入清，《石渠宝笈》定为赝本。

董其昌以前的情况是这样的，北宋嘉祐的拓本，只刻了庾信的《步虚词》两首至谢灵运的第一首题目“谢灵运王”而止，截去了后21行，而将“王”字的第一横刮去作为“书”字，是此卷为谢灵运书的由来。其次是《宣和书谱》著录有谢灵运的古诗帖，认为即是此卷。

当此卷在华夏收藏时，丰坊提出了若干问题，辨明宋嘉祐拓本的谬误，指出那个“谢灵运书”的“书”字是“王”字，考证了庾、谢生卒的先后。显然，谢灵运如何能预先写庾信的诗呢？其次是认为此卷的书体，只有与唐贺知章的草书“气势仿佛’，但又不敢肯定。而华夏提出了卷上原先有唐“神龙”等印甚多，今皆刮灭，并列引了“古帖多前后无空纸，乃是剪去官印以应募也”，“秘阁所收晋宋法书多用碧笺，唐则此纸渐少耳”等米芾、黄长睿的叙说，“意其实六朝人书”，丰坊对这一论证也不赞同。丰坊的题跋，看来很不为华夏所满意。正书代丰写的一跋，重新整理了丰的原跋，而将庾、谢生卒考订及不承认是六朝人书的几段都删去了，强调了上述华夏自己的意见。华夏很不愿意将此卷说成是唐人书。故将丰坊的原题重新改写，正是华夏要将改书的丰跋代替丰的原跋。

董其昌的论证，一是“狂草始于伯高（张旭），谢客（谢灵运）时皆未之有”。其次是《宣和书谱》“上云古诗，不云《步虚词》云云也”。不承认《宣和书谱》著录的一卷即是此卷，也可以说把此卷改成谢灵运书，以附和《宣和书谱》，而最主要的一点说是此卷与张旭所书的《烟条诗》、《宛陵（溪）诗》同一笔法。

此卷是否为唐张旭所书？如丰坊是对历代法书识见极广的鉴赏家和书家，然而始终辨认不清，正是由于因张旭的书体久已不为人所熟悉。“斯人已云亡，草圣秘难得”，在唐时已是如此，到后来显然就更感到生疏。虽然在明代，张旭的法书还流传有好几件，然而如丰坊辈，看来对这种书体并未引起注意和多所认识，因而感到彷徨失据了。至如董其昌所指出的《烟条诗》、《宛陵诗》，到现在已绝迹人间，即顾从义当年的刻石也已无从得见，要审核董其昌所论证的根据也已丧失了物证。

按历来对张旭草书的叙说，如《宣和书谱》所记："其草书虽奇怪百出，而求其源流，无一点划不该规矩。"又《怀素论笔法》："律公尝从邬彤受笔法，彤曰，张长史私教彤云，孤蓬自振，惊砂坐飞。"元倪瓒跋张旭《春草帖》，称其"锋颖纤悉，可寻其源"。而杜甫的《张旭草书歌》："锵锵鸣玉动，落落长松直，连山蟠其间，溟涨与笔力。"这些形容的诗句，"玉动"指书势的快慢有节，"松直"指风骨苍劲矫健，"连山"指形态回旋起伏，"溟涨"指笔力波澜壮阔。

以论这一卷的书体，在用笔上直立笔端逆折地使锋埋在笔画之中，波澜不平的提按，抑扬顿挫的转折，导致结体的动荡多变。而腕的运转，从容舒展，疾徐有节，如垂天鹏翼在乘风回翔。以上述的一些论说来互相引证，都是异常亲切的。

董其昌提出的《宛陵诗》与《烟条诗》，在明詹景凤《东图玄览》中有明确的论述，他对《宛陵诗》写道："字大者如拳，小者径寸……其笔法圆健，字势飞动，迅疾之内，优闲者在，豪纵之中，古雅者寓，以故落笔沉着，无张皇仓卒习气，虽大小从心，而行款斐然不乱，非功夫天至乌能。"以这样的叙说来引证这一卷的风骨情采，真是如出一辙了。至于《烟条诗》，他一再坚持说是赝本，是宋僧彦修的手笔。最可笑的是这位大鉴藏家华夏，《宛陵诗》同在他的收藏秘笈，却硬要把与《宛陵诗》同一风格的这卷《古诗四帖》定成"六朝人书"，是非常离奇的。

"张旭三杯草圣传"。在当时这一新兴的风格对后学起了很大的影响，颜真卿的《笔法十二意》显示了对张旭的拳拳服膺。而怀素《藏真帖》说自己"所恨不与张颠长史相识，近于洛下偶逢颜尚书真卿，自云颇传长史笔法，闻斯语如有所得也"。当时论狂草，是以怀素继张旭，号称颠张狂素。颜真卿和怀素的笔迹，现在还能见得到，那么，从颜、素的法书来辨证与这一卷的相互关系，似不失为探索张旭消息的另一途径。

怀素的笔迹，除一些简短的书札而外，能使人窥见全豹的狂草《自叙卷》，可以领略到那种细劲如鹭鸶般的风格，与此卷是截然殊途，然而其中如“五”字、“烟”字则与此卷中的“五”字、“烟”字是同一结体，同一笔势，而“两”字，是从这卷的“南”字而来，至于笔势，很多地方都与这卷脉络相连，条贯相通，明确地显示了两者之间的渊源关系。而颜真卿行书，如《祭侄文稿》也与此卷的形体不同。独有《刘中使帖》（此帖在明时，同为华夏所藏）却与《祭侄文稿》情势有别，它的特异之点在于运用的是逆笔如“足”字，完全证实与此卷书势之一脉相通。而在“耳”字和“又”字的起笔，与此卷中的“难”字和“老”字的起笔，不仅在形体上，即在意态上也是完全一致的。这种形体与意态，从未在晋唐之际的其他书体中见到过。董其昌所援引的《烟条诗》、《宛陵诗》已绝迹人间，怀素《自叙卷》和颜真卿《刘中使帖》从渊源而言，显示了它追风接武，血脉相连

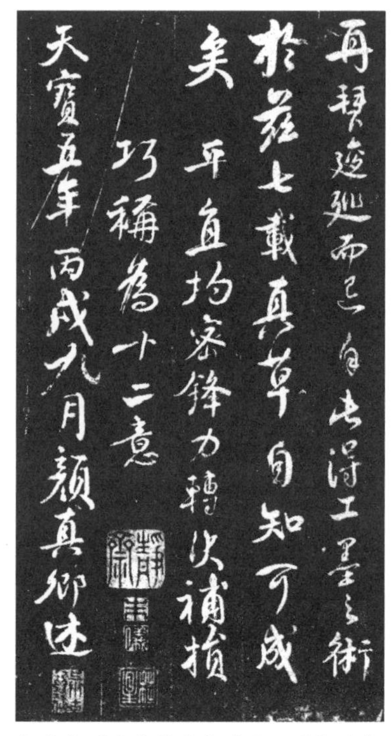

颜真卿《述张长史笔法十二意》局部

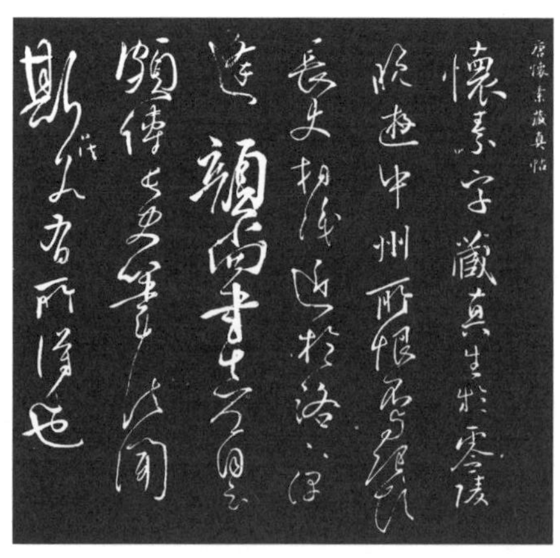

怀素 《藏真帖》

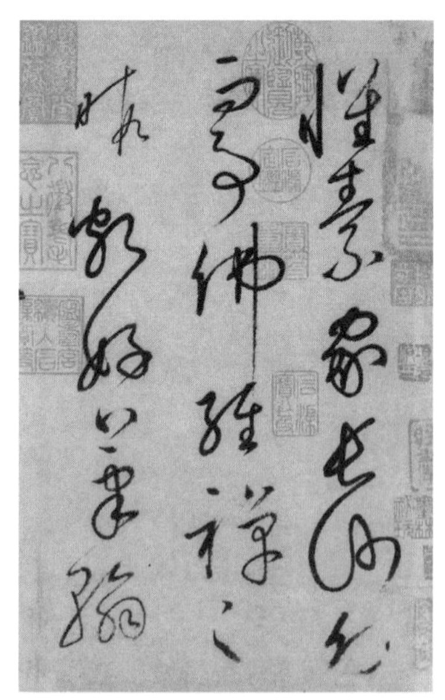

怀素 《自叙帖》 局部

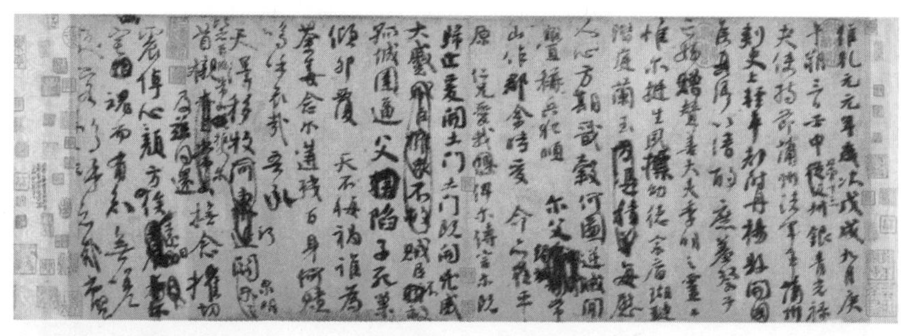
颜真卿 《祭侄文稿》

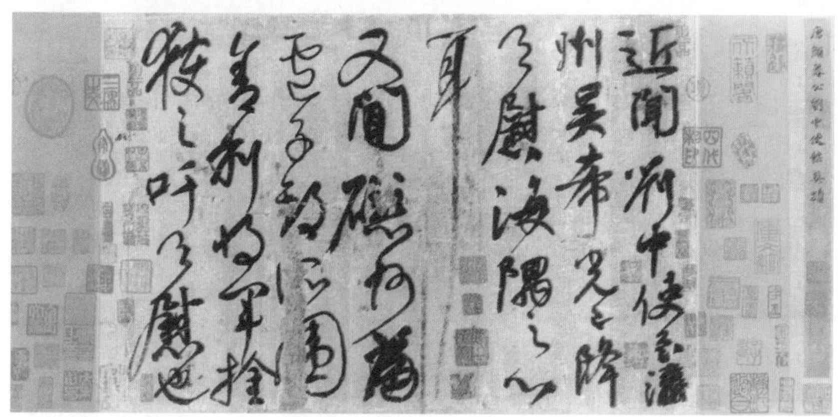
颜真卿 《刘中使帖》

的关系，以之辨证此卷为张旭的真笔，是唯一的实证。诚然，所以引起历来纷纭的争论，正是由于这一形式在晋唐之际的书体之中是陌生的风貌，只有颜真卿与怀素留下这一点痕迹，漏泄了春光。

即从晋唐以来的书体发展来看，这一卷的时代性，决不是唐以前所有，而笔势与形体，也不为晋以来所有。从王羲之一直到孙过庭的书风都与这一卷大相悬殊，迥异其趣，这一流派的特征，在于逆折的笔势所产生的奇气横溢的体态，显示了上下千载特立独行的风规。

北宋黄山谷认为："盖自二王后，能臻书法之极者，惟张长史与鲁公（颜真卿）二人，其后杨少师（杨凝式）颇得仿佛。"这一论证是非常可贵的，试从杨凝式的《夏热帖》、《神仙起居法》来辨认与张旭的关系，不难认出与这一卷的关系，它们之间处处流露着继踵蹑步的形迹与流派演变的时代性。

黄山谷推崇张旭，说明他对张旭的特殊领悟。我们从他所写的《李

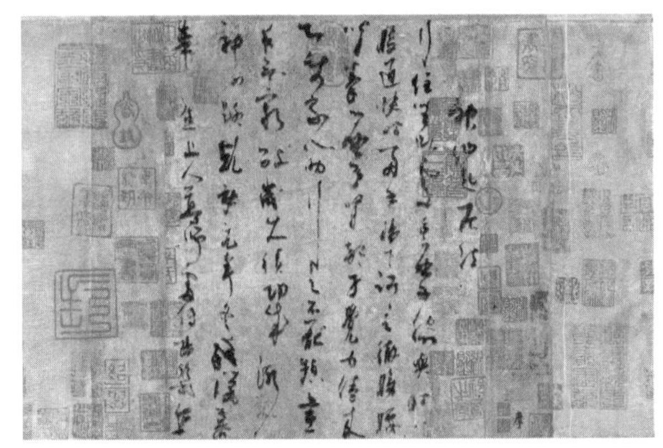
杨凝式 《神仙起居法》

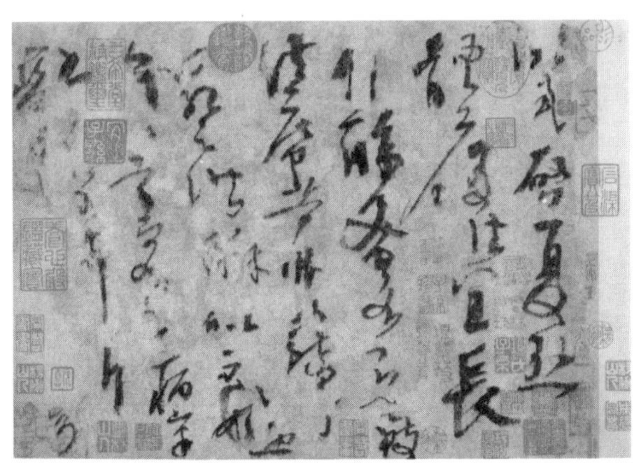
杨凝式 《夏热帖》

白忆旧游》草书卷、《刘禹锡竹枝词》草书卷与这卷《古诗四帖》的书势，显示着共通的艺术情意。而尤其是《诸上座草书卷》，许多行笔，可谓形神俱似，服膺追踪，情见于毫端了。

米芾曾大骂张旭“张颠俗子，变乱古法”。骂他是“惊诸凡夫”。米芾有一条粗壮的“宝晋”绳索，心甘情愿地紧紧把自己的手眼缚住，看不见也不愿见到新的天地。因而他不可能接受张旭的这一流派，米芾是北宋一代的书家和理论家，然而他对书法的境界，是远不及黄山谷的宽广的。

张旭的书法艺术，即当时出于亲授的颜真卿，到异代私淑的杨凝式、黄山谷，尽管在他们的特有风格中得到了共通性，但颜真卿的行笔是直率的，怀素是瘦劲如鹭鸶股，杨凝式的《神仙起居法》是柔而促的，《夏热帖》则是放而刚，黄山谷又转到了温凝俊俏的风貌。当时以张旭为神皋奥府，至此已神移情迁，他的流风，从此歇绝了！

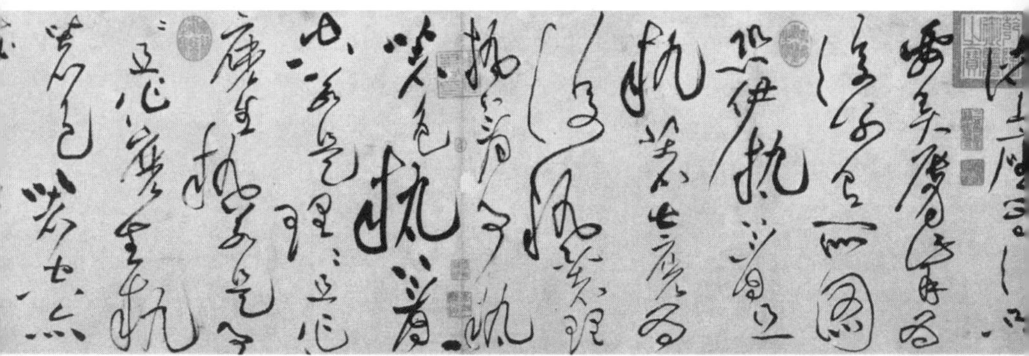

黄庭坚 《诸上座帖》 局部

黄山谷《诸上座》与张旭《古诗四帖》

黄山谷草书《诸上座》卷是书法史上的剧迹，所见山谷草书凡四：《蔺相如传》、《李白忆旧游》、《刘禹锡竹枝词》与此卷，《李白忆旧游》与《刘禹锡竹枝词》所书时期大致相近，故情态亦相近。而《诸上座》为其晚年笔，笔势亦最高妙。

明清以来论山谷草书，无不以为出于怀素。沈石田称“山谷书法，晚年大得藏真三昧”。祝枝山赞叹为“驰骤藏真，殆有脱胎之妙”。沈与祝都是特擅山谷书体的，吴宽也说它出于怀素。清初的大鉴藏家梁清标更直截了当说是“此卷摹怀素书”。总之，说山谷草书归宗怀素是系无旁出的。

黄山谷在元祐九年所书草书《释典》，时山谷年五十，后有元虞集的跋语："余在翰林时，暇日同曼硕揭公过看云堂，吴大宗师以古铜鸭焚香，尝新杏，因出黄太史真迹，适松雪赵公亦至，谓山谷公得张长史圆劲飞动之意，今观此卷，信不诬矣……"

今日与《诸上座》展卷瞻对，也不免有虞集的"信不诬矣"之感！

山谷每论书，几乎言必称张旭，真是情见乎辞了。他曾说："怀素暮年乃不减长史，盖张妙于肥，藏真妙于瘦。"又说："怀素草工瘦，而长史草工肥，瘦硬易作，肥劲难得也。"又说："张长史作草，乃有超轶绝尘处，以意想作之，殊不能得其仿佛。"又说："予学书三十年……其后又得张长史、僧怀素、高闲墨迹，乃窥笔法之妙。"由此可见，山谷论书对张旭之服膺，自己作草也是临书神驰的。山谷在论证当时所传张旭千字时，他说："张长史千字及苏才翁所补，皆怪逸可喜，自成一家，然号为长史者，实非张公笔墨。余中年来稍悟作草，故知非张公书。后有人到余悟处，乃当信耳。"看来，山谷这一论证，在当时是孤立的，他有些慨然了。山谷又说："……一如京洛间人传摹狂怪字不入右军父子绳墨者，皆非长史笔迹也，盖草书法坏于亚栖也。"亚栖，是唐昭宗时和尚，善书法，以得张旭草书笔意著称，曾对殿庭草书，两次受赐紫袍，是当时受到皇帝青眼的赐紫沙门名书家，可知山谷所说的"一如京洛间人传摹狂怪字"，是属于亚栖或更不如亚栖之类的货色。而张旭的草书法，就坏在这个官和尚手里。山谷敢于抨击从亚栖到京洛间人，正由于他对张旭草书的真知灼见。可见山谷的草书，不仅出于怀素，更主要的是张旭。沈石田、祝枝山只认识怀素，而不知道张旭之所在。"斯人已云亡，草圣秘难得"。尽管草圣为历代所

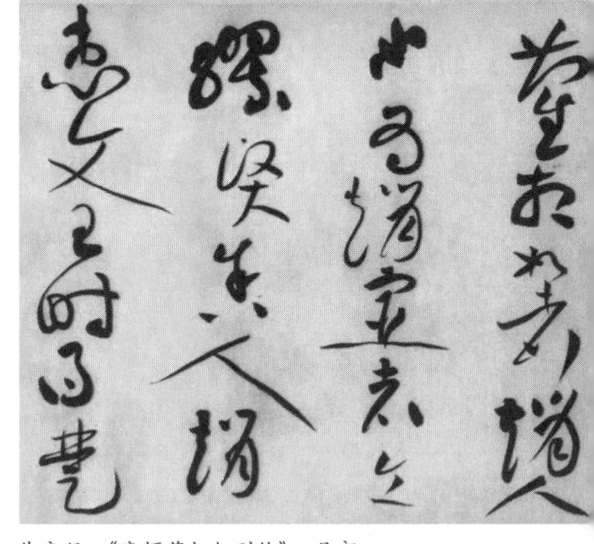

黄庭坚 《廉颇蔺相如列传》 局部

称说不休，但其真面目，久矣夫生疏寥落不为人所省识。因而追源山谷草书，动辄是怀素，不能有一语及于张旭，对山谷自己的评述，也无可申引，这对山谷草书的探本溯源，是不无遗憾的。

山谷与张旭有鲜明迹象可寻的。在于《诸上座》与张旭《古诗四帖》。《古诗四帖》说是张旭所书，是耶非耶，自明以来，也是论说纷纭。如果说《古诗四帖》不是张旭而是亚栖乃至京洛间人之类的伪迹，那么，这些人都是在山谷的排斥之列，山谷又如何可能吸取他们的书势呢？山谷在元符三年所书的《李致尧乞书》卷后云：“……书尾小字，惟予与永州醉僧能之，若亚栖辈见当羞死……”这便是山谷对亚栖辈书格所持的态度。在明代为董其昌承认是张旭草书《烟条诗》，詹景凤认为是宋僧彦修的伪迹。亚栖的草书，已不可见，而彦修的草书，至今尚传有石刻，试看在哪一点与《古诗四帖》的形体风规有共同之处？遑论它的艺术特性！

以论山谷的草书，从并世流传的四卷中，引人入胜地发现他的书体是张旭多于怀素。主要是从张旭的艺术规律所引申与发抒而来，这是很明显的。因为，怀素的行笔与结体平而张旭奥，可见山谷书笔的形象，既不是怀素，也不是张旭。然而《诸上座》却特殊地显示着怀素尤其是

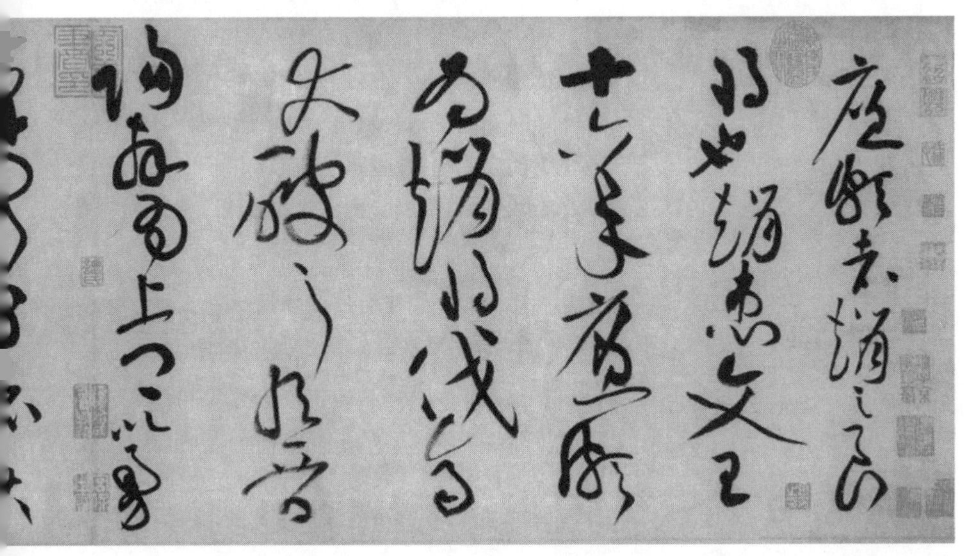

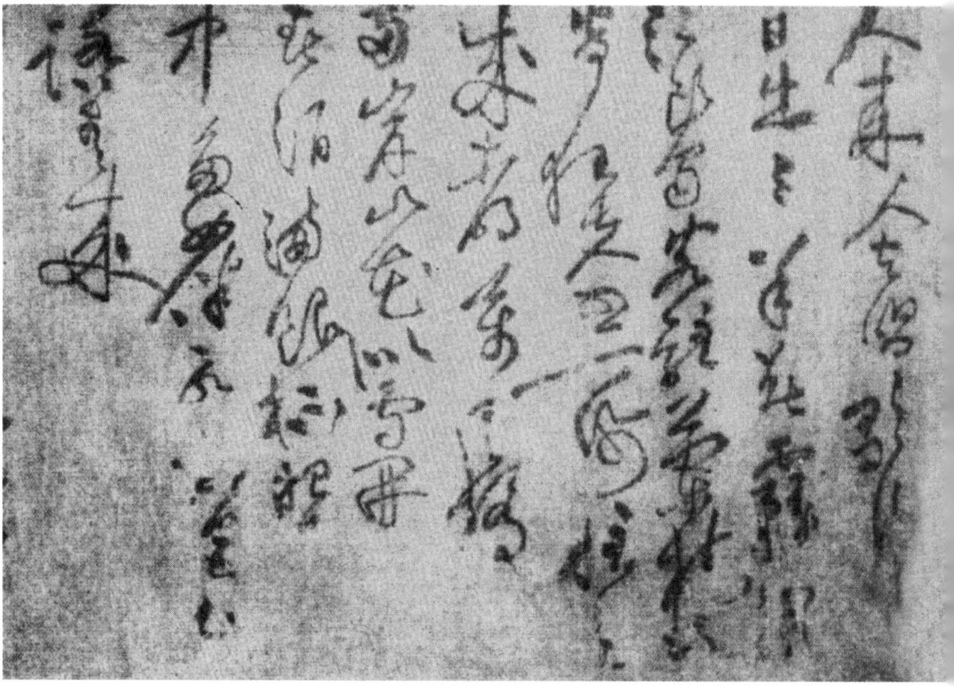

黄庭坚 《刘梦得竹枝词卷》 局部

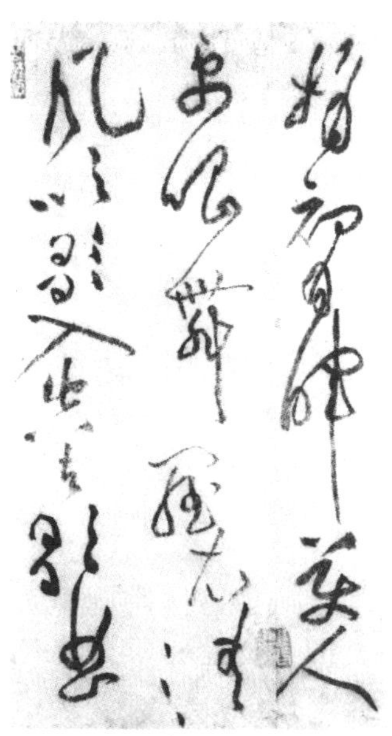

黄庭坚 《李白忆旧游诗》 局部

张旭的习性与形象的同一。其中有若干字与《古诗四帖》可谓波澜莫二(现在《古诗四帖》与《诸上座》都有印本，传播较广，随时可以看到，故不再琐琐详列)，因此，可以证明山谷草书之源出于张旭，而《古诗四帖》从而也可以证明其为张旭所书。这正是从两者相互引证而来的。

山谷评苏东坡所书的《黄州寒食诗》云：“此书兼颜鲁公、杨少师、李西台笔意。”是指的笔墨情意，是超乎象外的，是艺术境界的融会，可以意会而言传难。所以山谷对张旭千字，有“到余悟处”之叹。而《诸上座》之于《古诗四帖》的渊源关系，不仅在情意之间，而且是有鲜明迹象

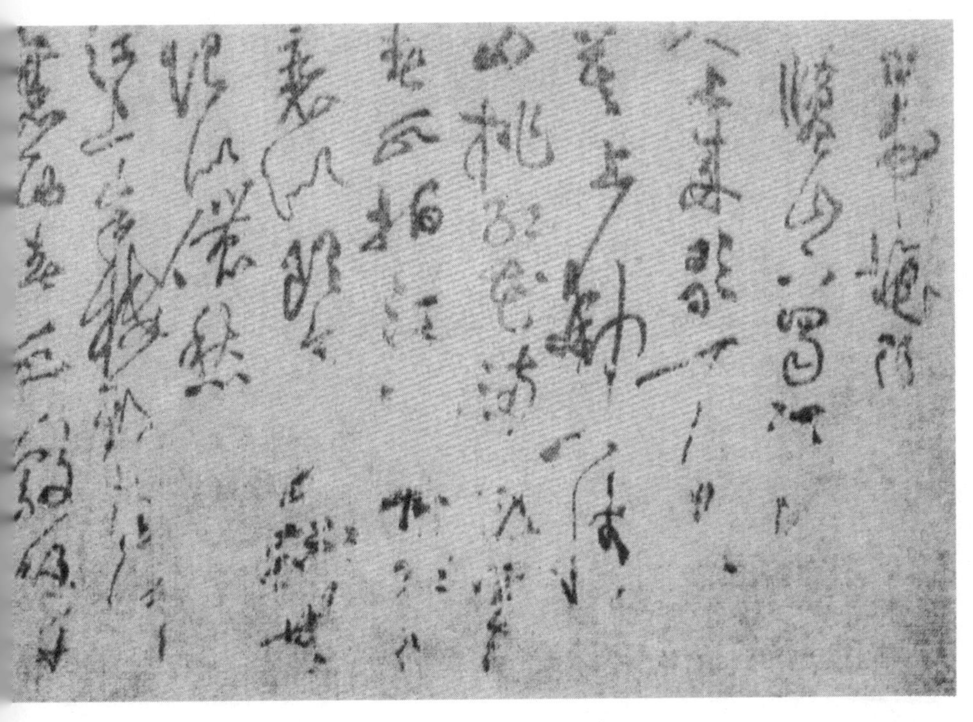

可寻的。

山谷评述张旭草书，并未涉及见到过《古诗四帖》，自然不能肯定《古诗四帖》当时是否被山谷所亲见。然而，张旭的这一形体与风规，应该也同样见于他的其他墨迹中，不可能为《古诗四帖》所独有，这是很显然的。

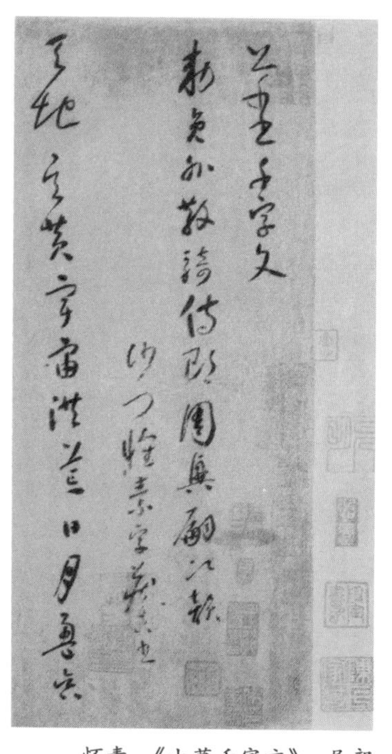

怀素 《小草千字文》 局部

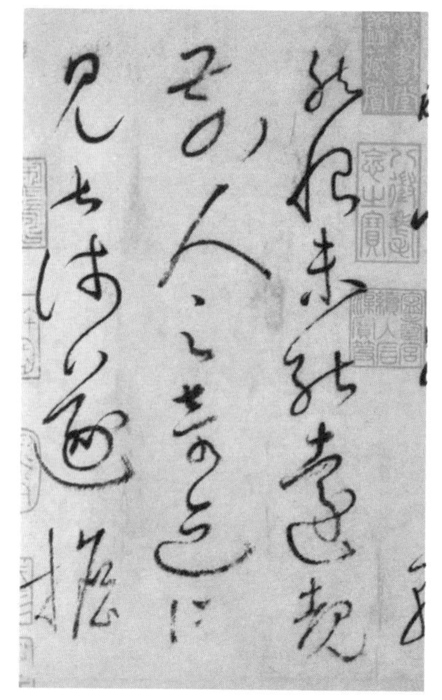

怀素 《自叙帖》 局部

怀素《论书帖》与《小草千文》

唐代新兴的草书，自“张旭三杯草圣传”，接着是“以狂继颠”的怀素，千百年来为后学所宗仰，奉为典范。

张旭草圣，在当时杜甫就慨叹“斯人已云亡，草圣秘难得”。然而《古诗四帖》幸传于世，犹足令人亲接它的艺术风流。

怀素的笔迹，流传较多，就所见到的有《自叙》、《苦笋帖》、《桑林帖》、《论书帖》及《小草千文》。《桑林帖》据《式古堂书画汇考》所记，为《客舍》等三帖之一，不知何时离散，四十年前，有客持示此卷。则仅《桑林》一帖，后遂不知所在。抗战胜利，回上海，在沈尹默先生处尚见及此帖照片。多少年来，再三寻问，竟不知其下落，今此帖之照片，也已无从寻觅了。

《论书帖》笔势温静，然不免有阑珊情意形于笔端，而《小草千文》尤颓唐无气力。怀素风规，狂草则有《自叙》，行书则有《苦笋帖》两种不同的体态，而《论书帖》、《小草千文》与上列两帖风规顿异，令人爽然以为似此体貌宜非怀素所当有。

上列五帖为墨迹，见于刻帖的有《藏真》、《律公》、《贫道》三帖。论其笔势体态，《藏真》、《贫道》大别之于《苦笋帖》相同。《律公帖》与《自叙》相同。可知《苦笋帖》与《自叙》的两种笔势体态同为怀素卓然自立的本家面目，而这两种体态，是同时并行，初无时期的先后。

按《自叙》，书于大历丁丑。丁丑为唐代宗大历十二年（公元777年），而《小草千文》书于贞元十五年（公元799年）。时怀素之年六十有三，以此上推。可知《自叙》为怀素四十一岁时所书。《藏真帖》中称："近于洛下偶逢颜尚书真卿，自云颇传长史笔法，闻斯语如有所得也。"与《自叙》中所述颜真卿语相合，可知《藏真帖》应较早于《自

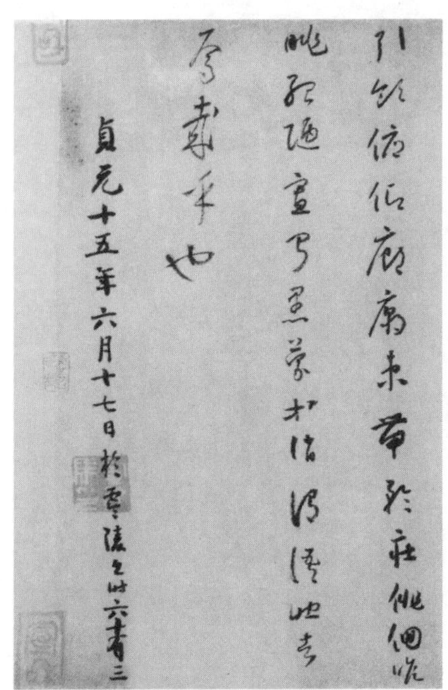

怀素 《小草千字文》 局部

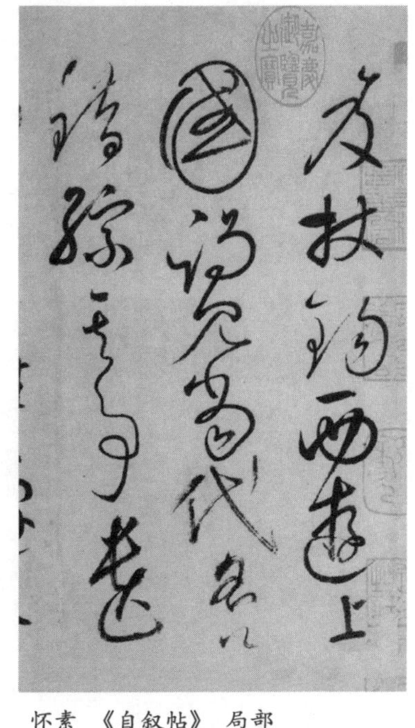

怀素 《自叙帖》 局部

叙》，而《藏真帖》既与《苦笋帖》体貌相同，则其所书时期亦当属相近。《桑林帖》开首“圆而能转”的“圆”字作一圆圈，形体如《自叙》中“西逝上国”的“国”字，而其笔势情意则与《苦笋帖》为近。《贫道帖》中称：“贫道频患脚气，异常忧闷也，常服三黄汤，诸风疾兼心中常如刀刺……”而《论书帖》中称：“藏真自风废近来已四岁，近蒙薄减。”可知怀素在四十一岁以后，多年以来还有脚气以外的风疾，《贫道帖》则为其风疾初期所书，自当早于《论书帖》，因为《论书帖》是在风疾四年之后。可以想象，怀素多年风疾，颇影响到他的腕力，而当“薄减”之后，狂草如《自叙》，看来已不可能再事挥洒，即笔势俊健如

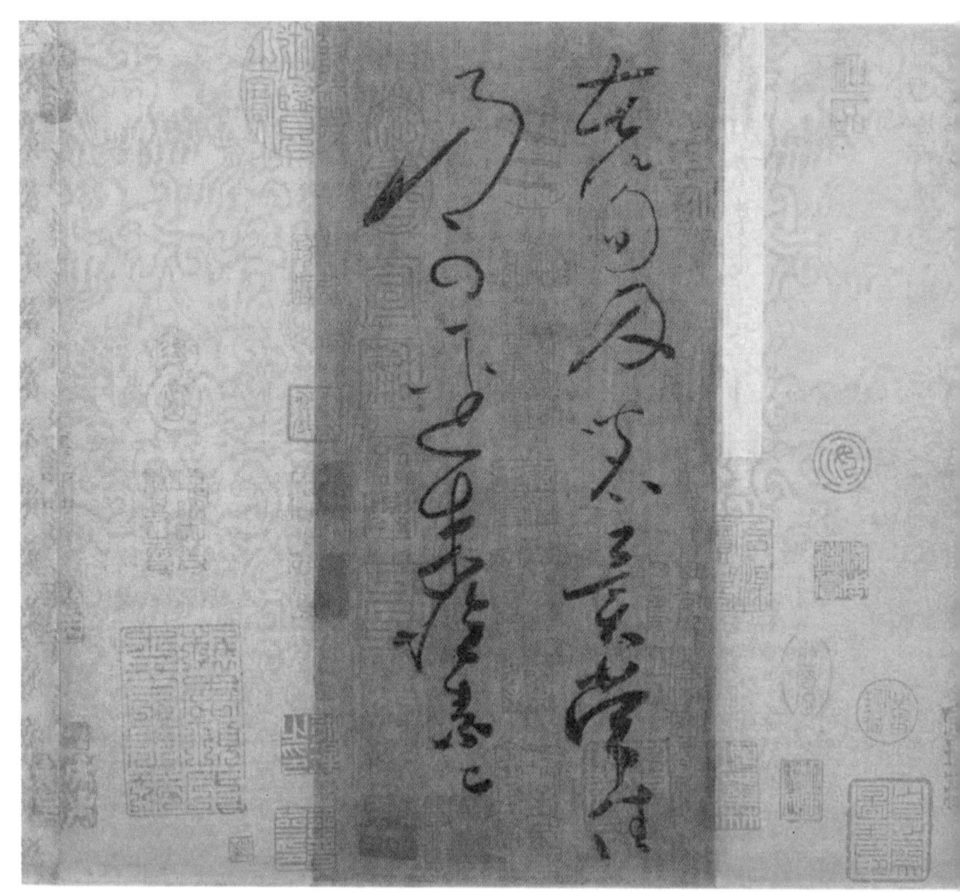

怀素 《苦笋帖》

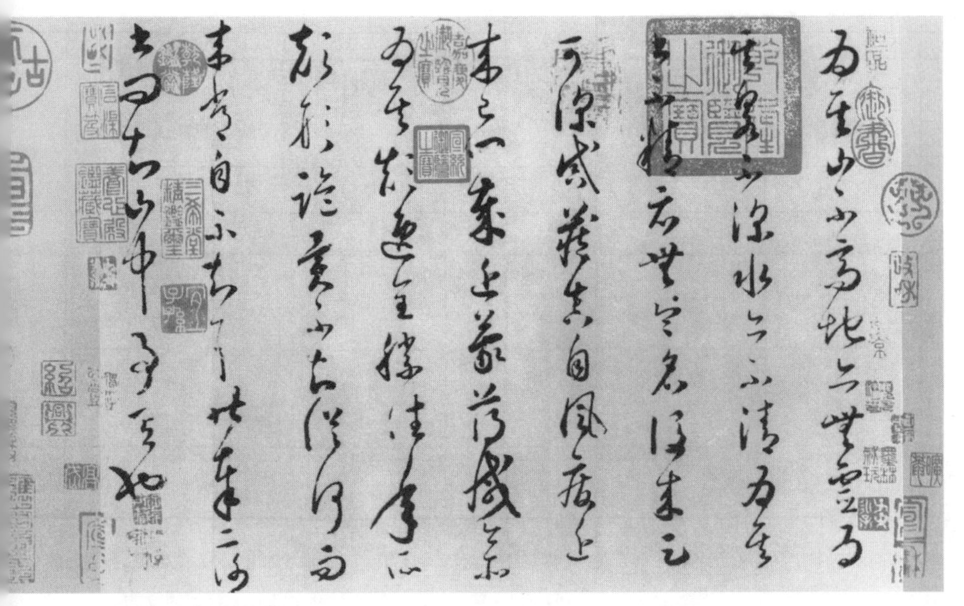

怀素 《论书帖》

《苦笋帖》也不再能搦管自如。《论书帖》云："今亦为其颠逸，全胜往年。"盖自风疾薄减之后，重事临池，迫于腕指，势非就其力所能及不可。《论书帖》失去了纵横驰骤的笔势，抑或俊健跌宕的体态，是一种婆娑烂漫减尽风华的境界，此正风疾薄减后腕指可到之处，变幻至此，在当时，在怀素，是别开生面的笔势与体貌。因而他自己叹为"所颠形诡异，不知从何

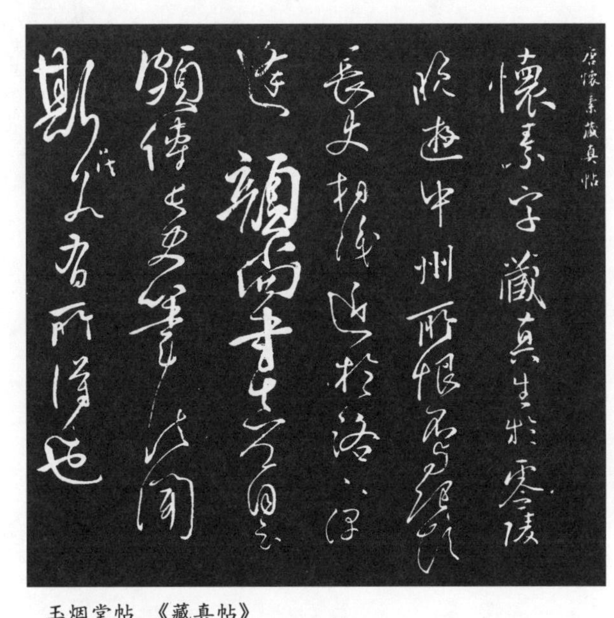

玉烟堂帖 《藏真帖》

玉烟堂帖 《律公帖》

而来，常自不知耳”。绚烂之后，归于平淡，所云“全胜往年”，又足见其风疾后对笔墨的情移意迁了。至《小草千文》则行笔颓唐，暮年腕力消磨殆尽的情态，宛然可掬。《论书帖》之与《小草千文》的笔墨情境，《论书帖》为其肇端，至《小草千文》已是《论书帖》的终极了。两者可以考见怀素在风疾以后笔墨的行程先后如此。然而试与上列诸帖综合审览，不难看出《论书帖》与《小草千文》纵笔势有变，而字里行间，尚流露着《苦笋》、《藏真》等帖的神理情致，习性俨然，初无二致，于此又可见绝非他人所能伪仿。

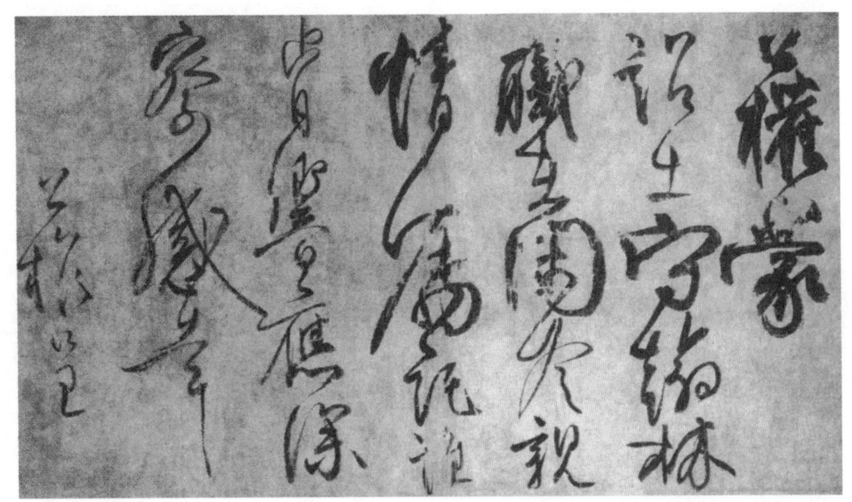

柳公权 《蒙诏帖》

柳公权《蒙诏帖》与《紫丝靸帖》

中唐以后的大书家柳公权，史称其初学王书，遍阅近代笔法，体势劲媚，自成一家，并擅真行草书。传世柳的墨迹有二。一为王献之《送梨帖》后的跋，一是《蒙诏帖》。《送梨帖》跋作于唐文宗大和二年，时公权年51，是小字真书。《蒙诏帖》作于穆宗长庆元年，时公权年44，是径寸大的行书，意态雄豪，气势豪迈，不仅为柳书的杰构，也为唐代法书中的典范风格。

这里要论列的是《蒙诏帖》。

《蒙诏帖》共七行。其文曰：

公权蒙诏出守翰林，职在闲冷，亲情嘱托，谁肯响应，深察

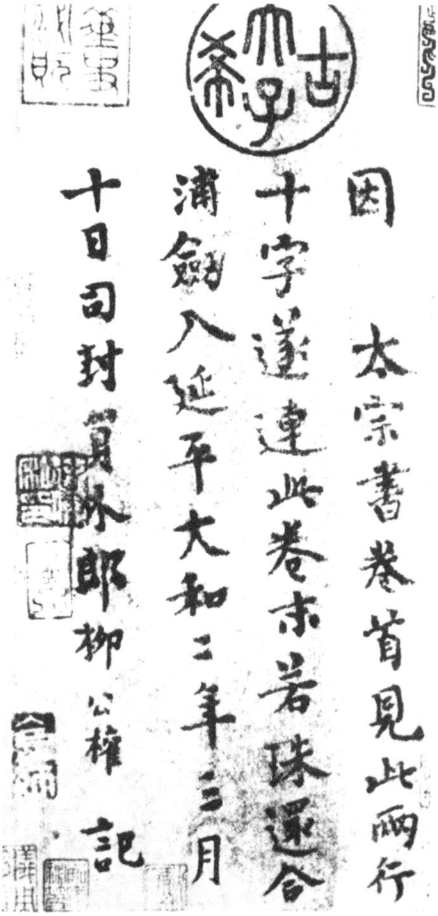

感幸，公权呈。

据《旧唐书·柳公权传》：“穆宗即位，入奏事，帝召见，谓公权曰：我于佛寺见卿笔迹，思之久矣。即日拜右拾遗，翰林侍书学士。”公权生于代宗大历十三年（公元778年）。穆宗即位为长庆元年（公元821年），时公权年44岁，帖中言“蒙诏出守翰林”，可知《蒙诏帖》为其初任翰林侍书学士时所书。

王献之《送梨帖》 柳公权跋

然而《蒙诏帖》颇引起后来的非议，认为是出于伪造。问题在于“出守翰林”，与“职在闲冷”这两句。说是“出守”二字的解释即“外放”。而外放是对地方官职而言，翰林是接近皇帝的职位，是内职，是重要的职位。翰林而说“出守”，说“闲冷”，与事实不符，因而是错误不通的。《蒙诏帖》之所以被认为是伪造，理由就在于此。

按《旧唐书·职官二》：“翰林院，天子在大明宫，其院在右银台门内。在兴庆宫，院在金明门内。若在西内，院在显福门。若在东都、华清宫，皆有待诏之所。其待诏者，有词学、经术、合炼、僧道、卜祝、术艺、书弈，各别院以廪之，日晚而退。”又案《新唐书·百官一》：“翰林院者，待诏之所也。”“唐之学士，弘文、集贤分隶中书、门下省，而翰林学士独无所属，故附列于此。”

按：公权历穆宗、敬宗、文宗三朝侍书中禁。据《旧唐书·柳公权传》：“公绰（公权兄）在太原，致书于宰相李宗闵云：‘家弟苦心辞艺，先朝以侍书见用，颇偕工祝，心实耻之，乞换一散秩。’乃迁右司郎中。”据上所引，可知翰林侍书学士“颇偕工祝”，公权引以为耻，正是“职在闲冷”了。诚然，如果说“出守”二字只能作“外放”解的专名词，翰林这个官职是决不能用“出守”二字的。如果说“出守”并没有专作“外放”解的规定，那么，以《蒙诏帖》而言，“出守翰林”的“出守”只是说自己出来担任了翰林院的官职，“出”字是作者对自己而言，即“安石不出，将如苍生何”的出字的意思。

引起非议的，还有一个证据见于《兰亭续帖》的柳公权《紫丝靸帖》。其文曰：“公权年衰才劣，昨蒙恩放出翰林，守以闲冷，亲情嘱托，谁肯响应，惟深察。公权谨白”。另起一行：“远寄紫丝靸鞋一量，不任惭悚，敬空。”翰林不应说“出守”，而此言“放出”，即从内职调出，这才是恰当的。从而证明《蒙诏帖》是据《紫丝靸帖》所伪造的，而所刻《紫丝靸帖》的《兰亭续帖》为宋拓本，它的可靠性似乎又加上了一重保证。

在鉴别的范畴里，历来会发生这类情况。以法书而论，往往以文字内容被认为是决定性的要点，而无视法书的本身，乃至以文字的解释来决定法书本身的真伪。

按《柳公绰传》，公绰为太原尹、河东节度使，在文宗大和四年三月。至六年三月，授兵部尚书，征还京师。公绰为公权事致书李宗闵，必在大和四年后至六年前。大和四年公权53岁，六年55岁，是公权从翰林侍书学士迁右司郎中，必在大和四年后，六年前。其时公权为五十三四岁。当公权初授翰林侍书学士，同时拜右拾遗，旋迁右补阙，司封员外郎。《送梨帖跋》作于大和二年，其时公权正为司封员外郎。按右拾遗为从八品上，右补阙为从七品上，司封员外郎为从六品上，而翰林侍书学士是并无官品的。据《资治通鉴》，文宗开成二年，“上对中书舍人翰林学士兼侍书柳公权于便殿”。胡注：“柳公权先除翰林侍书学士，今以翰林学士兼侍书。”可知翰林侍书学士与翰林学士兼侍书这两个官称是有区别的。翰林侍书学士当即与“卜祝”、“术艺”等，是“日晚而退”的翰林院待诏，亦即“心实耻之”的职位。而右司郎中为从五品上，公权从八品、七品、六品到从五品上，这时是柳公权官品最高的阶段。《紫丝靸帖》所说的“年衰才劣，昨蒙恩放出翰林”，指的如果是迁右司

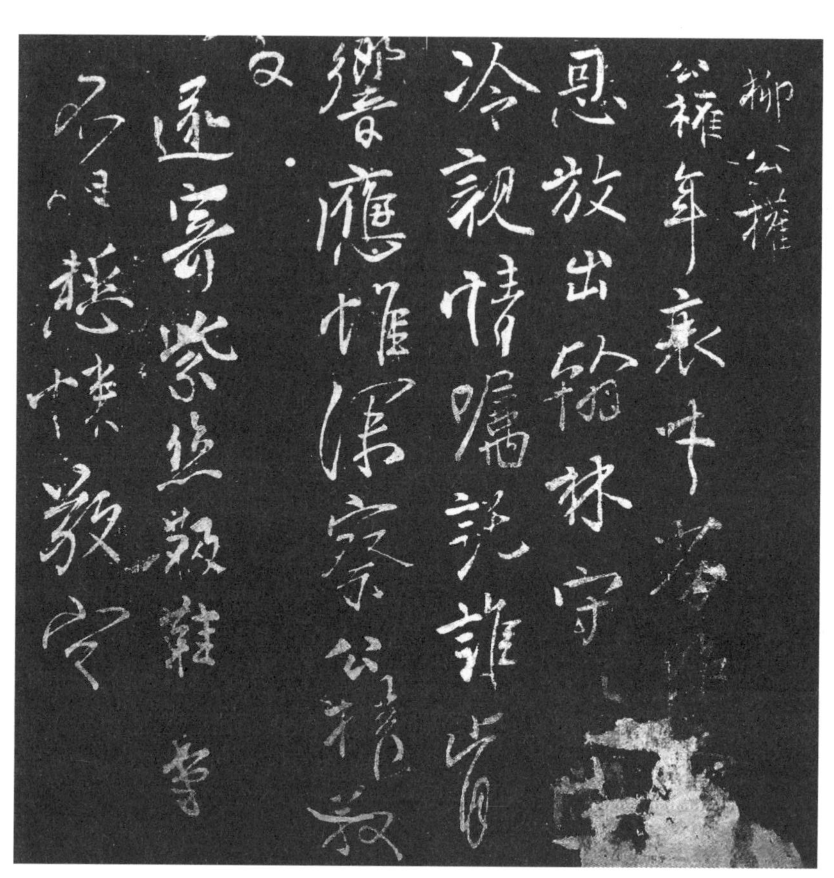

宋拓 《兰亭续帖》 柳公权 《紫丝靸帖》

郎中时，那么公权何曾因年当五十三四，便以“年衰”被遣出翰林，以致“守以闲冷”呢？《旧唐书·柳公权传》：“文宗思之，复召侍书。迁谏议大夫。俄改中书舍人，充翰林书诏学士。”“……帝谓之曰：‘极知舍人不合作谏议，以卿言事有诤臣风采，却授卿谏议大夫。’翌日降制，以谏议知制诰，学士如故。”开成三年，转工部侍郎，累迁学士承旨。至武宗即位，罢内职，授右散骑常侍。武宗即位为会昌元年，这时公权64岁。如果《紫丝靸帖》的“放出翰林”指的是这时，那么，“年衰”也可以说得上了，然而右散骑常侍是从三品。怎么，公权一跃而升到三品，还说是“守以闲冷”？

至于，以《紫丝靸帖》的书势而论，结体牵强，行笔乖谬，满纸充满着荒芜虚伪的情意，决非善书者如柳公权所当有。是不堪与《蒙诏帖》

相提并论的。由此可见，《紫丝靸帖》正是歪曲了《蒙诏帖》的文字内容，胡编一通，连柳公权的历史也还没有弄清楚的。

按《紫丝靸帖》，米芾的《宝章待访录》、《书史》都曾提到，说是李柬之少师请王广远摹石。黄山谷跋翟公巽所藏石刻云："柳公权《谢紫丝靸鞋帖》笔势往来如用铁丝纠缠，诚得古人笔意。"米芾与黄山谷所见到的都是石刻，看来就是王广远摹石的一本。米芾对此未有一语评论，而黄山谷则加以如此的叹赏。《兰亭续帖》所刻的，试看其笔势令人有"铁丝纠缠"的感受否？可知此本决不是米芾、黄山谷所见的那一本。

认识书体的时代风格，是认识书体的个别风格的前提。传世墨迹如李太白的《上阳台帖》，尽管我们对于李太白的书体完全生疏，也可以确定它是伪迹，因为它的时代风格不是唐。颜真卿的《湖州帖》，尽管它的书势与颜真卿近似，也可以确定它是临本，因为它的时代风格是唐以后的。我们不仅从《紫丝靸帖》文字内容的荒谬胡扯，并从书体的荒芜虚伪这两者来断定它是出于伪造。

刻帖有一个可以逃遁之处，它可以被推诿于摹刻失真。诚然，有时也确有这类情况。然而如《紫丝靸帖》即以摹刻这一理由来为之辩解，也掩盖不了它作伪的真面目！

周昉 《簪花仕女图卷》 局部

周昉《簪花仕女图》的时代特性

我们对于唐代的绘画，已经感到越来越不生疏了。因为流传的先迹，络绎不绝地投入我们的眼目。

敦煌石窟和不断发现的墓葬中的壁画，以及明确可证的如孙位《高逸图》、《宫乐图》等等，这些都是被推许作为认识唐画的法式。尽管那些壁画的作者是民间的，但是当在晋顾恺之而后，这一士大夫的画派开始影响了民间的绘画艺术，而到唐代已到达了高峰。因此，唐代的壁画与士大夫的画派几乎是二而一了。北宋米芾曾总结过唐代的人物画，他写道："唐人以吴道子集大成而为格式，故多似。"这也不无指引了认识唐人画的途径。

周昉 《簪花仕女图卷》 局部

唐周昉《簪花仕女图》，是一件非常杰出的作品，但说是周昉，则是后人所配给的，然而，这种说法却已经根深蒂固。这样一件杰出的作品，没有一个赫赫大名的作者配上，就不免显得逊色，这原是“爱之欲其生”的意思。书画历史的情况，久矣乎是如此的。

但是，我觉得为了爱护，总也要有一个立足之点，配上一个作家的名字，但毕竟要与这件作品相符，否则，就是过犹不及，不是抬高了就是贬低了，甚至还有牛头不对马嘴的笑话闹出来，这在书画的历史上，也是数见不鲜的。

《簪花仕女图》的艺术魅力，从它的艺术性到历史性，吸引着我们对它产生了新的感想。

历来对周昉的叙说比较简少。据传，周昉是唐中期的长安人，善于描绘贵族士女和佛、道教画。他曾为郭子仪的女婿赵纵画像而描绘出了“神气”与“性情”，当时的声望是很高的。唐张彦远《历代名画记》叙说他的画派“初效张萱画，后则少异，颇极风姿”。宋米芾《画史》说他的用笔“秀润匀细”。历史的记载不外是这样一些朦胧约略的叙说而已。

周昉的画派、风貌，且不来谈它吧，看来没有什么足够的可信的实物证据，是难于阐明的。因此，《簪花仕女图》是不是周昉所作，将不

唐人 《宫乐图》 局部

是主要的问题，主要问题在于它的时代性。“皮之不存，毛将焉附”，描写现实的作品哪有不从属于它的时代的呢！

首先感到的，但也是主要的是《簪花仕女图》的艺术风格。这风格流露在整个簪花妇女们的形象之中，这一种描写形式，在唐代的绘画中，还没有能找寻到同样的例子。而且，这又怎么说呢，在描绘的形式而外，它的特有的艺术特性，也与唐代有了一定的差距。

至于图中妇女们的那些打扮、装束，是非常新奇的。显然为贵族妇女们所特有。这些特有的打扮、装束，从隋唐以来的实物中，就现在所发现的，也没有能找到与它相同的形象。

图中妇女的那种“高髻”，和它同样的有两个例子。

一是敦煌藏经洞所出，盛唐画《引路菩萨》下面的那个女子；一是南唐二陵出土的女俑。这两个高髻上后者没有头饰，前者的头饰也与此卷上的不同，而都没有那些巍巍花朵，女俑不是贵族，而《引路菩萨》下面的女子是颇像贵族的。

再来考一考这种打扮的历史吧，在文字的记载后，却找出了一些问题。

陆游《南唐书》记载后主李煜的大周后，曾有这样一段，说大周后“创为高髻纤裳首翘鬓朵之妆，人皆效之”。马令《南唐书》也记载李煜哀悼大周后的诔文，有“高髻凌风”之句。这些记载对图中妇女们的打扮、装束，如那种头饰、花朵、赤身着纱衣等等特点的分析就有了一定的启示。“引路菩萨”下的女子是高髻，南唐二陵出土的女俑是高髻。这说明大周后所创新的还不单单是在于高髻，而更在于“首翘鬓朵”与“纤裳”。南唐是接受唐的传统的，在音乐方面也是如此。马令和陆游的《南唐书》还有这样的记载：“唐之盛时，霓裳羽衣，最为大曲，罹乱，瞽师旷职，其音遂绝，后主独得其谱，乐工曹生亦善琵琶，按谱粗得其声，而未尽善也，后（大周后）辄变易讹谬，颇去洼淫，繁乎新音，清越可听。”这些都可以看出南唐是多么崇尚唐代的习俗与好尚。

同时，《簪花仕女图》的后段还描绘了正盛开着的辛夷花。而妇女们所着的纱衣，真是“绮罗纤缕见肌肤”，显示着已暖的天气。辛夷是春花，而在春天就着起纱衣来，这在南方还可能，在北方是决无此事的。因此，不免令人想象到南唐李煜时期的贵族妇女，流行着大周后所创的装束，而这种装束，在春天的季节里，显示着气候的早暖。《簪花仕女图》所表现的正是江南的风光物候。

《簪花仕女图》的艺术表现，从它的描绘而论，恢宏的气概，雄健的笔势，风骨情采，已不是唐，但还不免有较浓的唐代气氛。而特别显示着相异之点在于面部，在于眉、眼、嘴角和手等等的描绘形式，这与唐人的习性已划然分道扬镳，流露着另一种特有的艺术形体与情意。它正显示着晚于唐代不远的一种新兴风貌，而还与唐的传统渊源保持着较亲的关系。这样，可以说《簪花仕女图》所表现的应该是大周后以后南唐贵族妇女所流行的打扮、装束，而它的画笔，正是南唐的时代艺术特征。

苏轼 《竹石图》 局部

唐代墨竹

墨竹，在北宋，为士大夫之间所崇尚的艺术表现。文与可收到求他画竹的绢，看来太多了，致使他恨恨地说："吾将以为袜。"他有一首从一至十字的咏竹诗，末句写道："图写潇湘之形莫贤于仆。"苏东坡也画竹，"自谓于文拈一瓣香"。写竹枝不逐节分。米芾称道其"运思清拔"。而文与可每画竹，对人说："无令着语，待苏翰林（东坡）来。"笔情墨意，襟思洒然的画中有诗，诗中有画，是墨竹的妙谛。绘画的历史行程，一天一天地为骚人墨客领向别一个天地。

墨竹，指的是用墨笔撇出的形体，以别于双勾敷彩。艺术的高度在于它是"超乎象外"。

米芾《画史》："以墨深为面淡为背，自与可始也。"自然，米芾并不是说墨竹是文与可所创始。

刘道醇《圣朝名画评》："写墨竹于古无传，自沙门元霭及唐希雅、董羽辈始为之倡。"刘道醇也只是说："于古无传。"

南唐以前的墨竹史，在北宋已是寂焉无闻了。

宋　文同　《墨竹图》

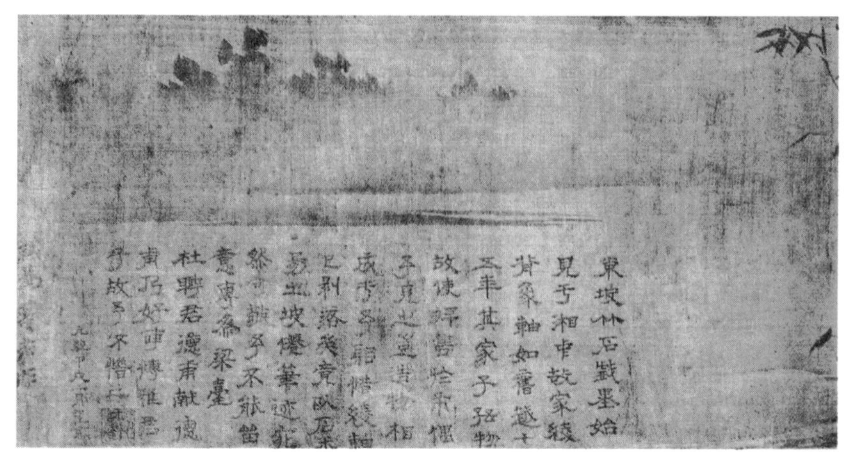

苏轼 《竹石图》 局部

近偶检书，至苏东坡《凤翔八观》诗，其一为《王维吴道子画》。诗写道：“何处访吴画，普门与开元，开元有东塔，摩诘（王维）留手痕，吾观画品中，莫如二子尊。道子实雄放，浩如海波翻，当其下手风雨快，笔所未到气已吞，亭亭双林间，彩晕扶桑暾，中有至人谈寂灭，悟者悲涕迷者手自扪。蛮君鬼伯千万万，相排竞进头如鼋。摩诘本诗老，佩芷袭芳荪。今观此壁画，亦若其诗清且敦，袛园弟子尽鹤骨，心如死灰不复温。门前两丛竹，雪节贯霜根，交柯乱叶动无数，一一皆可寻其源，吴生虽妙绝，犹以画工论。摩诘得之于象外，有如仙翮谢笼樊，吾观二子皆神俊，又于维也敛衽无间言。”

循诗意，如“交柯乱叶动无数，一一皆可寻其源”。“摩诘得之于象外，有如仙翮谢笼樊”。可以想见，从描写的形体而言，看来不再是双勾敷彩，而是放笔撇出的写意形体。因为，在王维之时，颜色都是矿物质的石青、石绿，是用作敷染，从未闻可以之运笔作撇出的形体。而所谓“得之象外”，也不是称说双勾工细的写真描绘。而吴道子所画的似为《佛入涅槃》或《树下说法》之类的题材，今天在敦煌石窟，还可以见到唐代这类题材的壁画，是工整敷彩场面较大的皇皇巨制。苏东坡尽管称道吴道子画笔“妙绝”，但因为它工整敷彩，还是说他“犹以画工论”。而对王维的两丛竹，却不胜赞叹地说：“敛衽无间言。”由此可以领略到苏东坡的艺术旨趣，不在于皇皇巨制，不在于工整而在于写意的所谓“得之象外”的艺术风裁。

如果说王维的两丛竹，所采取的是撇出的写意形体，而这一形体又为石青、石绿矿物质颜料所不能表现。那么，“交柯乱叶动无数”，说它是墨笔撇出的，应该是符合诗意的，虽然诗里没有提到墨。

诗是说，王维对竹的描写，交叉的竹枝和无数生动而繁乱的竹叶交织在一起，却一丝不悖竹的生理，是神乎其技的表现。如果说诗是形容的双勾竹，则本来是笔笔交代清楚不容紊乱的描绘，说“一一皆可寻其源”不是多余的吗？而“有如仙翮谢笼樊”，不是说画笔的不受拘束吗？苏东坡以吴道子画为工整敷彩，故说“犹以画工论”。而于王维的两丛竹，叹为“得之象外”，可见王维不是工整敷彩，“得之象外”正是与“画工”相对而言的。

唐　李贤墓壁画　局部

在陕西，唐武周时章怀太子李贤墓后甬道东壁，墓后室东壁，都画有丛竹，都是墨笔撇出的形体，这又在王维之前，可见以墨笔画竹也不是王维所创始，而是早已运用了。苏东坡这样赞叹王维的画竹，它比章怀太子墓壁上所画的要高妙，这是可

唐　李贤墓壁画　局部

以想见的。

苏东坡在《凤翔八观》诗的序言里，写了这样几句："而好事者有不能遍观焉，故作此诗以告欲观而不知者。"宋人大都是"欲观而不知者"，所以刘道醇说"于古无传"了。

徐熙《雪竹图》局部

徐熙落墨兼论《雪竹图》

南唐花鸟画作者徐熙，在北宋，与蜀黄筌的画派并称。郭若虚《图画见闻志》根据当时的传统，列论“徐黄体异”是“黄家富贵，徐熙野逸”。这江南野逸的画派，历来被认为是神奇的风格，为人所称说不衰。

从绘画艺术而论，徐熙的画派，无疑是一种特殊的形体。他的画笔虽已无存，但历来对他的叙说，足以据之探讨的材料还是不少的。

据《宣和画谱》说：“今之画花者，往往以色晕淡而成，独熙落墨以写枝叶蕊萼，然后傅色，故骨气风神为古今之绝笔。”这里特别指出它的与众不同之点是“落墨”。

所谓“以色晕淡而成”，是指物体的面。具体地说，一般都是先用

徐熙 《雪竹图》 局部

徐熙 《雪竹图》 局部

墨线勾勒了物体的轮廓，然后用颜色描晕物体的面，即“六法”所列的“应物象形”、“随类赋采”，是以颜色为描绘的主体，这不仅见于历来的记载，留存的实物也证明从来传统的描绘形式都是如此。如号称“写生”的蜀黄筌的新兴画派，北宋沈括说它“用笔极新细，殆不见墨迹，但以轻色染成”，是说轻色的晕染，几乎掩盖了“新细”的描笔。黄筌的“写生”，也仍然是一贯的传统描绘方式。而徐熙是一切先用墨来描绘，之后才加颜色，脱出了传统形式的范畴。

梅圣俞咏徐熙《夹竹桃花》诗：“年久粉剥见墨踪，描写工夫始惊俗。”这表现颜色是涂在墨之上，而且把墨掩盖掉了。故而他说因粉的剥落，才见到了“墨踪”，从而才叹赏到墨的“描写工夫”。这较之《宣和画谱》的叙说要明确些。

照此看来，所谓落墨，不仅是以墨勾勒物体的轮廓，更主要的是以墨描晕物体的面，然后在墨上再加颜色，比传统的描绘方式要多一道墨的过程，最后又把这一道墨掩盖掉。梅圣俞是见了徐熙的画，才作出这样的叙说的。然而，不禁使人要想，为什么要这样表现呢？描绘的墨，又用颜色掩盖掉，这样墨又起什么作用呢？那些颜色加在墨上又起什么作用呢？何以这样才显得高妙的骨气风神呢？

沈括《梦溪笔谈》有这样一段叙说：“徐熙以墨笔为之，殊草草，略施丹粉而已。”这一叙说和梅圣俞诗又有了些分歧，他说明只是略略加上一点丹粉，意味着并不须“年久粉剥”才能见到“墨踪”，色彩并没有把墨掩盖掉，因为，略略加上一点丹粉，是掩盖不掉墨的。

李廌《德隅斋画品录》记徐熙的《鹤竹图》：“根、干、节、叶，皆用浓墨粗笔，其间栉比，略以青绿点拂，而其梢萧然有拂云之气。”这一叙说较之沈括又更具体了些，他指出所落的墨是浓的，用笔不是细致的，也就是沈括所说的“殊草草”，而色彩仅仅加在竹的栉比之处。这里应该指出，所谓“浓墨粗笔”，不能作粗笔双勾来理解，而是指从竹的轮廓到面全部描绘都在于墨。否则，这只不过仍然是白描，是传统的描绘方式而已，它的特异之点——落墨，又在哪里呢？

《图画见闻志》援引徐铉的叙说，徐熙以“落墨为格，杂彩副之。迹与色不相映隐也”。这是说，作为描绘的主体是墨，各种色彩，对墨来说，只处于辅助地位。墨迹与色彩并不相互掩盖。总的说，这一描绘形式就是墨与颜色并用，而墨多于颜色。在徐熙所撰的《翠微堂记》里，

徐熙 《雪竹图》 局部

徐熙 《雪竹图》 局部

他写道："落墨之际，未尝以傅色晕淡细碎为工。"这是徐熙自己叙说自己的画派所采取的方式和方法，由此证实徐铉所说的"杂彩副之"的解说是正确的。

梅圣俞的叙说，是指的夹竹桃花，李廌指的是竹，沈括虽是泛指，但说得脱略了些。徐铉具体地叙说了描绘过程，墨和色彩之间的关系与处理，徐铉是南唐人，对徐熙画派的认识应该要较全面些。

试把以上的这些叙说，合起来看，所谓"落墨"，可以得到这样一个概念：

所谓"落墨"，是把枝、叶、蕊、萼的正反凹凸，先用墨笔来连勾带染地全部把它描绘了出来，然后在某些部分略略地加一些色彩。它的技法是，有双勾的地方，也有不用双勾只用粗笔的地方，有用浓墨或淡墨的地方，也有工细或粗放的地方。整个的画面，有的地方只有墨，而有的地方是着色的。所有的描绘，不论在形或神态方面，都表现在"落墨"，即一切以墨来奠定，而着色只是处于辅助地位。至于哪些该用勾，哪些该工细，哪些该粗放，而哪些又是该着色的地方，换言之，在一幅画之中，同时有用勾的，有用粗笔的，有着色或用墨的地方，这只是一种艺术变化。因而特别用"落墨"来区别这种体制。

徐熙画派当唐末五代水墨画派确立之后，是在着色画、水墨画两种体裁之外，另立了一种着色与水墨混合的新形式。这一新奇的形体，并没有引起后来的作者闻风而起。米芾说："黄筌画不足收，易摹；徐熙画，不可摹。"此语足以令人深思这一描绘形式所以久已绝迹人间的原因所在。在当时，唯一的他的孙子徐崇嗣，为了获得进入翰林图画院的职位，也不得不放弃被目为"粗野"的家风，趋附"黄家富贵"的时尚。徐熙的画派真成"广陵散"了。

有一幅《雪竹图》值得提出。此图无题款，在石旁竹竿上，有倒书篆体"此竹可值黄金百两"8字。没有任何旁证说明这画是出于何人或何一时代，只有从画的本身来加以辨认，因此，从它的艺术时代性而论，不会是晚于北宋初期的制作。从它的体貌而论，为前所未见。它的画法是这样：那些竹竿是粗笔的，而叶的纹又兼备有粗、细笔的描勾，是混杂了粗细不一律的笔势的。用墨，也采取了浓和淡多种不混合的墨彩，竹的竿，每一节的上半，是浓墨粗笔，而下半是空白，一些小枝不勾轮廓，只是依靠绢底上烘晕的墨而反衬而来，这些空白的地方，都强调了上面是有雪的。左边那棵树的叶子，一部分用勾勒，一部分也是利用绢底上的烘墨来反衬出来，地坡上一簇簇用墨所晕染而成的也是雪。在总体上，它是工整精微的写实，而所通过的描法，是细和粗的多种笔势与深和淡的多种墨彩所组合而成，它表达了一林竹树，在雪后高寒中劲挺的风神。这一画派，证明在写生的加工上，能敏感地、生动地、毫无隔阂地使对象的形态和神情，完整地再现，显示了艺术的特殊功能，是突破了唐五代以来各种画派的新颖奇特的风格。它的表现，与李廌所记的《鹤竹图》正相符合，与沈括所说“以墨笔为之，殊草草”，徐铉所说的“迹与色不相映隐”，以及徐熙自己所说“落笔之际，未尝以傅色晕淡细碎为工”，正相贯通的，也确如米芾所称道，是难于摹拟的。

这幅《雪竹图》，完全符合徐熙“落墨”的规律，看来也正是他仅存的画笔。

徐熙 《雪竹图》 局部

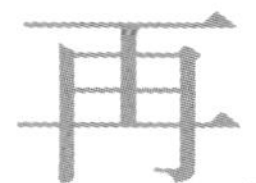

论徐熙落墨

——答徐邦达先生《徐熙落墨花画法试探》

1954年我写的《水墨画》一书中，有一节谈到徐熙落墨；1956年在《唐五代宋元名迹辑》中，有一幅《雪竹图》提出是徐熙落墨；1973年又写过一篇《徐熙落墨兼论〈雪竹图〉》，收在拙著《鉴余杂稿》中。

1986年4月，我在香港时，友人见赠一册香港中文大学校外进修部主编的《艺与美》1983年第二期，其中有徐邦达先生所撰的《徐熙落墨花画法试探》一文（以下简称《试探》）。这篇文章完全针对我对徐熙落墨和那幅《雪竹图》的论证。我以为在学术上各抒己见，是很正常的现象，但是被迫于绘画史的证据，对历史的严肃性，不得不回答徐先生的《试探》一文。

《试探》一开始，列引了北宋刘道醇的《圣朝名画评》、郭若虚《图画见闻志》所引徐铉的叙说。沈括《梦溪笔谈》、《宣和画谱》及元汤垕《古今画鉴》说："熙"落笔"颇重，中略施丹粉"。于是《试探》紧接着下了定义说："'落墨'即是'落笔'。墨不能离开笔而显现在纸绢上，所以论画者都以'笔墨'合称。明白了这一点，才能理解所谓'落墨花'应是一种怎样的风格面貌的花卉画。'落墨花'这个名称，在各种画史的叙述中，早时应非专称，开始形成为一个专门名词，是由于苏东坡的两句诗。按苏氏题徐熙《杏花》诗云：'却因梅雨丹青暗，洗出徐熙落墨花。'诗人在这诗中所说的'落墨花'三字，还应不是一个专称，不过说徐熙的这幅花卉画，落墨（笔）粗重些，色彩暗淡了，似乎此画是经过了梅雨的冲洗，褪去了彩色，显出了画中花卉的墨骨，成为一幅以墨骨为主的花卉画了。这原是一句戏语，但也正合以上移录的各种画史里叙述徐熙画的特色。所谓'落墨为格，杂彩副之，迹（笔迹）与色不相映隐'等等的说法，于是'落墨花'三字，才为谈画史者用成了一个特有的专门名词了。我们再读梅尧臣（圣俞）也有咏徐熙画的两句诗。(笔者按，梅诗两句《试探》末引为："年久粉剥见墨踪，描写工夫始惊俗。"这像是说双勾涂色的画法吗？)更进一层提到徐熙画所以不同于凡俗，主要在墨踪笔骨上，尽管我们看到的黄筌、黄居寀等人的禽鸟竹木也先用勾描，但大都细线一条，以立骨架而已，不能在线条（笔墨）上见工夫……"

徐熙 《雪竹图》 局部

以上所录的《试探》原文，是《试探》通过引用的各种画史，加以解释，从而得出

徐熙 《雪竹图》 局部

徐熙 《雪竹图》 局部

徐熙落墨花“画法”的论断。

这里想谈谈我的读书方法，文句是有上下文的，而下文是承上文而来，但这是最最起码的道理；用不着向徐先生来谈这些起码道理，我只是说明我是用这样的方法来阅读文句，理解文句的。

《试探》引徐铉所叙述的：“落墨为格，杂彩副之，迹与色不相映隐也。”徐先生特别在“迹”字下加上按语：“按应指笔迹。”我的理解是这样的：“落墨为格，杂彩副之”是上文，“迹与色不相映隐也”是下文，是承上文而说的。所谓“迹”就是上文“落墨为格”的落墨，“色”就是上文的“杂彩副之”的杂彩，“不相映隐”就是落墨表现得多而杂彩少。以落墨为主，杂彩为副，使墨与色不相互掩盖。《宣和画谱》也说得很清楚：“且今之画花者，往往以色晕淡而成，独熙落墨以写其枝叶蕊萼，然后傅色。”就是说一般画花的方法，都是用颜色来深淡晕染。而“独熙落墨”（请注意这个“独”字）就是说徐熙却不用颜色来为花深淡晕染，而独落墨来为花深淡晕染，然后再加上一点颜色。

但是《试探》说："这里先要说明，'落墨'即是'落笔'。墨不能离开笔而显现在纸绢上，所以论画者，都以'笔墨'合称。明白了这一点，才能理解所谓'落墨花'，应是一种怎样的风格面貌的花卉画。"

徐先生的《试探》一文，它的题目提出的是"画法"，的确不能"明白了这一点"，是够不上来理解所说"落墨花"应是用怎样的"画法"而后形成的。

《试探》说："所以论画者都以'笔墨'合称"。这就是"落墨"，所以就是"落笔"的理解，说"'笔墨'合称""其实是"笔"与"墨"的并称。试问："有笔无墨，有墨无笔"，荆浩不是说过的吗？"有笔有墨"论画者不是说过的吗？"墨是通过笔而显现在纸绢上"，但显现之后，"墨"却独立了，因为杂彩也不能不通过笔而显现在纸绢上，而王洽的"墨"，却并不通过笔而显现在纸绢上。能说"落墨"就是"落笔"吗？不是所有的画都有墨与着色之别吗？

徐先生在《试探》中说："落墨"即是"落笔"，因此他解释道："黄筌、黄居寀等人的禽鸟竹木也先用勾描，但大都细线一条，以立骨架而已，不能在线条（笔墨）上见工夫，使体现作者高雅闲放的风度……"

从这段文字看，说黄筌、黄居寀也"先用勾描"，是"细线一条，以立骨架"，那么，徐熙的"落墨花'又是怎样的呢？徐先生没有明说，从上引的原文看，说黄筌、黄居寀也先用勾描，说"也先用"，那么，徐熙的"落墨花"也是只先用勾描了，黄筌、黄居寀是"细线一条"，那么，徐熙该是粗线一条了。《试探》解释："笔迹也就是墨骨。"那么，黄筌、黄居寀与徐熙只是线条粗细不同，骨架则一。

把徐铉与《宣和画谱》的解说，可以视而不见，引而曲解。把"落墨"、"落笔"说成是一而二，二而一，照此说来，"落笔"也可称之为"落墨"了。又何必"独熙落墨"呢？

《试探》说："我们并不迷信古人旧说，但在找不到某一画家真迹作品时，我们不能不依靠一下古文献来作辅证。从此推断，或能想象梗概，总比凭空立说要好一些吧？"

问题在于，徐先生引了这么多的古文献，却说"落墨"即"落笔"，这就不仅是凭空立说了。徐先生附会"落墨"即"落笔"，看来对古文

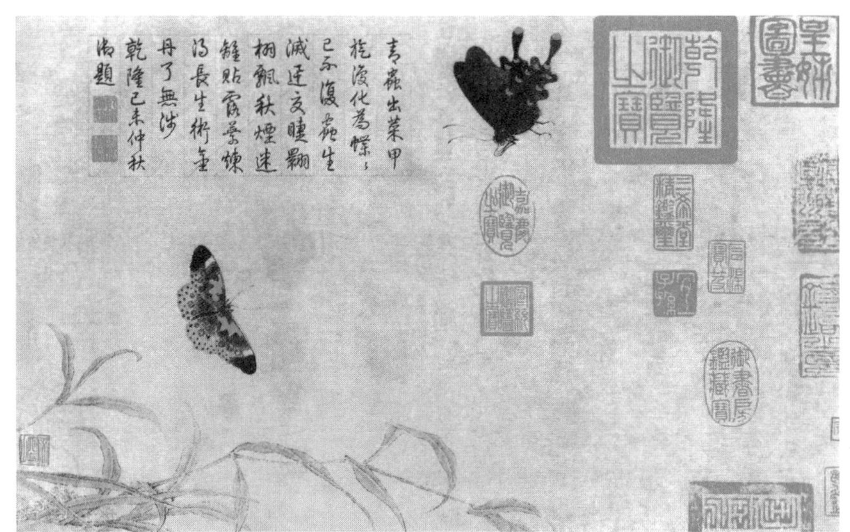

赵昌 《写生蛱蝶图》 局部

献不单单是歪曲，却也产生了一些错觉。如所引一，徐熙的《翠微堂记》自言：“落笔之际，未尝以傅色晕淡细碎为工。”有“落笔”二字。二是元汤垕《古今画鉴》：“徐熙画花，落笔颇重。”有“落笔”二字，看来是根据了这两个“落笔”，才发明“落墨”就是“落笔”这一原理。

我的理解是，徐熙《翠微堂记》的“落笔之际”只是说当作画之际。汤垕《古今画鉴》的“徐熙落笔颇重，中略施丹粉”，看来这是徐先生认定“落墨”就是“落笔”的根据，从而自己再加上“‘笔墨’合称”的理论。我的推想，徐先生的这一认定，就把徐熙落墨，看成也是粗重双勾的填色，不过线条与黄筌、黄居寀不同，因为下一句是：“中略施丹粉。”即在“勾描”的“骨架”之中“略施丹粉”。

我在《唐五代宋元名迹·雪竹图》的说明中，还引了一条宋李廌《德隅斋画品录》的记载，徐先生却避而不引。《德隅斋画品录》中记载徐熙的《鹤竹图》说：“蘩生竹篆，根、干、节、叶，皆用浓墨粗笔，其间栉比，略以青绿点拂，而其梢萧然有拂云之气。”如果这里所说的“浓墨粗笔”不是在根、干、节、叶的内在，通体地都用“浓墨粗笔”描绘了出来，或者仍如徐先生所说，只是粗重的双勾白描，而仅仅在栉比处略以青绿点拂，试问，这一种表现形式将成为什么样子？不理解《雪竹图》就不能懂得李廌《德隅斋画品录》中所记徐熙《鹤竹图》的“浓墨粗笔”是怎样描绘的一种“画法”。自然也不能理解画史上的所有叙说。

徐先生认为徐熙落墨花只是墨线粗重的双勾，并非出于我的推测，他除对我的徐熙落墨的分析不以为然外，还另举了一卷号称赵昌的《写生蛱蝶图》，于是说：这一卷，一、论风度是所尚高雅，容与闲放。二、画中花草都是“必先以墨（亦即笔）定其枝叶蕊萼等，然后傅之以色……”，亦即是“落墨为格，杂彩副之，迹（笔迹）与色不相映隐也”。

《试探》在前面分明说：“黄筌、黄居寀等人的禽鸟竹木也先用勾描，但大都细线一条，以立骨架而已。”《写生蛱蝶图》与黄筌的《珍禽图》、黄居寀《山鹧棘雀图》（此二图并为《试探》中所引）尽管风格各别，但它们之间“画法”，即用线条双勾填颜色，看不出有什么两样。正是以“傅色晕淡细碎为工”，是“今之画花者”的一般画法，它“落笔甚重”吗？可以比较，不会比

黄筌《写生珍禽图》局部

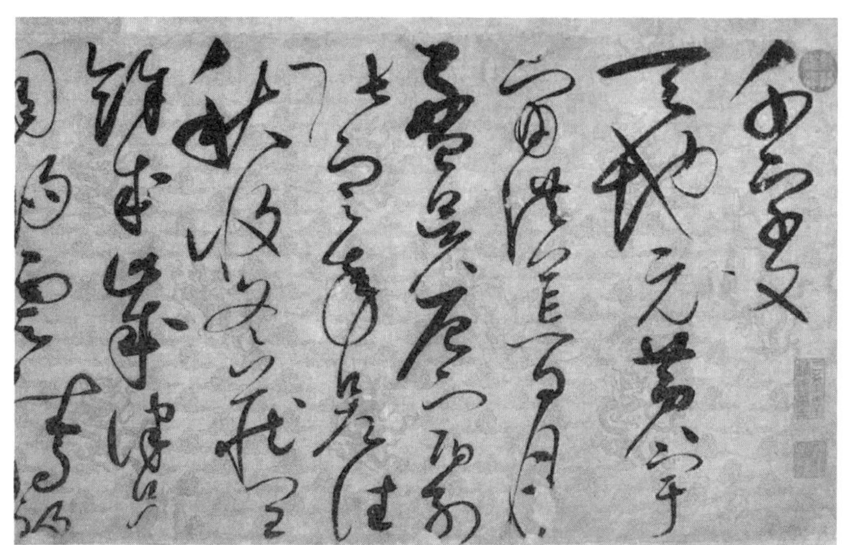

赵佶《草书千字文》局部

《珍禽图》重些。如果说是粗（笔），它不会比《山鹧棘雀图》粗些。硬说与徐铉等叙说“一一吻合无间”，真是削足适履了。

把“落墨”即“落笔”一定下来，于是号称赵昌的双勾着色《写生蛱蝶图》赫然成了徐熙落墨花。这不仅仅凭空立说，而是任意歪曲证据，没有一毫对历史的严肃性的。严格说，汤垕《古今画鉴》所说的“落笔甚重”试加分析，“落笔甚重”这一概念可以作为徐熙的特征吗？苏东坡评吴道子画：“当其下手风雨快，笔所未到气已吞。”这样的称说，能是吴道子的特征吗？再则，历来所有的作家，哪一个不追求这一点，不是说王原祁笔下有金刚杵吗？那王原祁也可称为“落墨”法了？事实上，“落笔甚重”的“笔”字，大致仍是“墨”字之误。落墨甚重，这样才解得顺，解得通。质言之，所说“落墨”，一切以墨来奠定，只在某一些部分约略用一点颜色，即墨要比颜色多得多，而且也不互相掩盖，所以把这一特点提出，名之曰“落墨”。“落笔”二字，即不能说明墨多墨少，亦说明不了笔多笔少。“明白了这一点，才能理解所谓‘落墨花’应是一种怎样风格面貌的花卉画”！

《试探》对《雪竹图》的时代性，对我的论证也提出了驳议。徐邦达先生说：“徐熙是五代时人，那时画绢的门面阔度，一般不能超过六十厘米以上（这是我们用许多两宋画来对比之后得到的结论）。此图阔约一米，是独幅绢，那起码要到南宋时期才能见到，凭这一点，至少不能承认它是南宋以前之物，是无可争辩的，我以为此图早不过南宋中期，晚可以到元、明之间”。

徐先生“不迷信旧说”，却迷信于绢，以绢来评定画的时代，这说明绘画是不可认识的了，要认识只得靠绢。不“凭这一点”，就双眼茫然。那么，只要绢是六十厘米的绘画，都是两宋或以上的绘画了。宋徽宗的《草书千字文卷》它的长度为11.721米，在今天的两宋书画中，见过第二张这样长的纸吗？这卷《草书千字文卷》是靠的纸，还是根据的书法而后论定的呢？

这幅《雪竹图》很不幸，没有依照徐先生所说的是“独幅绢”，而是双拼绢，还不到60厘米。这样，从不认画只认绢这一事实来说，对《雪竹图》单“凭这一点”不知还足以为“凭”否？

还是回到绘画本身来说，绘画之至者是风格，所以形成风格是一幅画的整体，所以形成画的整体的是技法，所以形成技法的是笔墨。因而，不能认识历代的绘画，就不能认识一代的绘画。何以故？一代有一代的各种风格，汇而为一代的时代风格，可以看出这一代的绘画，不能为那一代所有；那一代的风格，也不能为这一代所有，每一时代的风格有别。不明白这个道理，就可以任意把这一时代的画看成那一时代的画，可以把近的看成远的，远的看成近的，这就是要理解历代的绘画，才能理解一代的绘画。否则，就可以把一幅画，早可以看到南宋，晚可以到元、明之间，把一幅画的风格跨越了三个时代，还有什么时代风格之可言呢？安心于著录、印章、纸绢等等的重围，就不能豁然去认识画派的个人风格与各个时代风格，拿一些非主要的旁证，引以为解决纷繁画派的主要手段，不从研究绘画艺术本身去找寻规律这一正道，就只觉其是，看不到其失，若凭此来认识绘画，真所谓舍正道而弗由了。

董源 《溪岸图》 局部

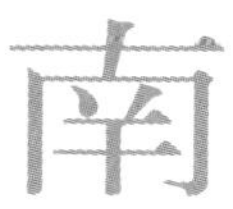

唐董源的水墨画派与《溪岸图》

宋郭若虚《图画见闻志》叙说董源的画笔“水墨类王维”，《宣和画谱》也有类似的叙说。

在当时，北方以李成为宗。董源在江南的声名虽大，在北方是不被称道的。他的画笔，为北宋米芾所特别崇仰，在《画史》里，屡次赞美董源的画笔“平淡天真，唐无此品，在毕宏上”，是“一片江南景”。

今天试舟行富春江上展望两岸，乃至自杭州到广州铁路沿线两侧的山容水色，以之来引证图绘，几无不是董源的画本。他的《潇湘图》、《夏山图》、《夏景山口待渡图》的艺术形态，正是渗透了这些山容水色的。

董源 《潇湘图》 局部

董源 《夏景山口待渡图》 局部

但这三图的方式形态，虽属一致，而笔的表现，仍然有出入。这三图除了在山上布满了小墨点子来描写漫山的树木之外，《潇湘图》的皴笔，都是比较整齐而圆浑的短条子。《夏山图》又掺杂了干笔、破笔和方侧的笔势。而《夏景山口待渡图》更掺杂了一种蜷曲的皴笔，因而这三图的形体，在同一之中又有个别的地方。

这一风格，与北方画派的描绘形式，是完全殊途的。主要在于山的轮廓凹凸部分的表现方法不同。北方的李派，必须以突出的主干线条来确定山的轮廓与凹凸的每一部分。而董源的画派，是不突出它的主干线条，而是用无数的点、线来表现这些部分的。这是“潇湘”等三图的形体。而《溪岸图》又与上述三图的体制不同，所写的是崇山峻岭，与北方画派的形体总的说来比较相同，但并不突出以表现山的凹凸的主干线条，而是以水墨烘晕来突出了它。因此，仍与北方画派的体格不同。高山大岭，用笔少而多晕染，骨体显得温润，绝无外强之气，也没有多少

卫贤 《高士图》

苔点。水势，还是唐代的传统体制，而描绘树木的精工生动，所配合的劲挺的笔势，显示了它的艺术特性。水阁里的人物，与卫贤《高士图》的骨体较接近。图的左下有款“后苑副使臣董源画”8字，其下有“天水赵氏”朱文印。

他这一画派，应该就是“类王维”的水墨画，是唐代新兴的“士大夫画”的标准形式的发展，成为南唐时期的江南画祖师。米芾《画史》记杜牧之临的顾恺之《维摩》，他说：“其屏风上山水林木奇古，坡岸皴如董源，乃知人称江南画，盖自顾以来皆一样，隋唐及南唐至巨然不移，至今池州谢氏亦作此体。”这一叙说，可以与巨然的画派，相互引证他们之间的渊源关系，正在于《溪岸图》与《龙宿郊民图》，而不是《潇湘图》等“一片江南景”的形体。在当时，这一形体没有被接受。看来，《溪岸图》是董源的本来面目，而“潇湘”等三图是他后期的变体。

“潇湘”等三图的画派，尤其是《夏景山口待渡图》蜷曲的皴笔，成为元代王蒙的主要表现形体。他的《丹山瀛海》、《一梧轩》、《惠麓小隐》等图，都证明了这一点。而倪瓒《渔庄秋霁图》的远山，也与《夏山图》是步趋一致的。

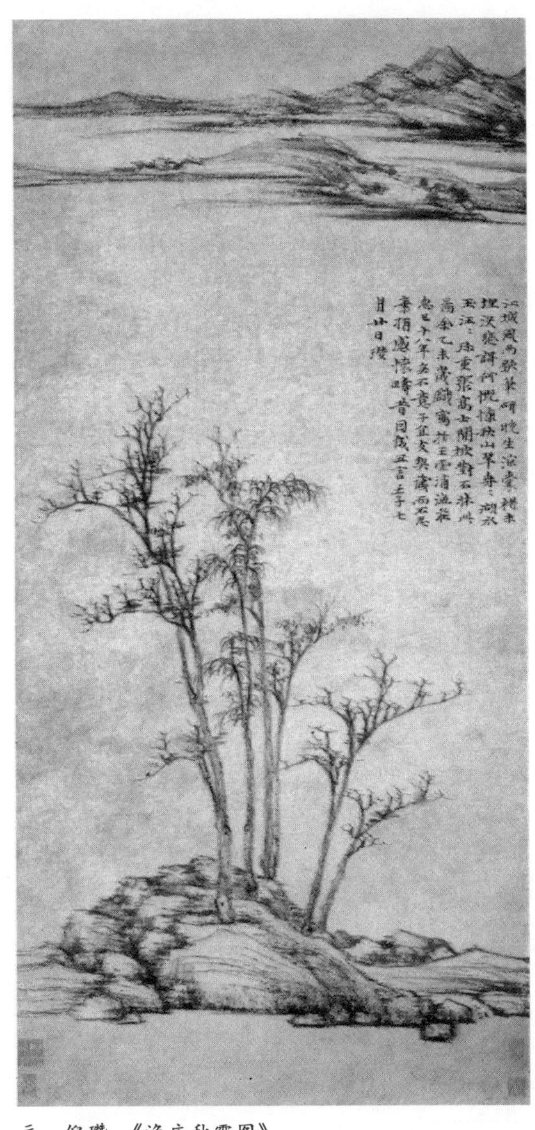

元　倪瓒　《渔庄秋霁图》

五代　阮郜　《阆苑女仙图》　局部

五代阮郜《阆苑女仙图》

传世的古代人物画，除了从汉代以来的各种壁画和晚周帛画而外，从汉到隋八百多年中纸或绢本上的画笔，顾恺之《女史箴图》（原画已佚，现存画作是唐代摹本和宋代摹本）是唯一传本。以人物画最盛的唐代而论，今日所能见到的也寥若晨星。相传的阎立本的《历代帝王图》、梁令瓒的《五星二十八宿神形图》、孙位的《高逸图》以及没有配上名姓的如《宫乐图》、《纨扇仕女图》等，所可使人仰望的灿烂的唐代艺术英华，仅仅这些而已。然而，阎立本、吴道子的渊源、演变，形成唐王朝一代的流风，虽仅仅传下这几卷，还是可以获得探寻的津梁的。

五代　阮郜　《阆苑女仙图》　局部

阎立本　《历代帝王图》　局部

五代十国时期总共不到八十年，时间虽短暂，绘画的风尚却是极盛的。除阮郜而外，这里可以略举的如：后梁有张图、胡翼、朱繇等，后唐有契丹族的李赞华、胡瓌、胡虔等，蜀有贯休、房从真、支仲元、蒲师训、阮知海、阮维德父子和丘文播、丘文晓兄弟等，南唐有曹仲元、周文矩、顾闳中、王齐翰、高太冲、顾德谦等，都是绘画史上人物画的代表作家。这些作家之中，有作品流传下来的仅有后唐两家：胡瓌《卓歇图》、李赞华《射鹿图》，南唐两家：顾闳中《韩熙载夜宴图》、王齐翰《勘书图》而已。而这些作品是不是这些作家的手笔，尚是问题。要来依之探讨这八十年中人物画的时代风貌，却比其他时期较长的朝代，反更感到困难。因而这一时期的作品，也就显得格外的珍贵了。

阮郜，历来对他的记载甚少，他的艺术生活以及他是五代哪一王朝的人，都无可稽考。据《宣和画谱》和《图绘宝鉴》，都叙说他“入仕为太庙斋郎”。按封建王朝职掌宗庙礼仪的官为“太常”，在汉代为九卿之一，至北齐设太常卿。诗人李长吉就做过奉礼郎，而斋郎是祭祀时执事之吏，也是属太常寺。唐韩愈曾说："斋郎奉宗庙社稷之事，盖士之贱者也。"李长吉在他的诗里自称"奉礼卑官"，而斋郎，又在奉礼之下了。

《阆苑女仙图》，是阮郜仅存的作品，它为五代绘画史频添了光彩。在五代绘画传世作品稀少的现状下，这一图是尤其值得重视的。因而首先要证实这一图的真实性。中世纪前后的绘画，大都没有作者的题识，或者题识已遭残损而消失了，此图亦不例外。因此，作为证实可靠性的第一依据是它的流传关系。《阆苑女仙图》先后所见的著录计有：《宣和画谱》、《式古堂书画汇考》、《江村消夏录》、《大观录》、《平生壮观》、《石渠宝笈》等。上述几种清代著录，也都注明这一图的隔水绫上"有宣和收藏等印"。而高江村康熙三十年（公元1691年）的跋中有："余得之都下，尚是北宋原装，恐渐就零落，重为装潢。"这些都说明这卷《阆苑女仙图》确曾为宣和内府所藏。那么，《宣和画谱》所著录的一卷，应该就是这一图。按《宣和画谱》的一卷名《女仙图》，《江村消夏录》等名《阆苑女仙图》，而《石渠宝笈》名《女仙图》。覆按这几种著录所记，确实即为一图。《石渠宝笈》大概要符合《宣和画谱》，因而恢复原名，图上并有乾隆的题诗和印章。因此《女仙图》、《阆苑女仙图》名虽二而图则一。

相传阮郜的画，在著录中尚有：《游春仕女图》、《贤妃盥手图》，不知是否尚在人间，对于阮郜的艺术风格，已不可能获得正面的佐证。

《宣和画谱》记《女仙图》云："有瑶池阆苑风景之趣，而霓旌羽盖，飘飘凌云，萼绿双成，可以想象。"这里叙述的瑶池、阆苑，当即是《穆天子传》所记西王母所居的地方。又《神仙传》云："昆仑阆风苑，有玉楼十二，立基九层，左瑶池，右翠水，有弱水九重，盖不可到。"而所说的萼绿、双成、即萼绿华与董双成，都是古代女仙的名字。又或谓董双成是西王母的侍女。神仙的故事，历来记载很多，《阆苑女仙图》的内容，正是围绕着这些题材来加以艺术描写的。卷的前后，可能都有残缺。

神仙，为道教所宗奉。唐宋之际，正是道教盛兴的一个时期。从《阆苑女仙图》的主题内容来看，是正符合那个时期崇尚道教的风气的。

著录，增加后人许多凭借和说服力，但是，绘画的本身，却亲切地给人以直接论证的可能。如其说，对于某一作家的画笔无法认识，那是由于这一作家的画笔流传少，甚至绝无所见，然而不管它的流派是如何的生疏，它可以使人茫然于作者是何人，却不能掩盖了它的时代性格，我们正可以从流派之中来确认时代的可靠性。

《阆苑女仙图》，说它是阮郜的手笔，虽已失去了对他艺术的认识，这点，著录已替他证明了。但说《阆苑女仙图》不是宋画，也不是唐画，这从它本身的风格与它的艺术渊源，都昭示着鲜明的迹象。

《阆苑女仙图》与《簪花仕女图》有同样一种现象，《簪花仕女图》与唐代的关系，不是直接的而是孕育的关系。因为，它的风范，使人认识到它的流衍之迹，已不是唐代而是距离唐代以后不太远的画派。正是它的风范，告诉了我们它的时代性格，而《阆苑女仙图》也昭示着与唐代的孕育关系，它是从唐代的画派产生，而在宋人的面目形成之前的一种风格，是无可怀疑的。

《阆苑女仙图》中的那些仙女，从她们的面貌与动态的习惯性，从衣服装饰等等以及龙凤之属的表达，我们不妨自己作一个问号，假使没有著录的依据，事先不知道什么五代阮郜，乍一看来，如若有一种看法，认为它是唐代的作品，如《簪花仕女图》之为周昉之类，看来也不能认为这种看法为毫没来由，因为，传统称之为唐画而其实不是唐画的一些作品，它的艺术性并不比《阆苑女仙图》要难于认识的，是不难举出大量例证的。

但是，从《阆苑女仙图》的用笔的形体和风调所形成的总的气格，而认为它是唐画，就完全失去了对它的论证。因为，我们尽可以从唐代三百年中的民间绘画到士大夫绘画，从头至尾来检校一过，似乎从未见到有这种气格。而最主要的是它的艺术描绘所宣泄出来的情调，它有接近唐代之处而又与唐代有一定的距离，它的时代性，正应该从这里来追根寻源。

试图推论，《阆苑女仙图》的艺术趋向，人物的组织形式，以较繁密的描勾，改换了唐人简略的概括性。用笔的形体，以周折的情势，替代了唐人直或方的描体，总的性格，有唐人的凝重，而乏唐人的爽利，有唐人的雍容，而失去了唐人豪迈的气度，已转到了不为唐人所有的精巧细致的一面。这种新兴的风貌，也正表明它是紧接着唐代的传统所产生。

晋　顾恺之　《洛神赋图卷》　局部

唐　梁令瓒　《五星二十八宿神形图》　局部

至于《阆苑女仙图》在景色方面的描写，它的渊源关系，与当时其他作家接受传统的风尚有别。据《历代名画记》论画山水树石："山水之变，始于吴（吴道子），成于二李（李思训、李昭道）。"又说："杨（杨契丹）、展（展子虔）精意宫观，渐变所附，尚犹状石则务于雕透，如冰澌斧刃，绘树则刷脉镂叶。"唐人不但论人物之变推吴道子，即论山水也推吴为首。王维的山水，唐人说他"踪似吴生"，这应该是可信的，当时大同殿壁上吴道子的三百里嘉陵江山水，王维就曾抚写过。但是虽说"山水之变，始于吴，成于二李"，而二李与吴的山水画派，虽都不能再见，然根据历代的论证，决不是同一流派。《历代名画记》同时记述吴道子"往往于佛寺画壁，纵以怪石崩滩，若可扪酌"。说他"纵以"，看来是当时一种新兴的奔放形体。世称学吴派的梁令瓒，是吴的同时人，他的《五星二十八宿神形图》据李公麟说他"甚似吴生"。其中所作的坡石，完全是墨笔皴擦。唐孙位《高逸图》中的湖石，也是水墨纷披的。而二李讲求的是勾斫之法，青绿金碧的用色，纯然是当时传统的规范。所谓"始于吴，成于二李"，只是指自吴与二李山水画到了新的阶段，不是指的同一风貌。自唐以后，吴道子、王维等的画派，导引了五代山水画的趋向，对二李的画派，已绝少被援用。如南唐的董源，米芾认为他写的"一片江南景，唐无此品"，顾闳中的《韩熙载夜宴图》中屏风上的山水，也是"江南画"的范畴，黄居寀的《山鹧棘雀图》中的

南唐　王齐翰　《勘书图》

南唐　顾闳中　《韩熙载夜宴图》

坡石，绝不是勾斫之法，而卫贤《高士图》中的山水泉石，更是雄壮的笔墨，看来都是从唐代水墨画的新兴体裁中来的。只有王齐翰《勘书图》中屏风上的山水，是大青绿的描绘，但用的“没骨法”，与勾斫的表现形体，还是两种不同的体制。

《阆苑女仙图》在这方面的描绘，是勾斫的形体和金碧的用色，它的状石正“务于雕透”，绘树是“刷脉镂叶”，还是接受二李画派一贯的传统规范。展子虔的《游春图》可以想象二李的继承流风，即唐代民间绘画的山水画法，也无不是这一体裁，都可以与《阆苑女仙图》来相互印证的。

《阆苑女仙图》是一卷光彩烂然的工整作品。从笔的精炼，色彩的艳丽，形象的端庄到构图的周密新奇，特别

黄居寀　《山鹧棘雀图》

是繁复而生动的水的表达，增强了这一境界的幽绝情景，是极为高妙的巨制。

推论五代十国绘画的时代性格比较难。如前面列举的那些作家，在他们的作品之间，都是绝少相通的独立形体。《阆苑女仙图》与上述的那些作品，也同样是没有相通之处，而只是或多或少地显露着与唐人的关系。

看来五代十国的时期短，兼之地域的阻隔，艺术风尚不像唐代在精神上形成了一定的沟通点。五代十国的画派，可以认识的是来自前代的各种风格的继承与变化，而于同一时代的内在相通的性格，则极为隐微，或者尚未形成。如顾闳中的《韩熙载夜宴图》与王齐翰的《勘书图》不是一样的，而董源的《潇湘图》等与卫贤《高士图》也没有共同之处。即董源的《龙宿郊民图》是青绿大着色，也与王齐翰《勘书图》的屏风殊途，更与《阆苑女仙图》是截然两回事。米芾论证“江南画”，认为从顾恺之到董源、巨然都是一样，这是他可贵的总结。但他也只是论证“江南画”的前后渊源，而不是这一时代风格共通的特有性。

隋　展子虔《游春图》

宋　刘道士《湖山清晓图》

《湖山清晓图》与巨然、刘道士

这一图是五尺上下的双幅画。绢本，浅着色。主体写簇拥着的群峰列岫。一道飞泉曲折地向山涧下冲，出岫的白云蓬蓬然弥漫着山谷，显得这样的高远；山后的树林围绕着村落，被白云遮断的山径，蜿蜒地伸展到树林的尽头，显得这样的深远；山下的流水无穷尽地沿着连绵的山脚荡漾到看不见的地方，却又显得这样的平远。一切景象，真是曲尽表达了丘壑之美的。笔和墨特别整洁，而秀润在骨，是通过了真实的体察，深深地描写出山中清晓的气氛。下面的一片水，起着平静的波澜。李贺诗“轻涟不语细游溶”用来描绘这样的画境，是最为贴切的。而表现水的这种动态与形式，实为前所未见的新创。

这一图，曾被认作是北宋刘道士的画笔。因为他的画派与巨然接近，而在左边的山路上有一个红衣道士。

据米芾《画史》，元汤垕《画鉴》所记，刘道士，钟陵人，与巨然同时，他两人的画派，同出于董源，几乎不可辨别。但刘道士画里的道士，一定在左方，而巨然画，和尚一定在左方。只有通过这一点才能分别出两人的画笔。因此说这一图是刘道士所写，正是根据米、汤的叙说而来的。事实上，刘道士的画，经过历史所证实的传本，早已绝迹，无从来辨析这些叙说的夸张性。但从这一图的风骨与情采来认识，它与巨然的画格显然有着相当的距离。固无须依赖和尚道士来作为辨别的主要根据。不过，它确实是如米芾所说的“江南画”的风格，与巨然为同一系统同一时期。而对真实情景的修饰润色，是这一图与巨然画派的分野之处，形成了截然不同的两种形体。

五代　李成　《晴峦萧寺图》

成考

从中国的绘画史来看，五代末期的山水画作家李成，他的关系相当大。他发展了唐代，影响了宋代之后的流派的演变。然而要论李成的画派，在今天说来，却是完全生疏的。因为，他的作品已不可能有一尺半幅确认为真笔的存在。但是，由于历代的画派，他所起的领导性作用，要来分析历代的山水画派，对他提起注意是必要的。

一　家世与生平行实

李成，字咸熙。系出于长安，是唐朝的宗室后裔。祖父名鼎，在唐朝末期为国子祭酒、苏州刺史。当唐末五代变革之际，他从吴避乱迁居青州益都，一说迁到营丘（按青州益都，在昌乐县西；营丘，在昌乐县东南，都属山东）。父名瑜，是青州推官。从当时的封建社会说来，李成的出身是皇族，是门第高华的士大夫阶级。他生长在青州的家庭里，已经改朝换代，家世中落了。他爱好赋诗，善于弹琴和下棋，喜欢饮酒，而以画山水、林木和龙水最为著称，是划时代的杰出作家，后来对他的特殊崇仰，几乎不再提他的名字而称李营丘，是人以画重了。

他在五代周时，和枢密史王朴是好朋友，正准备要推荐他而王朴死了。到宋初，司农卿卫融出知陈、舒、黄三州，仰慕他的高名，差人专程去聘请，他因而去依卫融，把全家移居到淮阳，在那里成天地痛饮狂歌，醉死在客舍中[①]。李成的家世、生平，大致如此。

当他醉死在淮阳客舍，为北宋太祖赵匡胤乾德五年丁卯（公元967年），年49岁。生在五代梁末帝朱瑱贞明五年己卯（公元919年）[②]。

王朴卒于周显德六年己未（公元959年）三月[③]，他推荐李成的时候，如果就在周显德六年，李成为41岁。卫融是在乾德郊祀时，献《郊禋大礼赋》，改司农卿，出知陈、舒、黄三州[④]，而乾德改元在十一月，郊祀即在此时[⑤]。李成依卫融移家到淮阳，可能在乾德三年甲子（公元964年），他为46岁，在淮阳到死去，至多不过四个年头。

在一些叙说中，记载着这样一件事。如宋刘道醇《圣朝名画评》："开宝中，孙四皓者，延四方之士，知成妙手，不可遽得，出书招之。成曰：'吾儒者，粗识去就，性爱山水，弄笔自适耳，岂能奔走豪士之门与技工同处哉。'遂不应，孙甚衔之，遣人往营丘，以厚利啖当涂者，卒获数图。后成举进士，来集于春宫，孙卑辞坚召，成不得已往之，见其数图，惊忿而去。"

《宣和画谱》也记着这段故事："尝有显人孙氏，知成善画得名，故贻书招之，成得书且忿且叹……却其使不应，孙忿之，阴以贿厚赂营丘之在仕相知者，冀其宛转以求取也，不逾时而果得数图以归。未几，成随郡计赴春宫较艺，而孙卑辞厚礼复招之，既不获已，至孙馆，成乃见前之所画张于谒舍中，成作色振衣而去。"

郭若虚《图画见闻志》也说："开宝中都下王公贵戚，屡驰书延请，成多不答。"

这些记载，对孙四皓与李成纠缠的事，叙说一致。《圣朝名画评》说是在“开宝中”，《宣和画谱》则未著年月，但言孙氏，未著其名。《圣朝名画评》说他“举进士”，《宣和画谱》说他“赴春宫较艺”，都是大同小异的。

这些记载，可以看出当时对李成，盛传着这些事。然而看来都是不可靠的。

第一，开宝在乾德之后，李成在乾德已经死去，如何能在开宝中举进士？

其次，所谓显人孙四皓，是宋太宗赵炅的近戚⑥，喜欢和“艺术之士”来往。当时的画院待诏如高益、王士元等都是他的门客⑦。这也更是开宝以后的事。

最可笑的是郭若虚，他一方面叙说李成死在乾德，同时又叙说李成在开宝中如何如何，可见他对当时年号的先后，一下子也有弄不清楚的，因而产生了自相矛盾的记载。欧阳修的《归田录》说：“李成仕本朝为尚书郎。”米芾《画史》又说他“身为光禄丞”，都一贯地对李成有许多误传。王明清的《挥麈前录》对欧阳修、米芾所记，都经辨明，却没有提到孙四皓的事。

宋袁褧《枫窗小牍》又有这样的一段记载：“名画家李成以山水供奉禁中，然以子姓饶赀，为宫市珠玉大商，不易为人落笔，惟嗜香药名酒，人亦不知，独有相国寺东宋药家最与相善，每往，醉必累日，不特纸素挥洒，盈满箱箧，即铺门两壁，亦为淋漓泼染，识者谓壁画最入神妙，惜在白垩上耳。”

说李成“供奉禁中”不须再辩说，但说他的“子姓”饶赀，做过“宫市珠玉大商”同样是不可靠的。

据《宣和画谱》：“父祖以儒学吏事闻于时，家世中衰，至成犹能以儒道自业。”而李成的儿子李觉，在宋太宗赵炅太平兴国五年（公元980年）举九经，起家将作监丞，后迁国子博士，是专治“经学”的；李觉的儿子李宥，据《宋史》：“幼孤……举进士。”《圣朝名画评》说他做过开封尹（按李宥墓志，宥曾“知开封县”，非开封府尹）。曾拿出钱来收买李成的画，但是到他死后是“家无余财”的。

这样看来，李成的儿子李觉，是穷年白首研治经术的学者，应该是

“不事生产”的一流人物，而且当李成之时，家世已经中衰，这就谈不上“饶赀”，孙子李宥也没有做过“宫市珠玉大商”。

又米芾《画史》记，李成的孙女，是吴冲卿夫人。吴冲卿名充，继王安石任枢密使。据宋朱彧《萍洲可谈》：“吴充薨，上幸焉（宋神宗赵顼），夫人李氏徒跣下堂叩头曰：‘吴充贫，二子官六品，乞依两制例治丧，仍支俸。’诏许之。”如这般记载，吴充也不是“饶赀”的。

如上所考知的，李成的后人及亲戚既不“饶赀”，也没有做过“宫市珠玉大商”之类的差事。纵使他的“子姓”曾经一度“饶赀”过，那也距李成之死已经很远了。

这里附带要谈及的，米芾说吴充的夫人是李成的孙女，按《李宥墓志》：“一女，适刑部郎中知制诰吴充。”既是李宥的女儿，则应为李成的曾孙女。如果说米芾所指的“孙女”，是作孙子的女儿解，那就没有什么出入了。

二　无李论

李成在当时的声名既高，他的画笔大为人所珍重。据《圣朝名画评》：“景祐中，成孙宥为开封府尹，命相国寺僧惠明购成之画，倍出金币，归者如市，故成之迹，于今少有。”《宣和画谱》：“自成殁后，名益著，其画益难得。故学成者皆摹仿成所画峰峦泉石，至于刻划图记名字等，庶几乱真，可以欺世。”而《圣朝名画评》又记：“成孙宥为开封尹日，购其祖画，多误售翟院深之笔，以其风韵相近，不能辨尔。”邓椿《画继》：“……宇文龙图季蒙云，宣和御府曝画屡尝预观李成大小山水无数轴，今臣庶之家，各自谓其所藏山水为李成，吾不信也。”米芾在当时见到的真本只有两本，而伪本却有三百本。

以上这些记载，反映了北宋画坛上李成的声势，米芾一人所见到的伪作就是三百本，可以想见在汴京的书画市场如相国寺的常卖家等到处都是，如李宥所收的就有翟院深的画混在其中。因此，米芾说：“使真是凡工衣食所仰，亦不如是之多，皆俗手假名，余欲为无李论。”

据《宣和画谱》著录的李成画，共159件。邓椿《画继》也记录了

宋　王诜　《烟江叠嶂图》

当时各家所收的共有14件，我们假定这些画都是李成真笔，再加上米芾所见两本，总计也将近180件了，而李宥重价所收的，不知是否就在这个数目之内？从米芾“无李论”到宇文龙图季蒙所说的，都证明李成真笔的稀少，而元汤垕《画鉴》说：“宣和御府所藏一百五十九卷，真伪果能辨耶？”那就连这些见于著录的也发生了疑问。

历代的著录书里所记李成的画是难于详考的。近如《石渠宝笈》、安仪周《墨缘汇观》等著录的也有十几件，就所见到的而论，没有一件可以相信是出于李成手笔的。北宋、南宋所流传的，《宣和画谱》、《画继》所著录的已久绝人间，在没有一件真本的情况下来论证李成画派的时候，真用得着米芾的“无李论”了。

三　画派及它的继承

据《宋史·李宥传》说李成“善摹写山水，至得意处，疑非笔墨所成……酒酣落笔，烟景万状。”《圣朝名画评》记：“成之为画，精通造化，笔尽意在，扫千里于咫尺，写万趣于指下，峰峦重叠间露祠墅，此为最佳，至于林木稠薄，泉流深浅，如就真景，思清格老，古无其人。”《图画见闻志》：“夫气象萧疏，烟林清旷，毫锋颖脱，墨法精微者，营丘之制也。”“烟林平远之妙，始自营丘，画松叶谓之攒针，笔不染淡，自有荣茂之色。”

米芾一生最爱慕的是李成画，对他的画派，具体地说道：“李成师荆浩，未见一笔相似，师关仝则树叶相似。”“李成淡墨如梦雾中，石如

云动，多巧，少真意。”他又详细叙说李成画的《松石图》：“干挺可为隆栋，枝茂凄然生阴，作节处不用墨圈，下一大点，以通身淡墨空过，乃如天成，对面皴石圆润突起。至坡峰落笔与石脚及水中一石相平，下用淡墨作水相准，乃是一碛直入水中。”

从上列这些叙说中，体会到李成在水墨山水中从唐吴道子、王维以来，从形式到风格上的一系列的发展。他运用墨的淡淡的情韵，在于体现山水的灵动自然的情态，从而强调自己所确立的前所未有的风貌。

王诜曾在他家中的赐书堂东西两壁悬挂起李成与范宽的画，议论这两家当时左右画坛的流派。他说，李成是“墨润而笔精，烟岚轻动，如对面千里，秀气可掬”。而范宽是“气壮雄逸”的格调。这两个画派，他说是“一文一武”，把范宽比作武，李比作文。

郭熙的论点是：“学范宽者，乏营丘之秀媚。”⑧一切都说明李成是一种文秀的风貌。

这里连带要谈到的，在邓椿《画继》中，有这样一段叙说：“山水家画雪景多俗，尝见营丘所作雪图，峰峦林屋皆以淡墨为之，而水天空处，全用粉填，亦一奇也，予每以告画人，不愕然而惊，则莞尔而笑，足以见后学者之凡下也。”这一解说，曾再三思考，邓椿这样郑重地提出，看来李成描写雪景，是有一定的特异之处，但这一叙说过于简略了，如仅仅依此来理解，那真是“一奇”了。

从来写雪景，在水天空处，都是用水墨烘晕，而粉着在峰峦林屋上。

王诜 《渔村小雪图》

这一表现的作用，在于反映出峰峦林屋在雪中的情景。如其在水天空处，全用粉填，而峰峦林屋，全用淡墨，这就等于在素白的纸或绢上写一幅淡墨的山水。因为水天空处所填的白粉，并不能使峰峦林屋产生雪的情景，这是很明显的。当邓椿记述这段文字的时候，那些“愕然而惊”与“莞尔而笑”，重现在他眼前的情景，却使他勃然而怒了！

李成确立了他的画派，受到后学的崇仰。在北宋“齐鲁之士，惟摹营丘。”[9]当时有李宗成、翟院深、许道宁，稍后有郭熙、王诜等都是著名的李成嫡系。这些历史上的杰出作家，李宗成与翟院深的画，都已绝迹了。只有郭熙与王诜的画笔，比较流传得多一些。米芾对许道宁的批评很不好。他说，许多李成假画，都出于许道宁之手，而画的人物“丑怪、赌博、村野如侩人”。现在还相传是许道宁画的高头《渔父图》，这个号称的许笔，如果不错的话，是比郭、王粗犷，没有上述李成的那种艺术情意。

显然，单凭叙述，而无真迹，来阐明一个画派，总不免如在云里雾里，是若明若昧的。一个画派的形成，总有它的渊源，不可能凭空而起。李成的画笔，既已绝迹，而郭熙、王诜的画笔，都还见得到，渊源虽竭，而流波未泯。流从源出，认识源可以知道流，同时知道流也可以认识源。溯流探源，将从郭熙与王诜来问询李成的消息。

黄山谷说，郭熙在苏才翁家临摹李成《六幅骤雨》，从此笔力大进。而米芾分析王诜的画派，说是金碧和水墨平远，“皆李成法也”。应该指出，郭与王的画笔是有一定的距离的。各人自己独立的风格，首先在于

郭的用笔壮健而气格雄厚，它有圆笔中锋的含蓄性。王的用笔，尖俏而气格爽利，它有圆笔尖锋的暴露性。这是两人的基本分野之处，从而形成各自的风骨体貌，然而在铺陈习性，描绘形体这几方面，两人却有较多的相通之处。

有一个例子，可以说明这一点。《溪山秋霁图》，是历见著录的郭熙画笔，为元代倪瓒、柯九思，明代文嘉、王穉登、董其昌这些著名的鉴定家所公认。然而，《溪山秋霁图》却不是郭熙而为王诜的手笔。传世的郭熙与王诜的画笔如郭的《幽谷图》、《窠石平远图》、《古木遥山图》、《早春图》、《关山春雪图》，王的《烟江叠嶂图》、《渔村小雪图》都能证明这一无可逃遁的事实。但是，问题在于何以郭与王产生这样张冠李戴的事，正暴露了一个客观存在的问题，问题说明正在于铺陈习性、描绘形体这几方面的相通之处，因而把王诜当作郭熙了。因此，可以设想，郭与王的相通之处，其中就有李成。

看来，郭熙在临摹《六幅骤雨》之前，不一定是学李成画派，《宣和画谱》说他是“得李成之一体”。而依米芾所说，王诜的画派，是系无旁出的。从传世的郭与王的画笔证明，王诜较之郭熙，要更接近于李成。王诜的尖俏爽利的笔势，不正是李成的“毫锋颖脱”吗？王诜《渔村小雪图》里的松树，不正是李成的松叶如“攒针”吗？郭熙壮健含蓄的笔势，与“毫锋颖脱”是截然不同的两种形体、两种性格。《早春图》里的松树用笔也不是“攒针”的形式，综上而论，要认识李成画派，王诜显得更真实些。

最后要附带一提的，上述郭熙的五图，其中的《窠石平远图》、《早春图》与《关山春雪图》俱题款有纪年，《窠石平远图》作于元丰元年戊午（公元1078年），《早春图》与《关山春雪图》俱作于熙宁五年壬子（公元1072年），这三图前后相距7年。郭熙的年岁无可考，《宣和画谱》说他“虽年老落笔犹壮”；黄山谷题他的秋山诗：“熙今头白有眼力，尚能弄笔映窗光。”山谷此诗作于元祐二年（公元1087年），可知郭熙此时尚老而健在，距离写《窠石平远图》又后了9年，传世郭熙的画笔，惟《窠石平远图》笔势比较颓唐，也为最晚的一本了。

注释

① 见《宋史》《李宥传》、《李觉传》，《宣和画谱》，宋王明清《挥麈前录》。

② 宋王明清《挥麈前录》说李成“卒年四十九”，宋郭若虚《图画见闻志》说李成“终于乾德五年”，王与郭所记，都说明根据宋白所撰《李成墓志》。

③ 见宋欧阳修《新五代史 · 王朴传》。

④ 见《宋史》。

⑤ 见《宋史 · 太祖本纪》。

⑥ 见刘道醇《圣朝名画评》。明王世贞《王氏书画苑》本作“神宗”，当误。按郭若虚《图画见闻志》高益事略中，称孙四皓为太宗外戚。

⑦ 见刘道醇《圣朝名画评》。

⑧ 见宋韩拙《山水纯全集》。

⑨ 见郭熙《林泉高致》。

《茂林远岫图》 局部

论 李成《茂林远岫图》

李成《茂林远岫图》，横卷，绢本，墨笔，无款，清内府旧物，曾被溥仪盗往伪满。1962年在沈阳博物馆见到了这卷艺术杰构。

《茂林远岫图》，看来在距离李成以后不太远的时候就被确认是李成的画笔。卷后南宋向若冰的题语，说明了这个问题：

“曾祖母东平夫人，实申国文靖公之孙，枢使惠穆公之女也。右李营丘成所作《茂林远岫图》，曾祖母事先曾祖金紫时奁具中小曲屏，大父少卿靖康间南渡，与赵昌徐熙花携以来，今皆保藏。敬书所自，以诏后世。嘉定己卯岁冬至日。古汴向仁（水）若冰。因再装池，以示友人姚子晦、徐元海、夏齐卿、朱仲几、刘宋儒。”

《茂林远岫图》 局部

题中所称之“申国文靖公”，是北宋神宗时同平章事吕夷简（按吕夷简封许国公，谥文靖。申国公是他的第三子吕公著的封号）。“枢使惠穆公”是夷简的第二子吕公弼，北宋英宗时枢密副使。那么，李成《茂林远岫图》原为吕公弼家的收藏。李成卒于北宋太祖乾德五年，与吕公弼相距近百年。而这卷定为李成的画笔，看来又早于吕公弼时了。

李成名高一时，当时的“贵侯”之家，都以收藏他的画迹为荣。米芾先后见过李成的画有三百本，认为决不可能有这样多。因而他说：“皆俗手假名。”但是尽管可以否认这一卷原定作者的姓名，却也不是“俗手假名”的伪造之作。

后面还有元倪云林的题，他写道：

“李营丘平生自贵重其画，不肯轻与人作。故人间罕得。米南宫至欲作无李论，盖以多不见真者也。此卷林木苍古，山石浑然，径岸萦回，自然趣多，类荆浩晚年合作。至正乙巳六月廿日，吴城卢氏楼观，延陵倪瓒。”

倪云林的说法有些模棱两可，说他承认是李成的画笔而“类荆浩晚年合作”，或是说他不承认是李成的画笔而认为这一图“类荆浩晚年合作”都可以，但不管他承认是李成与否，“类荆浩晚年合作”，是他对这一卷的主要论证。

予生也晚，已不再能见得到荆浩画笔，应该是没有发言权的。倪云林，他总是见到过。见到的纵使没有“三百本”，三十本也该有。否则，如何可能认出是荆浩，而且还特地指明是“晚年合作”？

倪云林对李成的叙说，援引了米芾的“无李论”。看来他是信服米芾的。这里也援引米芾对荆浩的论证。

米芾说：

> 荆浩善为云中山顶，四面峻厚。
>
> 范宽师荆浩……丹徒僧房有一轴山水，与浩一同，而笔干不圆。于瀑布边题华原范宽。乃是少年所作，却以常法较之，山顶好作密林，自此趋枯老，水际作突兀大石，自此趋劲硬，信荆之弟子也。

米芾又说：

> 荆浩画，毕仲愈将叔处有一轴，段缄家有一横披，然未见卓然惊人者。宽固青于蓝。又云，李成师荆浩，未见一笔相似。

倪云林也一定承认，《茂林远岫图》之于范宽，绝没有丝毫纠葛的地方，决不会有异议。那么，说他是荆浩，就显得非常可疑了！

荆浩的问题，已如上所论列。至于李成，他的画笔与荆浩一样，已久绝于世，也是没有发言权的。然而也仍然与荆浩一样，范宽的画迹，现在还可以见得到，多少还能在此中寻得一点荆浩的消息。而李成，其流派传郭熙与王诜，历史早有证明。郭与王的画迹，至今也都能见得到。从郭与王的画迹中来辨证李成的风貌，我在《李成考》中已详加论列，而《茂林远岫图》之于郭熙与王诜也是风马牛不相及的。

我以为，《茂林远岫图》既不是荆浩，也与李成无关，而是燕文贵的画笔。

传世的燕文贵的画，就所知道有四图。一、《溪山楼观图轴》，二、《江山楼观图卷》，三、《溪风图卷》，四、《烟岚水殿图卷》。此四图的风貌是同一的，而《溪山楼观图轴》有燕文贵的题款，作为认识燕文贵的画派，一向被认为是标准。如果以《溪山楼观图轴》与《茂林远岫图》相互引证，完全可以发现两者之间共同的规范，一致的性格。

试从山的形及其皴法，树木的形及其描法，水边的石及其铺陈，流泉的形及其墨的运成以及屋宇及其安排，无一不显示着出于一手的迹象。其中不同的，只是景色的疏或密，山石的斜或直，笔的尖或秃，墨

燕文贵 《江山楼观图卷》 局部

的浓或淡，这在绘画说来，正是应该有异同的。即使自己把自己的作品照式再画一次，也决不可能有绝无丝毫不同的一致。其他如《江山楼观图卷》、《溪风图卷》、《烟岚水殿图卷》都与《溪山楼观图轴》相一致。而特别要指出的，在列举的四图中，毫无例外地在水畔安排着华美的台榭楼阁。这样的构图布局，又显示着这一画派的艺术铺陈特性，而《茂林远岫图》也作了同样的铺陈，这在宋代各个画派中是独特的表现形式。

总的说来，燕文贵对山水的描绘形式，并没有与当时新兴的表现原则殊途，然而在当时特别被推许，称为“燕家景”，这一称号，意味着他所表现的艺术特性。宋刘道醇《圣朝名画评》称说燕文贵获得这一称号是由于他的“景色万变，观者如真临焉”。诚然，燕文贵的繁密铺陈、精微深刻的描写，是他艺术的妙境。而在水边安排的台榭楼阁，却一贯表现在画本之中，这就显示了燕文贵所要表现的唯一特征，这也不失为号称“燕家景”的特征。

在我看来，作为认识的依据，《溪山楼观图》既然是主要的，如果以艺术性而论，《茂林远岫图》却在它之上。见于《石渠宝笈续编》的燕文贵《夏山图卷》，今在美国纽约博物馆。据该馆出版的图录说明，此卷为北宋屈鼎所作。屈为北宋仁宗时图画院祗候，工画山水，得燕文贵之仿佛（事见《宣和画谱》，郭若虚《图画见闻志》），说这卷不是燕文贵是正确的。而这一卷虽非燕文贵，然其时代风格，同出于北宋，也是可信的。在北宋学燕文贵画派而见于记载的，也只有屈鼎，《宣和画谱》并载有屈鼎《夏山图卷》。

这里要特别指出，承认《夏山图卷》是屈鼎，是颇具有说服力的。因为它出于燕文贵的体貌，而最妙的是与《茂林远岫图》更近似，这证明《茂林远岫图》就应该是燕文贵。《夏山图卷》与《茂林远岫图》两者之间具有的绝对相同之点与相异之处，就是说《夏山图卷》的铺陈形体，与《茂林远岫图》可谓“波澜莫二”，而它的描绘笔势，不无类似，然而还是大有出入的，因而形成了艺术风格的出入，两者显示着流派的创立与继承及先后从属的关系。

《茂林远岫图》之为燕文贵笔，《夏山图卷》正是它的反证。

《茂林远岫图》从北宋吕公弼家转到向家。自向若冰重加装潢之后，看来不久就归了贾似道，贾似道的印也都盖在画上。在元代，可能先是鲜于伯机之物，因为卷中还有“困学斋”一印。倪云林的题，是在至正乙巳吴城卢氏楼观。乙巳为至正二十五年，卢氏楼观，即卢山甫的听雨楼。这时倪云林与王叔明同在卢家。《茂林远岫图》可能就是卢氏的收藏。在明代，弘治时张天骏有一题，说明是在太监吴用诚的手里的。后来又归了项子京。到清初，在梁蕉林家，然后入清内府。这一卷所可考见的流传之绪，大致如此。

周密《癸辛杂识》记向氏书画云：“向若冰之孙名公明者，其母积镪数百万，他物称是，其母死，专资饮博之费，名画千种，各有籍记所收源流甚详。长城人刘瑄，向游吴毅夫兄弟间，后遂登贾师宪（似道）之门，闻其家多珍玩，因结交，首有重遗，向喜过望，大设席以宴之，酒酣，刘索观书画，则出画目二大籍示之，刘喜甚，因假归尽录其副，言之贾，贾大喜，因遣刘诱以利禄，遂按图索骏，凡百余品，皆六朝神品，遂酬以异姓将仕郎，公明捆载之以为谢焉。”按今所见者，除此卷外，尚有蔡襄自书诗稿，后亦有向若冰题及贾似道印，当并为向氏画目二大籍中之物，贾似道所按图索骏者。又张择端《清明上河图》卷后张著跋称：“按《向氏评论书画记》云，《西湖争标图》、《清明上河图》，选入神品。”所称之画记，当即向氏之二大籍画目，并为向若冰所藏，但无向题耳。

范宽 《秋林飞瀑图》

范宽

山水画在北宋，号称三大代表作家的是李成、董源和范宽。李成卒于乾德五年（公元967年），入宋的时期不到十年。董源在南唐，看来没有到宋。而范宽至天圣中（1023—1032）尚在。因此北宋前期的山水画家，范宽最为老成。米芾曾说，在北宋，没有人能超出范宽之右的。

郭若虚《图画见闻志》论范宽画派的特征是："峰峦浑厚，势状雄强，抢笔俱均，人屋皆质。"刘道醇《圣朝名画评》说他"对景造意，不取繁饰，写山真骨，自为一家"。

范宽的画派，与李成和董源的，是一种截然不同的体制。他擅于描写正面折落的山势，用端庄沉重的笔墨，采取一种短条子或点子皴即所谓“抢笔俱均”，来表达山的真实感觉，富于雄奇而险峻的气势。因而那些群峰列岫，真如压在面前的一般。

试以流传有绪，是范宽真笔的《溪山行旅图》来论证，从它正面折落的山峦，满满地占了上半幅，正是通过那种笔墨来表达真实的景色，显示了如此的雄奇险峻的形象和风格。相传是范宽画的《雪图》，其实确也是他的真笔，是以点子皴来表达，虽与《溪山行旅图》取景不同，面貌遂别，而它的气格习性，是初无二致的。

因而尚论范宽的画派，北宋王诜曾以他与李成的画笔来相提并论，比作是“一文一武”。这个

范宽　《溪山行旅图》

“文”、“武”，并不包含褒贬的意思，而是说范宽的画派，不是“文”而是“武”。所谓“武”，正是指与李成的烟峦轻动、秀气可掬的温文体貌不同，而是“写山真骨”的那种壮武风格。

然而如郭若虚、刘道醇、米芾等虽对他加以无限称道，但也不是绝无微辞的。刘道醇以为他所描写的“树根浮浅，平远多峻，此皆小瑕”。米芾又批评他晚年“用墨太多，土石不分”。

以对真景作艺术描绘而论，刘道醇的论点不算是允当的。真实的山林之景，树根不是绝对浮浅，也不是绝对不浮浅。主要在于树的托根之处，能不能使它浮浅与否。例如黄山上的松树，有些是完全生长在石缝中的，描写这一情境，如何能使松树的根显得不浮浅呢？汉中道上合抱的柏树林，几乎全都托根在石上，槎牙的根是暴露无遗的。这些都是现在可能见到的实况。平远的景色，也不可能一致，主要是远处有没有连延的峻山，不能狃于这“平远”二字，不许远山有峻而只准是平的。有此真景，也有此作家描写的习尚与爱好，问题在于艺术剪裁，而不在于平与峻，这正是作家形成自己画派的一点，不属于艺术风格的高与下，不属于歪曲对象的问题。作为评论来说，是无从在此赞一辞的。

米芾论证范宽所描绘的景色“深暗如暮夜晦暝”，那完全是论他的用墨深重得如笼罩着夜色。“土石不分”，是指它的表现形象方面。自然，土与石是应该有区别的，这就不能不使米芾有微辞了。但米芾所指的应该是说该是土或该是石都没有分别开来。这就无从知道米芾所指是哪一种情况。从流传的范宽画本看，并没有发现该土而非土或该石而非石的情况。因为山林中何处该是土与何处该是石，也并没有一定的规律。

范宽画派的渊源，如刘道醇记述他初学李成，后来“自为一家”，“不犯前辈”。米芾初认为他学的是荆浩，但完全不像。后来见到一幅范宽的少年之作，于是他说：“却以常法较之，山顶好作密林，自此趋枯老；水际作突兀大石，自此趋劲硬，信荆之弟子也。”这就证明范宽早年并不是学的李成，而是学荆浩的。米芾说李成也是学的荆浩，但“未见一笔相似”。而范宽学荆浩，却发现了证据。《溪山行旅图》似非范宽的早年之笔，但从山顶作密林，水际作突兀大石，应该仍接近于荆浩的形体了。荆浩的画笔，早已绝迹，但从米芾的论证看来，荆浩的风格，看来也是属于“武”的。

范宽的画派，当时风靡了关陕。米芾也说“其徒甚多”。然而到现在，已不再见到当时与范宽同一流派的画笔。北宋末期的李唐，据叙说，最初是从唐李思训画派而来。但从李唐的作品来看，却找寻不出它与唐人画风的渊源，而有许多迹象表明，他的《万壑松风图》显示着与范宽的关系。历来传是范宽的《秋林飞瀑图》不也是山顶作密林，水际作突兀大石吗？然而它的格调，已不是范宽，并也不是北宋，而开启了南宋的门径。它的风格，正是属于李唐的范畴。而李唐的《烟岚萧寺图》与范宽的画笔尤为近似。

历来的叙说，范宽的名字是中正、中立，而“宽”，只是当时人因为他的性情温和，因而称他为范宽。说明不是他自己的名字，只是别人对他起的绰号，这已是历来对范宽的常识问题了。

说“宽”不是范宽自己的名字，见于刘道醇的《圣朝名画评》与郭若虚的《图画见闻志》。看来这一说法在当时相当普遍。然而这个常识问题，还是值得提出辨证的。

在米芾的《画史》中，论及范宽画派有好几条。他曾记丹徒僧房有一幅范宽的早年山水，题款是“华原范宽”。他曾依据这幅山水来论证范宽与荆浩的艺术渊源。因而他“以一画易之，收以示鉴者”。而《溪山行旅图》也有“范宽”二字款，如果说，“范宽”不是范宽自己的名字，那么，范宽就不应该在自己画上题款作“范宽”，而米芾又如何可能以之作为论证的依据呢？范宽名字的情况，刘道醇知道，郭若虚知道，那么，米芾也不会不知道。因为，刘、郭与米芾都同是北宋时人。可见这一说法，在当时虽普遍，但只是一种传说，却不被米芾所承认的。事实上范宽从少年时候起即用这个名字了。

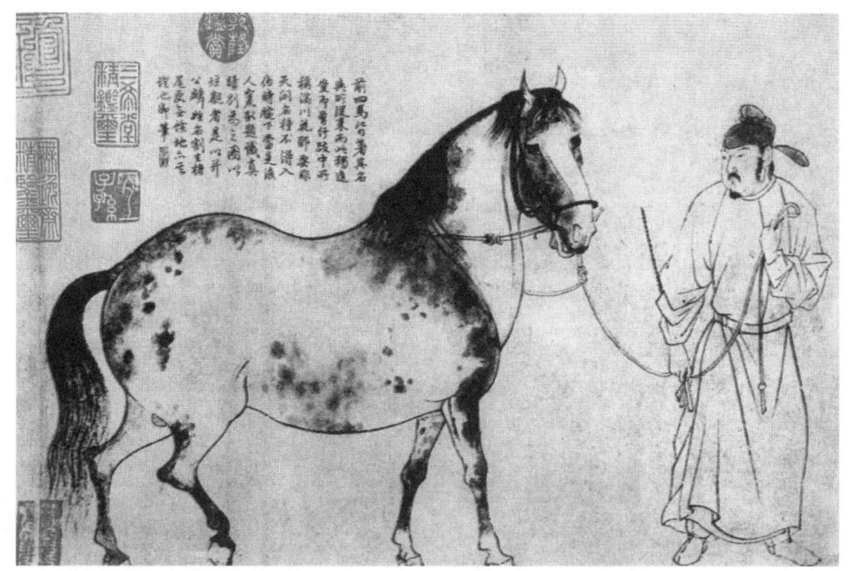

李公麟 《五马图》 局部

北宋李公麟的山水画派兼论赵伯驹《六马图卷》

李公麟以写人马为北宋一代宗师，史称其人物出于吴道子而马足以颉颃韩幹。并世所传其笔迹有《五马图》卷与《临韦偃牧放图》卷。公麟尤以纸本自运白描著称。《五马图》即出于这一体，即所谓“行云流水有起倒”的描笔。《临韦偃牧放图》卷则为绢本着色，号为临仿，实已突破唐人情境，然与前者是两种不同的体貌。

这里要谈的是李公麟的山水画，历来所称说的“潇洒如王维，可对辋川图”的《龙眠山庄图》，正是李公麟的山水画，然已久绝于世，无从想象其风貌。所传伪本，大都出于明清期间的所谓“苏州片子”，这些伪迹，与原作究有多少相近之处，看来是很难取信于人的。史称

李公麟 《五马图》 局部

李公麟 《临韦偃牧放图》

李公麟山水，似唐李思训，李思训的画笔，也久已无真迹可稽。然从盛唐时期的山水画而论，它属于工整着色的画派是无疑的。而这一形体，在李公麟的画笔中，已无消息可寻，只有《临韦偃牧放图》卷中所作的布景，仅此可供李公麟山水画唯一足证的形迹。这一形体是显得异常奇特的，不论李思训，即与唐人的所有画派比较，也绝无丝毫瓜葛之可言。《牧放图》的人马是工整的着色画，而那些山坡树木，却是草率简略到仅仅是一些空勾的轮廓，而这些轮廓的线条，是粗毛而带有飞白的干笔，是一种清空放荡的情态。着色工整的人马，与清空放荡的布景，是繁密与简率两种绝对不同的风貌汇合于同一画面之内，也为李公麟以前所未有的形体。这一形体，同样见于号称李公麟的宋摹《莲社图》，再见于宋乔仲常的《后赤壁赋图》。史称乔工杂画，师李公麟，图中的山水，也是属于空勾的形体，这两卷与《牧放图》同属于一个形体风格之内，只是用笔稍有繁简而已。我们现在见到的唐人山水画，它的表现形式，是先空勾那些山石树木与坡陀平地等等的轮廓，而后涂以各种颜色。李公麟的形体，虽与唐人有别，笔墨变了，然而仍应该承认它是从唐人的形式所流衍而来，因为它只是不着色的唐人山水画的艺术处理。李公麟应该有着色山水画，应该也独立了自

己的风貌的。

自日本投降，伪满烟灭，当时从长春伪宫流散的原故宫书画中，有一卷赵伯驹的《六马图》，纸本设色，卷末有“千里”款印，千里是赵伯驹的号，这个署款是伪添的。六马是用笔劲挺、晕色细致的工整描写，较之《牧放图》中的马，更矫健骏爽，风格与唐人尤近，与他的《五马图》性格较近。其突出之点在于人马而外的布景，也只是笔墨简略的空勾轮廓，山坡间的夹叶树，也与《牧放图》为同一形式。看来，这卷

李公麟　临韦偃牧放图　局部

《六马图》应该也是李公麟的画笔。

综上所列李公麟的画笔，其有时期可分别者，《五马图》作于元祐元年后五年前（1086—1090），其时他四十余岁。《牧放图》的画笔虽与《五马》迥别，然其时期并不能说明孰先孰后，因为两者是不同的形体，然以《六马图》尤接近唐人，而空勾的山和树，也不及《牧放图》的放荡自然，应该是李公麟确立这一形体的较前作品。

北宋的画迹，并世所传，已颇稀少，一个作家的作品，能见到一鳞一爪，已为难得，如李公麟的山水画派，于其体貌的先后流衍之迹，分别辨认，苦于微妙，而历来的叙说，又往往局于一端，真有文献不足征之叹！

《听琴图》 局部

宋徽宗《听琴图》和他的真笔问题

宋徽宗赵佶，是北宋末期竭力提倡写生花鸟的画家，而于人物、山水也是无所不能。他所流传下来的作品，根据历来的著录说来，并不太多，尤以山水为最少。

他的人物画，现在所能见得到的，除了《捣练图》和《虢国夫人游春图》都说明是摹唐张萱的画笔外，还有《文会图》和这里所要谈的《听琴图》。

这一图旧为清内府所藏，绢本着色。它的流传只见于《石渠宝笈三编》和胡敬的《西清札记》里，在清以前似乎是未经著录过的。据《西清札记》所记，说是赵佶的自画像，那上面坐着弹琴的就是赵佶。下面

唐 《捣练图》 局部

唐 《虢国夫人游春图》 局部

右首红袍低头静听的是赵佶的大臣蔡京。胡敬的这一说法，不知是什么根据，但是通过这图的内容看来，说是一幅富有现实性的画，是可以肯定的。

这一图的描绘相当精致，下面左右坐着的两人，一人仰着头，一人低着头，这两个情态，充分表达了在凝神静听。画面的气氛，足以引人

《虢国夫人游春图》 局部

领略到在这幽静的园林中，只有清疏的琴声在断续地响着。

这一成功的描绘方式，是通过纤巧细微的技法描绘的。它的用笔与色彩，特别显得工整清丽，乍看几乎要疑惑是明代仇英的手笔。其实它的艺术的高度性和现实性，北宋以后已经不复是这样一种气氛与格调，遑论仇英?

然而，在北宋，像这一图的画派，却是新颖的创作。通过所有现在还见得到的人物画，它的这种写实的描绘与笔墨所形成的风格，是已经由朴实庄重转到精微纤巧的路上，对描绘事物更前进了一步，也指出了北宋的人物画派，由唐吴道子的画风，从李公麟、武宗元而后所转入的方向。从唐吴道子用笔如“莼菜条”，所谓“吴带当风”的描绘方式，转到李公麟的“行云流水有起倒”的笔势，再转到纤劲清疏的格调，来达成当时对现实描绘的艺术企图。

但是，从现在所流传的赵佶各种画笔看来，不论人物、山水、花鸟，它的风格，都特别表示了它的多样性。据元汤垕《画鉴》，他的意见认为所流传的赵佶的画笔，不可能都出于赵佶之手，而有许多是画院中人替他代笔的，他说赵佶的真笔，“余自可一望而识”。

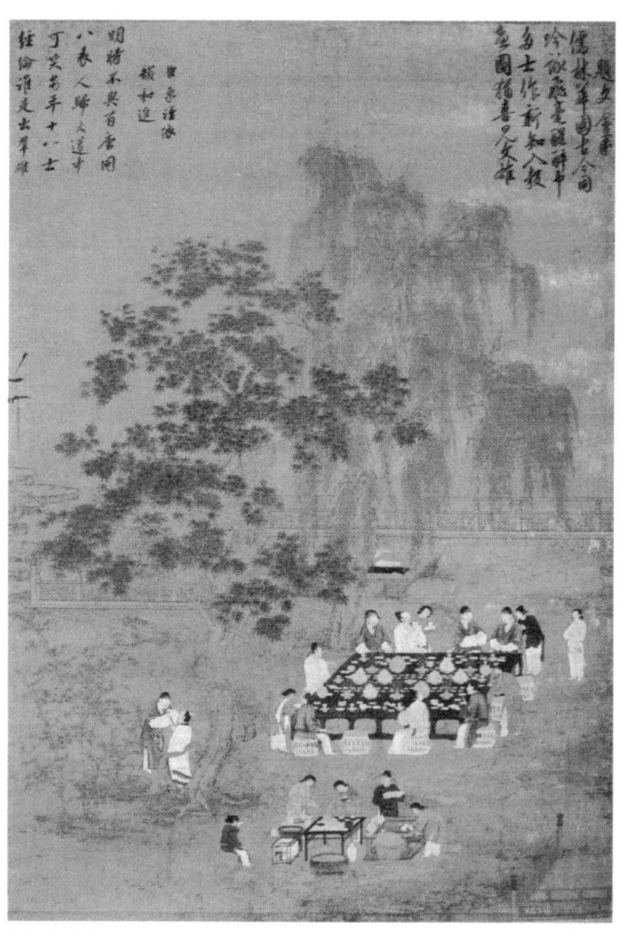
《文会图》

汤垕认为能一望而就能认识的赵佶真笔，他并没有说出是什么样的体态。因此，由于现在所见到的赵佶画笔的多样，由于过去怀疑他有代笔，这就说明了这一问题的可能性。何者是赵佶的真笔，何者是代笔，这就是需要研究的问题所在。

就是这幅《听琴图》，胡敬曾在他所著的《西清札记》中，大骂在上面题诗的蔡京，说他公然敢于在皇帝画笔的上面正中题诗，这简直是“肆无忌惮”。在封建专制的时代看来，胡敬的说法是有一定的理由的，臣下如何可以在皇帝画笔的上面，而且是正中题诗呢？

应该说，无论如何，蔡京不应该而且也不敢在图的上面正中题诗，因为蔡京难道不懂得这样是对皇帝“肆无忌惮”吗？

试解释这个问题，这一图的右上，赵佶写着“听琴图”三字，左下面签署着“天下一人”的款押。如其在“听琴图”三字上面题诗，不妥当，而在“天下一人”的签押上面题诗，是不是更不妥当呢？因此，只好选择在上面的正中部位，庶几避免在皇帝的签字上面题诗，这是一个解释。但这个解释，似乎还

《听琴图》

赵佶 《雪江归棹图》

赵佶 《雪江归棹图》(蔡京跋)

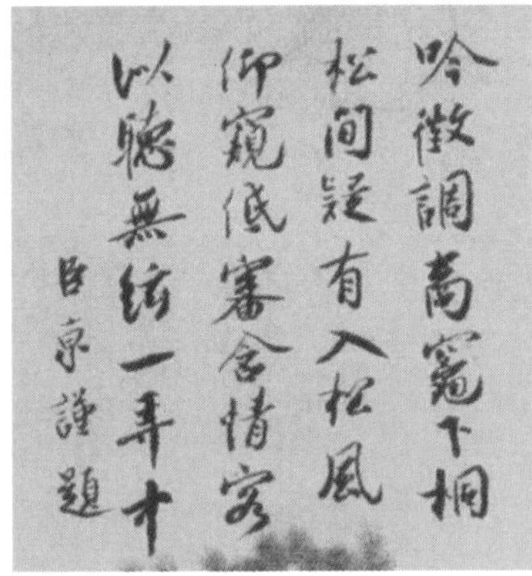

《听琴图》(蔡京跋)

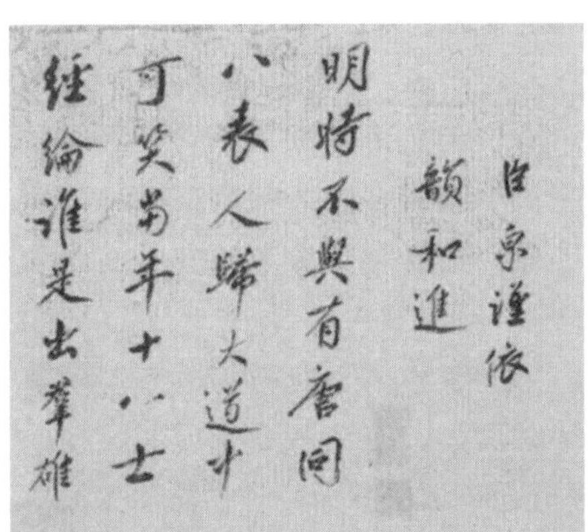

《文会图》(蔡京跋)

不够有力，因为虽不在皇帝的签字上面，而仍然在皇帝的画笔上面的正中题诗，还是不免要担“肆无忌惮”的风险的。

现在流传的赵佶画笔，而上面有蔡京题的并不仅止这一图。试从其他画图中来看他们君臣之间题诗的规律。

赵佶的《雪江归棹图》有蔡京的题，但这是卷子，题在后面，不发生题的部位问题。赵佶的《文会图》，有蔡京的题诗，这一图是大堂幅，右上是赵佶的题诗，左中边是“天下一人”的签押，而蔡京的题诗，正在赵佶的签押之上，与赵佶的题诗左右并列相对。赵佶的《御鹰图》，有蔡京的题诗，右上是赵佶写的“御鹰图”三字，左下是赵佶题的年月日和款押等，蔡京的题就紧挨着“御鹰图”三字，题满了上端的篇幅。照这些例子看来，当时在皇帝的画笔上题字的部位，又似乎是可以随便的，并不至于构成“肆无忌惮”之罪。

但通过这些题的文字内容，却产生了一个问题。值得注意的是《听琴图》上蔡京的题诗，它的意思和语气，只是依据画的内容来加些辞藻而已。《文会图》上赵佶和蔡京的题诗是这样的：赵佶的诗共五行，第一行：“题文会图”，第二行到第五行：“儒林华国古今同，吟咏飞毫醒醉中。多士作新知入彀，画图犹喜见文雄。”蔡京的诗共六行，第一、二行：“臣京谨依韵和进。”第三行到第六行：“明时不与有唐同，八表人归大道中。可笑当年十八士，经纶谁是出群雄。”

这里感觉到，何以蔡京在这两图的题诗里，竟没有一字对“皇帝陛下”的画笔加以颂扬？而对《雪江归棹图》却题着“皇帝陛下以丹青妙笔”，又说：“盖神智与造化等也。”对《御鹰图》又是“皇帝陛下，德动天地，仁及飞走”与“神笔之妙，无以复加”等等颂扬的辞句呢？

因此，这里感觉到，《听琴图》与《文会图》根本不是赵佶的画笔，也不是代笔，而是画院中人的画笔，但为赵佶所满意，或为赵佶所命题，因而在上面题字或题诗，蔡京也只是奉命在上面题诗，故而没有对画笔加以赞扬。那么，写在画的哪一个部位，就更无所谓了，尤其是《文会图》的题诗可以证明这一点，“画图犹喜见文雄”，诗用这样的口气，意思是画图取文会为题材是可喜的，是表示他所统治的天下，多士已经入吾彀中，画图也在描绘他的“光荣统治”，这样的诗意与用“犹喜”的口气，以及开首写着“题文会图”，这就很不像是题自己的画。蔡京的题诗，也是只引申赵佶的诗意，君臣标榜，来颂扬当时的统治是远比唐朝要好的，也没有一字涉及画笔。这与题《听琴图》的方式是一致的。

蔡京题《听琴图》诗："吟徵调商灶下桐，松间疑有入松风。仰窥低审含情客，似听无弦一弄中。"这样的诗句，如何能理解是在题皇帝的画？又如何能理解那个坐着弹琴的正是蔡京的"主上"呢？

因此认为《听琴图》与《文会图》仅仅是当时画院中人的画笔，赵佶只是在上面题了字，根本没有代笔的意思。《雪江归棹图》与《御鹰图》的情形就不同了，蔡京的题句是左一个"皇帝陛下"，右一个"神笔之妙"，这就显得确是出于赵佶的真笔了，假使是出于代笔，似乎蔡京就不可能特别对画笔加以这样的颂扬，因为，对于替一个善画的皇帝所代的笔，加以过分的恭维，在皇帝看来，是不是会有另外的感觉呢？这又不仅是肆无忌惮，更要有讽刺皇帝的嫌疑吧。至于明代董其昌说《雪江归棹图》不是出于赵佶之手，而是唐王维的画笔，这一说是十分站不住的。

以上仅就画的题字方面，来推论赵佶的真笔问题，赵佶的画，传世虽不多，但很分散，有的原作还不容易见到，一时无从作全面的深入研究。但是，如他的《竹禽》和《柳鸦芦雁》这二图，是同一的性格，与其他画本的格调，似是两回事，看来有一些非常精工的花鸟，与赵佶的关系是可以献疑的。这一问题，将留待以后作进一步的论列。

南宋　扬无咎《四梅图》　局部

从扬补之《四梅花图》、宋人《百花图》论宋元之间水墨花卉画的传统关系

水墨画派的兴起，是着色画的转变，是民间绘画转到士大夫画的创始。要想论述它的原始转变过程，单有一些历史叙说而没有原迹见到，是很难有明确的艺术认识的。

传统绘画的规律，由勾勒的转到粗笔的，由工整更工整转到豪放更豪放。唐以后士大夫画的艺术崇尚，是水墨为上，豪放为高。而水墨在士大夫画派中，日渐被向往，作家辈出，在唐代开始兴起。然而所能使人想象的，只是一鳞一爪的历史叙说而已。

到北宋，水墨的山水，各派云起，它的原迹，现在虽不能说俱备，

南唐　董源　《夏山图卷》　局部

南宋　扬无咎　《四梅图》　局部

然流传还比较多，而水墨的花卉，却很少了。因此，这一时期的流派，可得而言者，仅能凭少数原迹和历史叙说的相互引证。

后来号称“湖州竹派”的文同墨竹，被当时推许为至高无上的艺术表现。它已不再是双勾的形式，米芾曾提到文同的画竹：“以墨深为面淡为背，自与可始也。”这里告诉我们一个演变关系。文同以前画竹，墨是不分浓淡的。同时也证明，不用双勾，并不是文同所创始。因为米芾

南宋　扬无咎　《四梅图》　局部

只说墨的演变，而并没有提从双勾转到粗笔是文同开始的。文同“以墨深为面淡为背”的画竹方式，可以从他的《偃竹图》得到证明。

之前，南唐李煜得意的“金错书”、“一笔三过之法”，被唐希雅用来画竹。刘道醇说：“伪唐李煜好金错书，希雅尝学之，乘兴纵奇，因其战掣之势以写竹树，盖取幸于一时也。”米芾也说，唐希雅“作棘林间战笔小竹，非善，是效其主李重光耳”。所谓“战掣之势”、“战笔”，即“一笔三过之法”。这样的方法画竹，应该不是双勾的形体。而南唐董源《夏山图》中、赵幹《江行初雪图》中都有竹，都不是双勾的形体，现在可以亲眼见得到。由此看来，不用双勾画墨竹，南唐已经盛行。

米芾称颂苏东坡画竹“运思清拔”，苏东坡自称“于文拈一瓣香”。并对绘画的意见是“论画以形似，见与儿童邻”。这一切都说明水墨至上、豪放为高的趋向，提倡绘画艺术所标举的“意”是描绘对象的先决条件。“意”，就是所谓形象思维。

北宋的花光和尚仲仁，据说，从月夜窗间的花影，创始了他的墨梅。当时诗人黄山谷称赞这个和尚的妙迹：“如清晓嫩寒，行孤山篱落间，但欠香耳。”黄山谷的清辞妙语，也是反映了士大夫画所崇尚的艺术境界。而北宋末期南昌人扬补之，即这里所要谈的《四梅花图》的作者。据说其源即出于花光和尚。

南宋　扬无咎　《四梅图》　局部

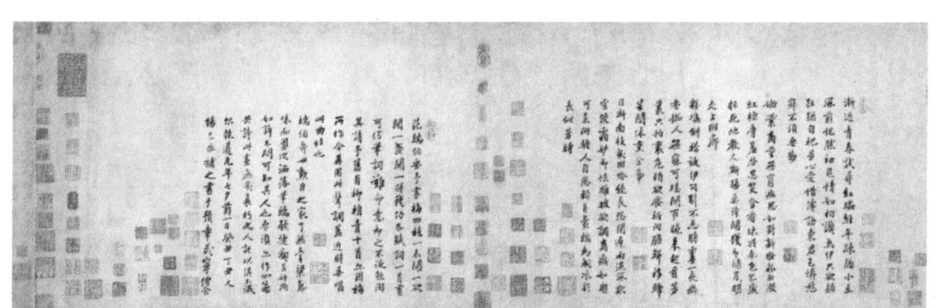

南宋　扬无咎　《四梅图》(题跋)

《四梅花图》，描写梅花的将开到谢落。共四段：花是简括的双勾，而最小的花萼，只用墨作一点，枝和干也不双勾，而只是一笔画成，或湿或干的墨间带一点飞白，以表达梅的新条与老干。写实的主旨，不是刻意细致，也不是无限纵放。是一种温和写意的笔与墨来强调梅花的清标雅韵，是淡淡然一襟清思的风格。历史说明了这种表现为士大夫传统标榜的清高思想，骚人墨客的艺术境界。广被传诵的林逋梅花诗："疏影横斜水清浅，暗香浮动月黄昏。"正是这样的诗情画意。

宋人《百花图卷》与《四梅花图》同是南宋，而前者晚于后者，同是水墨，而后者是迥异的形体。

《百花图卷》，所描写的四季花卉，工细而繁密，是勾勒兼没骨的形体。同样是水墨，《百花图卷》却不是随意抒写而是刻意晕染。究其实，与双勾

宋人 《百花图》 局部

宋人 《百花图》 局部

着色画只是色调不同，变杂彩为浓淡的墨色。只有卷首的那丛梅花，却是紧跟扬补之而来的规格。这一图所特别显示的，也是神清骨俊的风裁。

要回头来说明一点，扬补之的“当今皇帝”宋徽宗赵佶，很藐视他的画派，讥笑他画的是“村梅”。自然，赵佶所表现的是工细浓艳的“宫梅”。“驿路野桥边，寂寞开无主”的“村梅”，自然是不可能入赵佶赏鉴之列的。然而，赵佶也没有废弃水墨，他的《枇杷山鸟》正是以墨笔来表达的，但绝不是如扬补之的随意抒写，也不是双勾，而纯然是精微的晕染。这一种描绘，正是《百花图卷》所兼用的没骨形体。

《百花图卷》看不出作者为谁，尽管它的时期后于扬补之，但只是传统双勾着色画的延续，不能说是卓然自立的规范。

风起云涌的水墨花卉画全盛时代是元朝。墨竹正为这个时期所兴起。高克恭、赵孟𫖯、李衎、顾定之、吴镇都是当时水墨高手，而柯九思更是“湖州竹派”的卫道者。一切的演变，墨竹不离文同，花卉也不离《百花图卷》与扬补之这两种形体。赵孟坚是扬补之的信徒，而王冕又是赵孟坚的信徒。赵孟𫖯一生反对他的“近世”——南宋院体。然而他的笔床砚匣，对扬补之却也是步趋一致的。他写的梅花虽已绝迹。至于古木竹石之类，还是扬补之的规范所自出。兰花也与赵孟坚的形体一致。至如王渊、赵衷、张子政等的画笔，间或有用粗笔晕染，但大都是属于双勾晕墨宋人《百花图卷》的体系。而南宋的梁楷、牧溪狂纵的表现，在元代并没有被接受，看来，由于赵孟𫖯的反对“近世”，从而被抛弃了。元朝一代，赫赫有名与冷落少人知的一切水墨画作家，尽管情调有别，性格相异。他们的规范，始终徘徊于这两者之间。不断发抒着这两者的水墨清华情意。

文学艺术有文野之分。单单在于艺术气格而不是别的，那么，“清”与“高”，应该是优良的传统，正是属于“文”的一边。连一切着色画都包括在内。

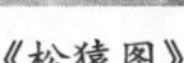

《松猿图》

《竹鹤图》

《观音图》

牧溪画派和他的真笔

水墨离披教写生，花枝猿鸟一番新。

渡南半壁风靡体，不是山僧笔底情。

南宋牧溪的画派，在当时，虽然也只是崇尚水墨豪纵的一体，但在日本，被看作是艺术巨制，是空前的绘画典范！

据日本的一些叙说，牧溪画最早由日本和尚圣一国师传入日本。圣一来中国受佛法，与牧溪同为无准禅师的法嗣。圣一在南宋理宗淳祐元年（公元1241年）回国，携回了牧溪写的《松猿》、《竹鹤》和《观音》三图。这三图现藏在日本东京大德寺，已成为日本的国宝。

牧溪在中国绘画史上的地位，是远不及在日本烜赫的，而他所流传

牧溪　龙

牧溪　虎

牧溪　芙蓉图

的作品，可以说也全部流到了日本。

在日本的牧溪画，除上列三图外，还有好几十件，其中比较可信的与为人所熟知的计有《龙》、《虎》二图，《芙蓉》、《柿》、《栗》、《松树鸜鹆》以及《潇湘八景图》之四等等。《潇湘八景图》之四是牧溪流传下来的仅有的山水画。

南宋花鸟画，在双勾着色的格调继续前进之际，水墨豪纵的体裁，开始发扬起来，在花鸟画的领域里开拓了新的天地。这时梁楷与牧溪，是这一新兴画派的鼓吹者。

梁楷与牧溪，虽同是豪纵的体裁，然而，在当时风靡一时的院体笼罩下，梁楷并没有完全脱出这一范畴，而牧溪，在豪纵画派中却是又一体，他是四川和尚，可也没有沾染到他的乡先辈石恪的情调，总的而论，牧溪所强调的，是以尖而破但仍然是笔的中锋为主，绝不使院体的拿手好戏横刮外强的笔势。因而它的气度，较为潇洒温健了。

牧溪的真笔，并世所流传的，既无不在日本，因此，要辨析他的画派与真伪，舍此是没有别的依据的。

附带提到，在明宣德中，孙龙的画笔，狂放新奇，似乎绝去依傍，自他而后，遂无继起。从风格而论，在明代，孙龙是唯一受到牧溪影响的画派。

《人物故事图》 局部

宋人画《人物故事》非《迎銮图》考

见于《石渠宝笈续编》的李公麟《李密迎秦王图》当年曾感到既写唐人故事，而作宋人衣冠，于理不合。又曾以为可能是写南宋高宗《中兴祯应图》之类的故事。稍稍查阅《中兴祯应图》的记载和画卷，亦与此图不相合，原名显系后人所附会而定，因暂拟为宋人画《人物故事》。1972年《文物》第八期发表了徐邦达同志写的《宋人画人物故事应即迎銮图考》一文（以下简称《迎銮图考》），详细地考证了图中人物尽属宋代的衣冠，定为决非李密迎秦王的故事，是非常正确的。接着他根据清朱彝尊《书曹太尉勋迎銮七赋后》一文，又查核了曹勋《松隐集》所载此赋全文，前有序，略云："绍兴十一年十月，蒙召赴内殿，曰：'欲遣卿请还梓宫，太后天眷，卿可治行……’后同何铸入国，至十二年方抵金国……回程后奉迎还阙。逾旬请祠，沥恳再三，方蒙上恩许居天台山。作此图赋以传家，太尉昭信军节度使、谯国公曹勋叙。”下分“受令”、“使令”、“许还”、“回銮”、“上接”、“身退”、“闲居”七段。

曹勋的《迎銮七赋图》所记即宋高宗派何铸与曹勋充金国报谢正副使，请还宋徽宗及郑皇后的灵柩及韦太后（宋高宗母），绍兴十二年，金遣完颜宗贤、刘裪护送梓宫，高居安护送皇太后归宋，当时宋遣孟忠厚为迎护梓宫礼仪使，王次翁为奉迎两宫礼仪使以迎接梓宫与太后。

《迎銮图考》认为宋人画《人物故事》所描写的内容即为迎接徽宗、郑皇后梓宫与韦太后的故事，指出图中地点，应当是在淮河两岸，那座“龙舆”坐的就是韦太后，“龙舆”后随行的并排两辆牛拉平头车，载的是宋徽宗与郑皇后的灵柩。又引《宋史·韦贤妃传》：“既渡淮，命太后弟安乐郡王韦渊，秦鲁国大长公主，吴国长公主迎于道。帝亲至临平奉迎。”因此认为右方朱衣骑白马，张着一双圆盖，辅翼着掌扇双旗的人，即为安乐郡王韦渊，左方向右青衣骑马先行的，即为接伴使曹勋。又引《宋史·曹勋传》：“充金国报谢副使，召入内殿，帝洒泣，谕以恳请亲属之意。及见金主，正使何铸伏地不能言，勋反复开谕，金主首肯许归梓宫及太后。勋归，金遣高居安等送太后至临安，命勋充接伴使。”因知王次翁的奉迎两宫礼仪使，实未出国境，或仅在临平随着高宗迎接而已。其实际接伴，正为曹勋。证明宋人画《人物故事》即系曹勋《迎銮七赋图》中的第四节“迎銮”，其他的已不知下落。

这里，有几点献疑。

一、《宋史·志·礼二十五》：“十二年，金人以梓宫来还。将至，帝服黄袍乘辇，诣临平奉迎，登舟易缌服，百官皆如之。既至行在，安奉于龙德别宫。”按徽宗死于五国城，时在绍兴五年，至七年问安使何藓等还，宋才知道。据《宋史·志·礼二十五》：绍兴七年“六月……户部尚书章谊等言……异时梓宫之至，宜遵用安陵故事，行改葬之礼，更不立虞主，从之。”所谓“安陵故事”，即宋建国后号其宣祖曰安陵。据《宋史·志·礼二十五》：“有司言：‘改卜陵寝，宣祖合用哀册及文班官各撰歌辞二首，吉仗用大驾卤簿，凶仗用大升舆、龙輴、鹅茸纛、魂车、香舆、铭旌、哀谥册宝车、方相、买道车、白幰弩、素信幡、钱山舆、黄白纸帐、暖帐、夏帐、千味台盘、衣舆、拂蠹、明器舆、漆梓宫、夷衾、仪椁、素翣、包牲、仓瓶、五谷舆瓷甒、瓦瓶、辟恶车。'”由此可知，奉迎徽宗梓宫，是遵用安陵故事的大驾卤簿和“凶仗”，而决不是两辆载酒捎桶的牛拉平头车。

二、据《中兴小记》卷三十，绍兴十二年八月丙寅，“皇太后渡淮”，“先是迎护梓宫，当差大臣，而左仆射秦桧辞不行。乃诏少保判绍兴府孟忠厚为迎梓宫礼仪使，又以参知政事王次翁为迎太后礼仪使，并往楚州（即今淮安，为宋、金分界处）迎接”。

又按王明清《挥麈后录》：“绍兴壬戌夏，显仁皇太后自金中南归，诏遣参知政事王庆曾次翁与后弟韦渊迓于境上，时金主遣其近臣及内侍凡五辈护后行，既次燕山，金人惮于暑行，后察其意，虑其有他变，称疾请于金，少顷秋凉进发，金许之，因称贷于金之副使，得黄金三百星，且约至对境倍息以还，后既得金，营办佛事之余，尽以犒从者，悉皆欢然，途中无间言，由此力也。既将抵境上，使必欲先得所负，然后以后归我，后遣人喻指于韦渊，渊辞曰，朝廷遣大臣在焉，可征索之，遂询于王（王次翁）。初，王之行也，事之纤悉，悉受颐指于秦丞相，独此偶出不料，使人趣金甚急，王虽所赍甚厚，然心惧秦，疑其私相结纳，归欲攘其位，必贻秦怒，坚执不肯偿，相持界上者凡三日……时王晚以江东转运副使为奉迎提举一行事务。从王，知事急，力为王言之，不从，晚乃自裒其随行所有，仅及其数以与之，金人喜，后即日南渡。”《宋史·王次翁传》亦载：“太后回銮，次翁为奉迎扈从礼仪使。初，太后贷金于金使以犒从者，至境，金使责偿乃入。次翁以未得桧命，且惧桧疑其私相结纳，欲攘其位，坚不肯偿，相持境上凡三日，中外忧虑，副使王晚裒金与之。”由此可知，不仅王次翁，并韦渊亦同至楚州奉迎。按《三朝北盟会编》卷一一一，《炎兴下帙》：“太后自清河而下，是时官吏迎接者，皆列在楚州。沿淮既入境，即登御舟，晨夕倍道而进。”《建炎以来系年要录》卷一四六：“辛巳，上奉迎皇太后于临平镇。初，后既渡淮，上命秦鲁国大长公主，吴国长公主逆于道，至是自至临平镇奉迎……普安郡王从。”是太后自楚州至临平是舟行的。曹勋的《迎銮七赋》中《上接》，有“渡江淮兮波平，鼓迓楫兮鳞趋，于是天子俨法界，陈路隅”等句，可知高宗是在水上奉迎太后的。而高宗迎梓宫，是乘辇至临平，“登舟易缌服”。可知高宗也是在水上奉迎梓宫的，也可知梓宫从楚州是用船载运至临平的。因此可以推想到楚州奉迎的一行官吏，应是随从舟行至临平，这样便不可能发生右韦渊而左曹勋的场面。据《宋史·志·舆服二》：“绍兴奉迎皇太后，诏造龙舆，其制：朱质，正方，金涂银饰，四竿，竿头螭首，赭窗红帘，上覆以棕，加走龙六。”图中的那座乘舆，也不是金涂银饰，赭窗红帘与《宋史》所叙说的“龙舆”相似。又按《宋史·志·仪卫二·皇太后仪卫》：“绍兴奉迎太母，极意备礼，然犹曰太后天性朴素，不敢过饰仪从。器物惟涂金，舆前用黄罗伞扇二，绯黄绣雉扇六，红黄绯金拂扇二，黄罗暖扇二。”此盖指贴近龙舆的“仪从器物”，据《中兴小记》卷三十，奉迎仪式尚“用黄麾仗共二千二百六十五人”，《建炎以来系年要录》，亦记有“用黄麾半仗二千四百八十三人”。看来，奉迎梓宫与韦太后的卤簿、仪仗，不在楚州而是从临平开始，高宗与奉迎的一行官吏，都是随从着到临安的。

奉迎梓宫是丧事，要服缌，是用大驾卤簿，用凶仗。而奉迎太后是喜事，是用仪卫，用黄麾仗，所以分别派遣两个礼仪使。据《建炎以来系年要录》卷一四六：高宗至临平奉迎太后为八月辛巳，奉迎梓宫为八月戊子，《中兴小记》谓己丑，前后相距七八日，可见是先后分别奉迎的，曹勋是亲历其境的接伴使，他的《迎銮七赋图》，决不可能以龙舆居前，梓宫牛拉在后，卤簿、凶仗，仪从器物，黄麾仗概行蠲免，使歌哭相混，糅杂成图，作如此不符事实的铺陈。

三、按宋人画《人物故事》的长度为143厘米。前后都有残缺，如果故事的演进到此为止，则前后两端，从画面的迹象看来，至少各短缺近20厘米。这样，要长达183厘米，或许还要更长些，如果说是《迎銮七赋图》中的一节，再加上文字，那就更长了。《石渠宝笈续编》所记《萧照瑞应图》书画共12段，前面还有序，共长四丈五尺八寸，则每段书画共长三尺八寸多，这类图卷，每段都是等长的。马和之的《诗经图卷》，每段也都是等长的，较之《中兴祯应图》要短多了。看来宋人画《人物故事》不是某一图中的一段，而是独立的一图。

四、同是曹勋编的《瑞应图》，见于《石渠宝笈续编》，董其昌说它是萧照的手笔。予曾见一残卷（其中二段，今在天津博物馆），虽非《石渠宝笈》所载者，其风貌与萧照也颇相符合，或传是李嵩笔，也与此图无可印证。而宋人画《人物故事》的形体，都与萧照、李嵩风马牛不相及。南宋自建炎开始，至绍兴十二年，已经过了16个年头，曹勋的《迎銮七赋图》，应该作于《中兴瑞应图》之后，其画笔似应出于院体。绘画自顾恺之而后，民间绘画，久已趋向于士大夫画派。宋人画《人物故事》，过多地保留着唐、宋之际的描绘习尚，说不上近于哪一流派，当时李唐画派的南宋院体似尚未风行，可能是职业作者的手笔，至于此图所描写的，究为何人的故事，尚有待进一步的考证。

赵孟頫 《百尺梧桐轩图》 局部

赵孟頫的山水画派和《百尺梧桐轩图》考

元朝一代的画派，赵孟頫是主力。风气所开，影响了后来的流风所趋。论他的山水画，有两个体系：《龙王礼佛》、《东洞庭》、《鹊华秋色》和《水村图》是董源的一派。《重江叠嶂》、《双松平远》是李成的一系，与郭熙、王诜的风貌特近，而《双松平远》简括到几乎没有皴染，笔势更杂着飞白，这是他的自创，是从李成一系所脱化而来，导引了黄公望、倪瓒画派的形成。

他对自己的画笔。曾经有所论议："仆自幼小学书之余，时时戏弄小笔，然于山水独不能工，盖自唐以来，如王右丞（王维）、大小李将军（李思训、李昭道）、郑广文（郑虔）诸公奇绝之迹，不能一二见，至

赵孟頫 《秋郊饮马图》 局部

五代荆（荆浩）、关（关仝）、董（董源）、范（范宽）辈出，皆与近世笔意辽绝。仆所作者，虽未能与古人比，然视近世画手，则自谓少异耳。”

在这简短的辞意之中，可以看出他自己对山水画的论据，确与南宋声势盛大的李唐一派不相融合。南宋，正是他的“近世”。于此见得他对“近世”画派是如何的不满。

这一卷为青绿大着色，细致曲折的描绘，还含有唐人的情意，而属于秀润清丽的一面。虽然如桂树等和他一般的风貌，纯归一致，而和他的《秋郊饮马图》用笔着色属于朴茂一面的，已是两种情势了。因而显然，它是比《秋郊饮马图》更为早期的作品。此卷所用的“赵氏子昂”朱文印，与他为外甥张景亮写的《草书千字文》卷所用的相同。《草书千字文》所记年月为“至元丁亥”，即前至元二十四年（公元1287年），那时他34岁，因此，说这卷是他的早期作品，又应该是近乎这个时期的。

这卷名《百尺梧桐轩图》，描写何人何事，无从知道，以下的一些考证，只是比较接近的线索。

按这一卷后面的题咏，有周伯琦、张绅、倪瓒、王蒙等，看来与画中人是有些渊源的。如周伯琦书“周伯琦上”，张绅书“友生张绅再拜题”，王蒙书“王蒙谨题”。这些署款的方式，都足以说明与画中人和画中人的亲属的关系。

又按王蒙的《听雨楼图》卷，他的题语：“至正廿五年四月廿七日黄鹤山人王叔明于卢生听雨楼中画，生名恒，字士恒，时东海云林生同在此楼。”卷后的题咏，有周伯琦、张绅、倪瓒、张附凤、鲍恂等。据张附凤题云“……至正乙巳季夏之九日，余谒君（倪瓒）于卢士恒氏之听雨楼……”乙巳，即至正二十五年。这里可以知道，王蒙和倪瓒在至正二十五年四月至六月，都在卢士恒家。又鲍恂题：“吴郡卢君山甫旧有听雨楼，山甫殁殆二十年，而斯楼尚存，余抵吴惜不及见其人，今其子士恒携张外史所题诗来示余……至正二十五年四月一日槜李鲍恂书。”这里知道，卢士恒是卢山甫之子，而倪瓒和卢山甫为至交，著名的倪瓒《六君子图》就是为卢山甫写的。周伯琦、张绅、王蒙等应该也都是卢山甫的朋友，而卢士恒为后辈了。

《百尺梧桐轩图》后面的题咏，与《听雨楼图》的题咏，既同样出于周、倪等几位，而至正二十五年四月至六月倪瓒、王蒙等都在卢家，《百尺梧桐轩图》倪和王的题，都书“至正二十五年乙巳七月”，与《听雨楼图》所记的年月止差一月，可能倪和王七月尚未离开卢家，而这卷《百尺梧桐轩图》正是出于卢士恒的请求，就在卢家题的，图中人可能就是卢士恒的先辈，因而题款才有“友生”、“上”、“再拜”等等的形式。鲍恂题称“山甫殁殆二十年”，以卢山甫在至正二十五年已死去20年，与前至元二十四年左右为赵孟頫34岁左右来推算，则图中人物应该是卢山甫的父辈，卢士恒的祖父辈了。

元　赵孟頫　《竹枝戴胜图》

赵孟頫的花鸟画派

赵孟頫不满意他近世的画派，是指南宋院体。当时的扬补之的水墨花卉这一派他并不反对，而且是携手同行的。

现在所见到赵孟頫的花鸟画，都不是工整着色，只有那幅号称是宋人的《黄鸟竹石图》的黄鸟是着色的，但也不是工细的描绘。此外，还有《山鸡棘竹图》和《鸳鸯》都是墨笔。《鸳鸯》的描绘，异常简括，他自称是“写生”，从他对山水画的主张看来，这样的水墨花卉，也是与“近世笔意辽绝”的。正如他题陈琳画的鸭子，他写道：“陈仲美戏作此图，近世画手皆不及也。”事实上在这幅里也是有他的笔墨在内的。

赵孟頫是书家，讲求笔法。写画如作书，是他追求的艺术妙境。“石如飞白木如籀，写竹还于八法通。若也有人能解此，方知书画本来同。”便是赵孟𫖯的古木竹石论。然而他以书法来描写竹，在竹叶的肥阔或瘦劲，参差和向背，以及竹枝与根节，圆劲和屈曲的形态，一一地表达了出来。特别可以指出的《山鸡棘竹图》，显示他达到了所追求的目标。在画竹风气最盛的元代，李衎与顾安善于描写风姿雨意，风标隽秀。而赵孟𫖯清森朴茂的笔势，是“浮花浪蕊都尽”的艺术情性，是尤为难能的。墨兰与赵孟坚的面目相同，但在兰叶方面，显出两人的感觉不同之处。赵孟坚偏重在形与态，而他兼顾到质的一面，赵孟坚是柔媚清腴的情味，而他是苍劲的格调。笔势的变换是对象情态的变换，事实上，与赵孟坚是同源的。

宋 《黄鸟竹石图》

现在还流传赵

元　赵孟頫　《鸳鸯图》

孟頫的两件花鸟画，一是《竹枝戴胜》，一是《秋葵花》，都是双勾着色的工整画笔，都题着“子昂写生”。它远不及上述的画笔那样生动醇厚，是他早期的画笔。

元　黄公望《富春山居图》局部

元 黄子久的前期画

被王烟客、王麓台搞得熟滥了的黄子久画派，从元代而后，一直是巍巍正统。“吾师乎！吾师乎！”董其昌对黄子久是如此地五体投地！元代的画坛正是这样，以赵孟頫的推崇董、巨、李、郭，黄子久也系无旁出。然而从他流传的一些画笔看来，赵孟頫概括简略的表现形式，导致了黄子久画派的最后形成。

所能见到的黄子久画迹，并不太多，最著名的《富春山居图卷》，被推许为黄的典范，而其他的作品，形体与这一卷基本一致。

早就有一种说法，尽管黄子久的年龄很大，但画腊并不长，他开始作画的时期是很晚的。照此说来，他那杰出的风格，并不是从经过一番

元　黄公望　《富春山居图》　局部

辛勤的过程而来，而是一蹴而就的了，这决不是事实。在赵孟頫书《千字文》卷后，黄子久题诗道："当年亲见公挥洒，松雪斋中小学生。"由此可见，他早已拜过名师了。

然而值得注意的一个问题，现在流传的黄子久画迹中，大半都有年月可考，从如下所列的看来，没有一件是70岁以前的作品。一、为张伯雨作《仙山图》在至元四年，他70岁。二、《仙馆僦金图》也是70岁作。三、《天池石壁图》是至正元年，73岁。四、《芝兰室图》是至正二年，74岁。五、《溪山雨意图》是至正四年，76岁。六、《九峰雪霁图》是至正九年，81岁。七、《富春山居图》是至正十年，82岁。此外尚有无纪年的如《富春大岭图》、《快雪时晴图》以及其他山水等，它的形体都与上列的完全相同，看来也不会早于上列的时期。

黄子久的作画时期既不晚，且在当时，他的画笔已被重视，那么，他七十以前的画笔，何以一件都看不到了呢？

从两幅无款而面貌陌生的画笔，发现了黄子久画腊的里程。这两幅山水，被明清少数几人所承认是出于黄子久的手笔，而为一般鉴藏家所掉头不顾。

这两幅山水都是绢本。大致都相当于四尺堂幅，其一只剩下半幅了，另外的半幅，不知尚在人间否？

这两幅画笔，既无题款而面貌又陌生，说是黄子久，是穿凿附会呢？还是确有他的迹象可寻？

如果孤立地从外形来认识，看来这就是一般鉴藏家掉头不顾的根据。如果从它的内在因素结合到外形，即是说从它的艺术表现，从笔墨精神的习性，从它表现的曲折环节与它的师承和发展的关系以及它的时代特性来辨认，那么，承认是黄子久是有说服力的。

这两图是同一个面貌，笔墨一致，可以看出是同出一人之手的同一时期所作，与上列的黄子久画笔相比，就显得一个苍皮老干，而一个是新条嫩枝，发现他的画派是如此这般的嬗递演变而来。这一被二王搞熟滥了的画派，重新令人发生一种新奇的感受。它的表现与晚期的不同，在于不是清空而是迫塞满纸的情景，不是简括而是繁复的描绘，不是深沉炼气于骨的而是温润柔和的笔，不是精简地惜墨如金而是一片湿晕的墨痕。然而正是从这一切习尚的发抒变幻，就与他七十以后的作品在本质上有了紧密的联系。这正是出于黄子久前期的手笔，显示着流演的先后关系，从而看出他的画派是晚成的。

元　黄公望《九峰雪霁图》

从董其昌崇尚黄子久，导引了清初六家的追风蹑

元　黄公望　《富春大岭图》

步，乐而忘返。王烟客一生自命是黄子久的嫡传。而笔下有“金刚杵”的王麓台，王烟客更推许他为“神形俱似”。祖孙所追求的是黄子久晚年风貌，而烟客还带着黄的前期温润的气味，把黄的前后期并而为一。恽南田虽也效法黄的后期骨体，而养成他的习性的却是从这两幅冷落的前期格调中来。

这两幅山水，在清康熙时，那半幅的为恽南田所藏，他在画本身的左上角题道：

痴翁名迹，润州有《秋山图》，娄东有《沙迹图》，逸翁有《富春图》，皆脍炙人口。此图因无款识，遂沦落东园之瓯香馆，能不为此图叹息！然此图一有款识，便为贵戚王孙有力者所收，岂得沦落于东园之瓯香馆，又能不为东园称快？无款无识，是此图乐与东园为密友也。东园友之藏之，若不表而出之，使他日不与《秋山》、《沙迹》、《富春》为伍，是东园有负于斯图也，遂研墨识于左角。乙丑春三月之望日，东园生寿平。

另一图为恽南田的表兄孙承公所藏，在诗堂上有两题：

痴翁此帧，法兼众美，北苑以为骨，巨公以为神，大年之平远，华原之浑深，马夏之灵奇以为韵，痴老吾无间然矣。东园恽寿平为承公表兄识。

董文敏公藏大痴真迹四十余种，半无款识，所谓世有伯乐然后有千里马也，文敏真一代之具眼矣，承公先生与文敏周旋最久，得此秘本，笔致温润，绢素完好，真神品也。康熙二十有九年春三月，巢熙采记。

据以上所录题跋，董其昌崇尚黄子久，收集了许多无款的作品，现在，对探寻黄子久流派的演变，得有实物可凭，为填补绘画史的一些空白之点起了作用。在明代，爱好元四家是大有人在的，然而如沈石田、文徵明、华夏、项子京、王世贞、詹景凤辈，或相矜鉴藏，或侈谈先迹，这些作家、鉴藏家之中，绝没有一人能发其隐秘，文徵明连到沈石田的伪作，在他眼前也蒙混得过去。巢熙采称董其昌为“具眼”，似不为过当了。

·附记·恽南田所藏的半幅，今在广州容希白（容庚）先生处。希白先生对研究黄子久提供了宝贵的证据，我与希白先生相识，正是从这一图开始的。

董其昌 《仿古山水册》 局部

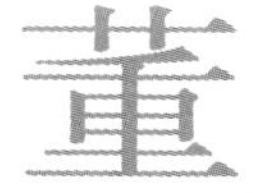

董其昌所谓的“文人画”与“南北宗”

山水画的历史行程，到唐，是风云谲幻的一代。从细转到粗，从繁琐转到简括，从着色转到水墨。千门万户，百派纷陈。唐以前的画笔，除了近百年间，从墓葬遗址见到了一些周秦楚汉的画迹，但都不是山水。只有敦煌石窟还能让学者得以直接认识到北朝隋唐的画风。如唐张彦远《历代名画记》所记魏晋以降的名迹：“其画山水，则群峰之势，若钿饰犀栉，或水不容泛，或人大于山。”这一叙说与敦煌壁上的魏、隋间画，面目是一致的。至如“国初二阎，擅美匠学，杨、展精意宫观，渐变所附。尚犹状石则务于雕透，如冰澌斧刃，绘树则刷脉镂叶，多栖梧菀柳，功倍愈拙，不胜其色”。而称说：吴道子“往往于佛寺画壁，纵以怪石崩滩，若可扪酌，又于蜀道写貌山水，由是山水之变，始于吴，成于二李”（李思训、李昭道）。

唐朱景玄《唐朝名画录》也有这样的载述：“明皇忽思蜀道嘉陵江山水，遂假吴生驿驷，令往写貌，及回日，帝问其状，奏曰：‘臣无粉本，并记在心。’后宣令于大同殿图之，嘉陵江三百余里山水，一日而毕。”如果吴道子的画派，依然是“状石务于雕透，如冰澌斧刃，绘树刷脉镂叶”，则三百余里嘉陵江山水，岂能“一日而毕”？如上所引，吴道子已不是“工倍愈拙，不胜其色”的描绘方式，而是始创“山水之体”了。

张彦远称说李思训“书画称一时之妙”，“其画山水树石，笔格遒劲，湍濑潺湲，云霞缥缈，时睹神仙之事，窅然岩岭之幽”。李昭道“变父之势，妙又过之”。吴道子与二李是齐名一时，并驾齐驱的。

张彦远在他的《历代名画记·论画山水树石》一章中，推崇吴道子与二李之外，又特别提出了各个风格的一些作家，有韦鶠、张璪、王维、杨炎、朱审、王宰、刘商，他说：“其余作者非一，皆不过之。”他叙说这些作家的画史，如韦鶠“工山水，老松异石，笔力劲健，风格高举……松石更佳；咫尺千寻，骈柯攒影，烟霞翳薄，风雨飕飗，轮囷尽偃盖之形，宛转极盘龙之状”。张璪“尤工树石山水……初毕庶子宏擅名于代，一见惊叹之，异其唯用秃笔，或以手摸绢素，因问璪所受，璪曰：‘外师造化，中得心源’”。王维“工画山水，体涉今古，人家所蓄，多是右丞指挥工人布色，原野簇成远树，过于朴拙，复务细巧，翻更失真。清源寺壁上画辋川，笔力雄壮……余曾见其破墨山水，笔迹劲爽”，杨炎“善山水，高奇雅赡……余观杨公山水图，想见其为人魁岸洒落也”。朱审“工画山水，深沉环壮，险黑磊落，湍濑激人，平远极目”。王宰“多画蜀山，玲珑窳窆，巉嵯巧峭”。刘商“工画山水树石，初师于张璪，后自造真为意”。

唐朱景玄《唐朝名画录》也载述了上列这些作家的画品。韦偃“善画山水竹树人物等，思高格逸……山水云烟，千变万态……山以墨斡，水以手擦，曲尽其妙，宛然如真”。张璪“画松石山水，当代擅价……其山水之状，则高低秀丽，咫尺重深，石尖欲落，泉喷如吼，其近也，若逼人而寒，其远也，若极天之尽”。王维“其画山水松石，纵似吴生，而风致标格特出……复画辋川图，山谷郁郁盘盘，云水飞动，意出尘外，怪生笔端”。杨炎“画松石山水，出于人表……月余图一幛，松石云物，移动造化，观者皆谓之神异”。朱审“得山水之妙……唐长安寺讲堂西壁，最其得意，其峻极之状，重深之妙，潭色若澄，石文似裂，岳耸笔下，云起锋端，咫尺之地，溪谷幽邃，松篁交加，云雨暗淡，虽出前贤之胸臆，实为后代之模楷也”。王宰“画山水树石，出于象外……景玄曾于故席夔舍人厅见一图幛，临江双树，一松一柏，古藤萦绕，上盘于空，下着于水，千枝万叶，交植曲屈，分布不杂，或枯或荣，或蔓或亚，或直或倚，叶叠千重，枝分四面……又于兴善寺见画四时屏风，若移造化、风候、云物，八节四时于一座之内，妙之至极也”。刘商“爱画松石、树木，性格高迈，时人云：刘郎中松树孤标”。

董其昌 《仿古山水册》 局部

朱景玄又载述了下列三人，他说：“此三人非画之本法，故目之为逸品。”王墨“善泼墨画山水……常画山水松石杂树……凡欲画图幛，先饮，醺酣之后，即以墨泼，或笑或吟，脚蹙手抹，或挥或扫，或淡或浓，随其形状，为山为石，为云为水，应手随意，倏若造化，图出云霞，染成风雨，宛若神巧，俯观不见其墨污之迹，皆谓奇异也”。李灵省“画山水竹树，皆一点一抹，便得其象，物势皆出自然，或为峰岑云际，或为岛屿江边，得非常之体，符造化之功，不拘于品格，自得其趣耳”。张志和“常渔钓于洞庭湖，初颜鲁公……以渔歌五首赠之，张乃为卷轴，随句赋象，人物、舟船、鸟兽、烟波、风月，皆依其文，曲尽其妙，为世之雅律，深得其态”。

所以不惮烦地引述这些，纵然这些作家的画笔，久已不为后来所得亲见，意在于明了山水画在唐代，已百体俱备，墨彩交辉了。

元代，山水画的祖师是赵孟頫，他画派的主张，如他题自己的《双松平远图》写道：“仆自幼小学书之余，时时戏弄小笔，然于山水独不能工，盖自唐以来，如王右丞（维），大小李将军（李思训，李昭道），郑广文（虔）诸公奇绝之迹，不能一二见，至五代荆、关、董、范辈出，皆与近世笔意辽绝，仆所作者，虽未能与古人比，然视近世画手，则自谓少异耳。赵孟頫听指的“近世”，正是南宋，他生当南宋末期，正当李唐画派盛极之际，这可以看出他对这一画派的不满。他竭力主张，也是身体力行的是北宋的李（成），与董（源），因而他的学生黄公望在《写山水诀》中，开宗明义就是：“近代作画，多宗董源、李成二家。”可见其仰止师门，亦步亦趋了。因此，黄公望而外，吴镇、倪瓒、王蒙，号称元代的四大家，也无不以赵孟頫的艺术好尚，为自己翱翔的天宇。

尽管可以看出赵孟頫对南宋画派的不满，但还只是说“少异”，到董其昌就开始巧立名目，创立了一些似是而非的论点，雄辩地炫惑了他的同时和有清一代画坛的趋向。

董其昌的主要论点有二，实际只是一个论点：

一、“文人之画，自王右丞始，其后董源、巨然、李成、范宽为嫡子。李龙眠、王晋卿、米南宫（芾）及虎儿（友仁），皆从董（董源）、巨（巨然）得来，直至元四家、黄子久、王叔明、倪元镇、吴仲圭，皆其正传。吾朝文、沈，则又远接衣钵。若马、夏及李唐、刘松年，又是大李将军之派，非吾曹当（一作易）学也”。

二、“禅家有南北二宗，唐时始分，画之南北二宗，亦唐时分也。但其人非南北耳，北宗则李思训父子着色山水，流传而为宋之赵幹、赵伯驹、伯骕。以至马、夏辈，南宗则王摩诘（王维）始用渲淡，一变勾斫之法，其传为张璪、荆浩、关仝、董、巨、郭忠恕、米家父子，以至元四大家，亦如六祖之后，有马驹、云门、临济儿孙之盛，而北宗微矣。要之摩诘所谓云峰石迹，迥出天机，笔意纵横，参乎造化者。东坡赞吴道子王维壁画云：'吾于维也无间然，知言哉'"。

董其昌的上述两点论证，归纳起来，所谓"文人画"，就是他所发明的"南北宗"之"南宗"，反过来说，北宗不是"文人画"，这两派之首，北宗是李思训父子着色山水，南宗是王维变勾斫之法，用渲淡。他没有说李思训父子用勾斫之法，但既然王维"变"了，那么，就是李思训父子是用的勾斫之法。董其昌所说的"勾斫之法"他没有解释，顾名思义，应该是指画山与石的轮廓线。董其昌所说的"渲淡"，他在另一条中说："自王维始用皴法，用渲染法。"他没有解释是着色或者是运墨。按理，有皴、有渲染，也可以是着色，也可以是运墨，看来他指的不是着色，而是运墨。因为他指出了李思训父子是着色山水。

上面的解释，董其昌不会不同意，那么试问，王维的破墨山水，就没有轮廓线了吗？着色有重色、轻色，就所见到的唐画，重色也分深浅，轻色也分深浅，都要"渲染"。《历代名画记》中记"两京外州寺观画壁：安国寺殿内正南《佛》，吴（道子）画，轻成色。宝应寺多韩幹白画，亦有轻成色者"。画佛尚且如此，画山水就更要深浅"渲染"了。但董其昌所说的"渲淡"、"渲染"指的只是运墨。

在唐代，吴道子"始创山水之体"，"始于吴，成于二李"。历史记载，学吴道子画的大有人在，王维正是其中之一，而没有说到有人画山水出于王维。唐代从吴道子开始，逐渐地以运墨来表现山水，日渐兴起。如前面所引的一些作家，或多或少都在运用墨，各种形式都有。甚至到王墨的"泼墨"。一些作家都在摸索，王维的破墨山水，在当时虽较成功，但只是其中的一员，并不是他所领导而起的。张彦远在"论画体工用拓写"中说："夫阴阳陶蒸，万象错布，玄化无言，神工独运。草木敷荣，不待丹绿之采，云雪飘扬，不待铅粉而白；山不待空青而翠，凤不待五色而綷。是故运墨而五色具，谓之得意。"唐代用墨描绘山水，正是转向这样的原理而风起云涌起来。

唐末荆浩《笔法记》中写道："王右丞笔墨宛丽，气韵高清，巧写象成，亦动真思。李将军（思训）理深思远，笔迹甚精，虽巧而华，大亏墨彩；项容山人，树石顽涩，棱角无踪，用墨独得玄门，用笔全无其骨，然于放逸。不失真元气象，大创巧媚。吴道子笔胜于象，骨气自高，树不言图，亦恨无墨。"荆浩对李思训、吴道子的评论，一则曰"大亏墨彩"，一则曰"亦恨无墨"。看来李与吴已经在开始运用墨到山水中去，"大亏"与"无"，如果说是指的纯着色山水，则本来不用墨，就谈不上"大亏"和"无"。"无墨"，并不是作没有墨解，是说用墨不妥善，不佳妙。荆浩不是说项容"有墨无笔"吗？绘画不用笔是无法进行描绘的。可见这个"无"，是指的笔法不妥善，不佳妙。可见"大亏"也是"无"的同义，因而所谓"大亏"与"无墨"，都是指的用墨不妥善，不佳妙。米芾记唐毕宏画山水，"以大青和墨直抹不皴"。毕宏与王维同时，他的表现方法是既有色，又有墨。这个"大青"与"墨"，我们不知道怎样"和"法，但由此看来，李与吴的山水，也可能是在用色又用墨的。但总之，李与吴的山水，已不是全着色的了，荆浩

董其昌 《写生山水册》 局部

后李、吴至少一百余年，这时的“破墨”，已到了一个新的阶段。再回头来评论开始运用墨的表现，以此例彼，自然感到很不妥善的了。

董其昌并不认识唐画，他屡次谈到见过王维的画，看来都是后来的伪迹，或是后人配上名字的王维画。米芾《画史》记“世俗以蜀中画骡网图，剑门关图为王维甚众，又多以江南人所画雪图命为王维，但见笔清秀者即命之”。董其昌所见到的或者即是此类王维画，或者还不如这些的。否则，他便不至于振振有辞地认为宋徽宗的《雪江归棹图》不是宋徽宗而是王维的画笔，硬说是宋徽宗弄的鬼。他不能认识到唐代还不是这样的形体，唐与宋之间的时代风格的分野所在。所谓皴法，是写石面的质纹，王维时期的破墨山水，应该还只是以运墨来代替着色，只是墨与色的变换。南唐卫贤的《高士图》上段的山，它的形体，还完全类似开元稍前的唐人着色画，只不是着色，是破墨而已。董其昌亲见宋徽宗题签的王维《雪溪图》，而董其昌自己也有题语，它的形体又何曾有一笔皴呢？董其昌并没有提出《雪溪图》不是王维的。

董其昌在他所谓的“文人画”与“南北宗”的高论中，列举了流派的分宗，先后的渊源。他引述赞王维画的诗句，是苏东坡《凤翔八观》诗之一“王维吴道子画”。诗中写道：“……摩诘本诗老，佩芷袭芳荪。今观此壁画，亦若其诗清且敦，祇园弟子尽鹤骨，心如死灰不复温。门前两丛竹，雪节贯霜根，交柯乱叶动无数，一一皆可寻其源，吴生虽妙绝，犹以画工论。摩诘得之于象外，有如仙翮谢笼樊，吾观二子皆神俊，又于维也敛衽无间言。”按《名胜志》：“王右丞画竹两丛，交柯乱叶，飞动若舞，在开元寺东塔。”东坡此诗的开首：“开元有东塔，摩诘留手痕。”正与《名胜志》合。东坡赞叹的王维画，只是两丛竹，他没有提到是着色还是墨笔的。“交柯乱叶动无数，一一皆可寻其源”。看来是写意的墨笔，在唐开元以前的壁画，已经有纯墨笔的丛竹，因此引起了东坡的特殊欣赏。“摩诘得之于象外”，而对吴道子“犹以画工论”。苏东坡最佩服的是文同墨竹。他也写墨竹，自称“于文拈一瓣香”。米芾记东坡“作墨竹，从地一直起至顶，余问何不逐节分，曰：‘竹生时何尝逐节分’”？这大概就是“得之象外”，是士人之画境。苏东坡还推重王维：“味摩诘之诗，诗中有画，观摩诘之画，画中有诗。”王维曾自咏：“宿世谬词客，前生应画师。”王维是词客，苏东坡也是词客，都是士大夫、文人，所谓同声相应，同气相求。既引为同调，不惜扬王而抑吴，“犹以画工论”。尽管他曾先前赞扬了“道子实雄放，浩如海波翻，当其下手风雨快，笔所未到气已吞”。

诗情画意，原是联袂接壤，这不仅在于诗与画本身的艺术境界，艺术关系是如此，即在宋以后，盛兴在画上题诗，便觉得有题诗的画格外吸引人。如倪云林每在自己画上题诗，觉得他的诗也有异常的情味。而单单从他的诗集里读时，感到情味要薄一些。

董其昌也是士大夫、文人，对苏东坡的赞王维，同声相应，便作了他确定“文人画”、“南北宗”之论的护身符。然而在北宋，也不尽是苏东坡的观点。郭熙的《林泉高致》中说：“今齐鲁之士，惟慕营丘（李成），关陕之士，惟慕范宽。”郭若虚《图画见闻志》中“论三家山水”：“画山水惟营丘李成、长安关仝、华原范宽，智妙入神，才高出类，前古虽有传世可见者，如王维、李思训、荆浩之伦，岂能方驾？”山水画的发展又前进了一步。艺术的转变，也转变了讴歌者的对象。然而到南唐，王维被推崇起来，江南山水画的祖师董源，历史称说他“水墨类王维，着色如李思训”。看来董其昌推崇为王维“嫡子”的董源也并没有把李思训作为非所当学的对象。

董其昌为了显示他立论的准确，在“文人画”与“南北宗”的“南宗”这一方，条贯分明地从王维而后一系列流派的归宗。他说王维而后，“其传为张璪、荆、关、董、巨、郭忠恕、米家父子，以至元之四大家。董源、巨然、李成、范宽为嫡子，李龙眠、王晋卿、米南宫及虎儿，皆从董、巨得来”。

分别流派的渊源是研究绘画史所必要，作为不在“文人画”与“南北宗”的前题之下，董其昌还是不错的。可惜他对历代流派的渊源，并没有认清，因而形成了造谣惑众。首先是“其传为张璪”。张璪在唐代，与王维同时，《历代名画记》载毕宏问“张璪所受”，张璪说：“外师造化，中得心源。”可见张璪的画，不是从王维而来。荆浩分明自己表明：“吴道子有笔无墨，项容有墨无笔，吾将采二子之所长，成一家之体。”尽管荆浩称说王维的“笔墨宛丽”。但他的自成一家，与王维并不相涉。而关仝对荆浩是“北面事之”，怎么谈得上“其传”呢？而李成与范宽，又都从荆、关而来，然后自立门户。董源学过王维，而巨然祖述董源，已是走的董源自创风貌之后的道路，都是风马牛不相及，怎么谈得上王维的“嫡子”？李龙眠的山水画，虽久已无传，但也不会与董、巨有关。至于米家父子横点与平抹，几无皴笔，联得上董、巨吗？董其昌说董源作小树“但只远望之似树，其实凭点缀以成形者，余谓此即米氏落茄之源委”。董源的山水，各种形体的，今天都见得到，说“点缀以成形”，便是“米氏落茄之源委”。不感到玄虚附会吗？至于王晋卿，米芾说他的金碧与水墨，皆“李成法也”。而王晋卿的这些画笔，今天都见得到，与郭熙的风格近似，是系无旁出的。说他从董、巨得来，不太离奇了吗？至于元四家，确是从董、巨而来，但风貌的一变再变，如何是王维的正传？至多也只是已祧之祖。

董其昌所列论的“北宗”，是李思训父子着色山水，“流传而为宋之赵幹、赵伯驹、伯骕，以至马、夏辈”。还有李唐。史称李唐学过李思训，李唐画的面貌有几种，今天从他画迹中看来是哪一种呢？李唐的《万壑松风图》，尤其是《烟峦萧寺图》，凭原迹来辨析，它与范宽的风规，依稀可认。照董其昌的论证，李唐的阔笔水墨山水，这总是与李思训毫无渊源的吧？而南唐的赵幹，是江南画派一系，也与李思训违隔千里。至马远、夏珪、刘松年，都是李唐晚期所创的水墨阔笔、奔放的一派。董其昌曾谈到仇英，他说“赵伯驹、伯骕，精工之极，又有士气。后人仿之者，得其工，不能得其意”，“盖五百年而有仇实父”，“顾其术亦近苦矣”，行年五十，方知此一派画，殊不可习，譬之禅定积劫，方成菩萨，非如董、巨、米三家，可一超直入如来地也。”他又说“仇英短（知）命”，这里董其昌又说“北宗”非“文人画”的赵伯驹、伯骕有“文人画”的士气了。然而他还是反对，是因为学这一派的仇英太苦，寿命又不长。的确，董其昌活到82岁，才令人恍然他因为学了董、巨、米。由此看来，他之所以要创立“文人画”、“南北宗”之论，是为了少受苦，更或许是为了可以长命。

张彦远在《历代名画记·论画六法》一章中说：“自古善画者，莫非衣冠贵胄，逸士高人，振妙一时，传芳千祀，非闾阎鄙贱之所能为也。”如果用后来的专名词“士大夫画”、“士人画”而言，那些“闾阎鄙贱”就是工人、画工。画工的画是低级的即所谓“工匠画”。这个观点，久已乎存在于“士大夫画”、“士人画”之间，但指的是绘画的艺术性，艺术的高低。因为在封建时代，士大夫与“闾阎鄙贱”的地位，有天渊之别，能获得绘画艺术高标准的条件，也是无法比拟的，因而，士大夫画要比工匠画高，就并不稀奇了。但是，如果“画工”的画，能与“士大夫画”抗衡的话，就并不能因为是“闾阎鄙贱”的“画工”而抹杀了他。张彦远是看不起“闾阎鄙贱”的。但他记竺元标等三十人时不得不写道：

李唐 《万壑松风图》

"以上皆本朝以来名手画工，有同兰菊、丛芳竞秀，踪迹布在人间，姓名不可遗弃。"他又记钱国养，开元中善写貌，海内推服，窦（蒙）云："衣裳凡鄙，未离贱工，格律自高，足为出众。"彦远云："既言凡鄙贱工，安得格律出众，窦君两句之评，自相矛盾。"张彦远自己说钱国养海内推服，却反驳窦蒙，但又没有否认钱国养并非贱工，真是"自相矛盾"了。

如上所引，所谓士大夫画、士人画、士气，都是讲的艺术，而以士大夫画作为艺术性高的代表，其艺术性低的，称之谓工匠画。张彦远并不赞成魏晋以降的"衣冠贵胄，逸士高人"的工细之作，所谓"功倍愈拙"。苏东坡的主张要"得之象外"，"论画以形似，见与儿童邻"。"观士人画，如阅天下马，取其意气所到，乃若画工，往往只取鞭策皮毛槽枥刍秣，无一点俊发，看数尺许便倦"。也仍然是以艺术的高低分士人画与画工画的。南宋画派，是从他前代的士大夫画、士人画所演变，成为一体，北宋而后，演为新貌。正如唐人之从"冰澌斧刃，刷脉镂叶"、"工倍愈拙"的前代画派中演变过来的。历史的事实是如此。董其昌所提出的"文人画"，其来历正是苏东坡的"士人画"所从出。把南宋画派列为非"文人画"，而加以排斥，那么，南宋画派是"画工"、是"工匠画"吗？

董其昌不满意南宋画派，以至凡是宗尚南宋画派的，无不痛恶。董其昌对"北宗"只说到非所当学，太苦，还算是留有余地的。至戴进，他就不留余地了。他骂道："元季四大家，浙人居其三，王叔明湖州人，黄子久衢州人，吴仲圭钱塘人，惟倪元镇无锡人耳。江山灵秀之气，盛衰故有时，国朝名士，仅戴进为武林人，已有浙派之目，不知赵吴兴（孟频）亦浙人，若浙派日就澌灭，不当以甜邪俗软者系之彼中也。"戴进画出于南宋，但也不全是，竟成了"甜邪俗软者"，不有些指桑骂槐吗？董其昌的威力，一直影响到后来，如吴小仙与戴进走的同一道路，在清初，已不能入士大夫、文人的赏鉴之列，这也正由于董其昌的"始作俑"。因此，与董其昌同时的陈继儒、赵左、沈士充辈以至清代的四王恽吴、四高僧、金陵八家等等，都是反对南宋的。他们的画派，无不是服膺"文人画"、"南北宗"之论的成果。

绘画自唐吴道子、李思训父子始创山水之体，其后开始发展，画图百派，水墨勃兴。但也并没有废弃着色。而董其昌却无视这些历史的事实。绘画与文学一样，其源都来自民间，其后士大夫画派新兴，到唐代，所有画工也都追随到士大夫画派的队伍中来，传统的民间绘画形式消沉了，只有士大夫画派了。自此历代沿革，不外乎此，渊源有自，而风貌万变，不论是“文人”、“南北宗”，绘画有高下，这原是很自然的，而论画有褒贬，这也是很自然的。然而流派的分宗，却不是依一己的好恶，而可以凭空附会，任意强加的。王维对自己的诗与画，自言是“不能舍余习偶被时人知”。如果王维复生，看来也不会以董其昌的放言为然的。

董源 《夏山图》 局部

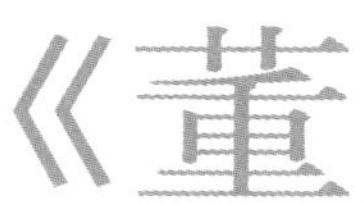

《董源、巨然合集》序

在北宋，称南唐为江南；南唐的绘画为江南画。

当山水画以破墨为表现形式兴起时，历史表明，南朝梁的时期，还没有纯以水墨来作为描绘的专一形式，如世所传梁元帝萧绎的《山水松石格》对破墨所提出的那种精妙理论。唐张彦远《历代名画记》中说：吴道子“始创山水之体，自为一家”。山水画在东晋就已经开始了，如顾恺之的《画云台山记》，到宋宗炳的《画山水叙》则论述更为明确。张彦远为什么说吴道子始创山水之体呢？山水画由着色进而用水墨，吴道子的始创，应该近于这方面。正因为是“始创”，唐末的水墨山水画大家荆浩，对吴道子才有“有笔无墨”的评论。而朱景玄《唐朝名画录》，说王维的"山水松石，踪似吴生，而风致标格特出"。米芾《画史》引张彦远《历代名画记》所论述王维的画派："类道子。"又云："云峰石色，绝迹天机，笔势纵横，参于造化。"张彦远尝亲见王维画，他说："予曾见破墨山水，笔迹劲爽。"于是荆浩赞叹王维的"笔墨宛丽"了。

破墨山水当唐亡之后，在五代十国，蓬勃发展起来，南唐董源，是这一体的继起者，为江南画的始祖。

董源，字叔达，钟陵人。南唐中主李璟时为后苑副使，善写山水。郭若虚《图画见闻志》解释他的画派："水墨类王维，着色如李思训。"

今天，已见不到吴道子、李思训，见不到王维的画迹，而董源，从传世真迹中还能亲见他先后演变的体貌。此将无令人遐想前古的流风余韵，缈然神会。

《图画见闻志》有一篇《论三家山水》，写道："画山水惟营丘李成，长安关仝，华原范宽。智妙入神，才高出类，三家鼎峙，百代标程，前古虽有传世可见者，如王维、李思训、荆浩之伦，岂能方驾。"当时，在关陕之间，服膺的是范宽；齐鲁之间，追随的是李成。郭若虚的议论，自非出于他的一家之言。而为北宋当时画坛的共同评鉴。董源在南唐，虽声名藉甚，但只是局于江南。

五代之际，北方的代表，即是关、李、范，这三家的先导是荆浩。荆浩自己说，他是采吴道子、项容二家之所长，成一家之体。再传的关仝、李成、范宽，已是后来居上，它与江南画是各立了门户的。

同时的米芾，他的鉴赏开展了。他推崇关、李、范三家，而对董源以至江南画，亦作了高度的评价。当时他所见到的王维画如《雪图》、《魏武读碑图》等等颇多，他说，其实都不是王维而是江南画。他见到唐杜牧之所临顾恺之维摩，发现："其屏风上山水林木奇古，坡岸皴如董源，乃知人称江南画，盖自顾以来皆一样，隋、唐及南唐至巨然不移。"而称说董源的画笔："平淡天真多，唐无此品，在毕宏上。近世神品，格高无与比也。峰峦出没，云雾显晦，不装巧趣，皆得天真，岚色郁苍，枝干劲挺，咸有生意，溪桥渔浦，洲渚掩映，一片江南也。"

南唐后主李煜的内供奉卫贤，《图画见闻志》说他"服膺吴体"。这应该是指他的人物画。在他传世的《高士图》中，上端的山与石，雄健之势与初、盛唐脉络相通，饶有浓厚的唐人气格。或者也是从"服膺吴体”而来，这就与王维同出于一源。他虽与董源的形体有别，这正说明了江南画的体系。

世传董源有《溪岸图》、《龙宿郊民图》、《潇湘图》、《夏山图》、《夏景山口待渡图》、《寒林重汀图》，上列六图，世推董源真笔，递藏有绪，著录传称。然而，试从这些画迹，审鉴其笔墨，体察其情性，这些信本，不是尽可信的。

董其昌题为“魏府收藏董源画天下第一”的《寒林重汀图》，它与号称巨然的《萧翼赚兰亭图》、《溪山兰若图》，赵幹的《江行初雪图》，颇多融合之处。《寒林重汀图》之与《江行初雪图》之间的相近之点，在于杂树与芦苇，而山与坡则形与《萧翼赚兰亭图》、《溪山兰若图》相类而没有矾头，杂树亦相类。至于平远烟林、沙洲水渚的铺陈，与《潇湘》等三图，不无近似，但不能成为一体。因为，两者之间的铺陈习性是不同的。《潇湘》等三图既没有《寒林重汀图》那样大片水墨拖带而成的烟林洲渚，更没有一笔那样波浪式的战体。同样悬殊的在于异常粗阔的山的皴笔。这些都关系到习性的二致，骨体的分野。何况那些山与坡，树与芦苇形神之间迥然有别。《寒林重汀图》满幅弥漫的风调，决不是董源的灵氛

董源 《夏景山口待渡图》 局部

情韵。而水墨淋漓的江南景色，非董也有一点董，因而这一流派，为南唐所特有，虽非董源，而是江南画的一体。

传世董源六图，除《寒林重汀图》而外，《溪岸图》是最晚发现的董源真笔。从绘画史而言，是一个重要的发现。《溪岸图》左下边有一行题款“后苑副使臣董源画”八字，有“天水赵氏”印及“柯九思”印。高山峻岭，云雾显晦，水波风动，劲挺的丛树俱带风姿。墨润笔精，气象温穆。水阁中的人物，与卫贤《高士图》骨体相近。与《潇湘图》、《夏山图》、《夏景山口待渡图》判然异貌。这三图形体如一，通体用短条子和小墨点来描写漫山的树木。是为刻意写实所创的骨体。试以现在东南一带的山容水色，洲渚村舍来引证这三图，证明这一艺术风貌，是渗透着这样的真景所产生的。

从上列五图来论证它的流派及渊源变易之迹，《溪岸图》是“水墨类王维”的体制。元夏文彦《图绘宝鉴》说董源画“其山石有麻皮皴者”。这三图正是用的麻皮皴。不再有丛山峻岭的铺陈，已是继“水墨类王维”之后的自创。沈括《梦溪笔谈》则说：“其用笔甚草草，近视几不类物象，远视则景物粲然，幽情远思，如睹异境。”沈括所指与《溪岸图》殊不符合，这正是指的《潇湘》等三图的形体。而《夏山图》杂以破笔渴笔。《夏景山口待渡图》兼有蜷曲的皴笔。三卷的形体虽同，而笔墨的变幻是多样的，这正是米芾所说的“平淡天真”、“一片江南”，同为“唐无此品”的体裁。董源画腊的行程，《溪岸图》是前期的风貌，而《潇湘》等三图则为后期的变体，骨体的三变，笼罩董源艺术的一生。

巨然，钟陵开元寺僧，工画山水，笔墨秀润，善为烟岚气象，随南唐后主李煜归宋，他的画派，是“祖述董源”的。

传世巨然画，推为真笔的有八图。《秋山问道图》、《万壑松风图》、《山居图》、《溪山图》、《层岩丛树图》、《萧翼赚兰亭图》、《溪山兰若图》、《湖山清晓图》（此图今改称刘道士）。

米芾《画史》称道巨然“学董源”，岚色清润，布景得天真多，少年时多作矾头，老来平淡趣高。是董源而后，江南画的代表。米芾对巨然的评鉴与董源一样，说董源“平淡天真”。巨然“平淡趣高”、“平淡奇绝”。董、巨的风格是“平淡”、“趣高”而“奇绝”，这是米芾对绘画艺术的好尚，但也说明董、巨画派的特征及江南画的风尚。

《秋山问道图》、《万壑松风图》、《山居图》、《溪山图》这四图之中，以《秋山问道图》最著称，推为巨然画笔的典范。《万壑松风图》隐没既久，近数十年来始为世所熟知。《溪山图》是卷子，传世的巨然画笔中，这一形式是仅有的。

以《秋山问道图》来裁定其他三图，风骨情性，纯属一致，同出于一人手笔，昭然可见。而这四图的创作时期，又可推定先后不会太远，同是“平淡趣高”的巨然老来手笔。

试追溯巨然的渊源所自，历来称说他是“祖述董源”。从上列四图而论，它不类于董源的《溪岸图》，也不类《潇湘》等三图，只有所谓“矾头”与之相近，一种酣畅爽朗的笔墨，化而为雄浑的性格，奇逸的气度，巨然已自辟了门庭。

巨然的特异之处，在于山头上的卵石，即米芾所称的“矾头”。和破笔浓墨错落的苔点。水边的风蒲，屈曲的树木，

巨然 《秋山问道图》

山涧的奔流，这些都是不可混淆的巨然特征。环绕着明洁的矾头，而杂以错落的破笔苔点，神奇幻化，尤为射人眼目。

这里要论列的是《层岩丛树图》、《萧翼赚兰亭图》、《溪山兰若图》。这三图面目相同，形体如一。而与上列的《秋山问道》等四图的风貌有别，可以说是纯属二事。米芾说巨然少年时多作矾头。《层岩丛树》等三图，山头上布满异常繁密的小卵石。《溪山兰若图》下边的芦苇，与董源《潇湘图》中的极为类似，它是不是即米芾所说的少年之作？然而可以看出这三图同出于一人手笔。而《湖山清晓图》，主体写簇拥着的群峰列岫，漫山的松林。而绝不作矾头，此图一切铺陈，表现的是高远、深远、平远的景色，笔墨的整洁明润，显示一派刻骨的灵秀之气。下面的一片水，清涟荡漾，这样的动态，在南北画派

巨然 《万壑松风图》

巨然 《层岩丛树图》

中是仅见的妙创。

曾有一种论证，说这一图不是巨然，而是北宋刘道士的画笔。因为，这一画派与巨然相近，而在左边的山径上有一红衣道士。

米芾《画史》与汤垕《画鉴》都有这样的记载，刘道士是钟陵人。与巨然同时，两人的画笔，同出于董源，几乎不可分别，所可辨认的在于画中僧与道。巨然画的僧在左方，而刘道士画的道士在左方。说这一图是刘道士笔，正是符合道士在左方这一规定而来。刘道士的画，已无可考见，米芾与汤垕的叙说，姑不论其有多大的夸张，看来宋时有这样的传说，即米芾与汤垕恐怕也未必见到过刘道士的画，而以这一图的风貌骨体而论，它与巨然的画笔，并不难于分别，而是大相悬殊的。但从这一图的时代风格来看，其与巨然为同一体系、同一时期的画笔，则是无可置疑的。

《层岩丛树图》、《萧翼赚兰亭图》、《溪山兰若图》与《湖山清晓图》同属于江南画的一体。

今日尚论唐、五代之际的艺术渊源，苦于原迹的烟扬，从时代风格可以明辨，而于各个作家的独立风貌，则无可认识，因而不得不依藉历史可信的叙说，参之以真笔，来相互印证，辨析两者之间的渊源关系，其蛛丝马迹，遐想风流，也得以发人深省。江南画之所以与北方关仝、李成、范宽的画风判然殊途，即在于江南画是直接从唐吴道子、王维所蜕化，而关、李、范，则是从荆浩所演变。其如巨然之于董源，已与唐间隔了一重。

董其昌一生最推崇董源，经常见到在他自己的画上题着

巨然 《萧翼赚兰亭图》

“仿吾家北苑”。他对于唐、五代到宋之间山水画的渊源、流派，有两条系统的论证，他写道：

文人之画自王右丞始，其后董源、巨然、李成、范宽为嫡子，李龙眠、王晋卿、米南宫及虎儿，皆从董巨得来，直至元四大家黄子久、王叔明、倪元镇、吴仲圭，皆其正传。吾朝文、沈，则又遥接衣钵。若马、夏及李唐、刘松年，又是大李将军之派，非吾曹当学也。

禅家有南北二宗，唐时始分，画之南北二宗，亦唐时分也，但其人非南北耳。北宗则李思训父子着色山水，流传而为宋之赵幹、赵伯驹、赵伯骕以至马、夏辈。南宗则王摩诘始用渲淡，一变勾斫之法。其传为张璪、荆、关、郭忠恕、董、巨、米家父子以至元之四大家，亦如六祖之后，有马驹、云门、临济儿孙之盛，而北宗微矣。要之摩诘所谓云峰石色，绝迹天机，笔意纵横，参乎造化者。东坡赞吴道子、王维画壁亦云，“吾于维也无间然”，知言哉。

上列董其昌的两个论证，一是说的“文人之画”。一是说的画有“南北二宗”。其实是二而一，都是条贯分明的论述唐自王维开始，至五代、宋、元之间作家的渊源所自，流派的分宗，如泾渭之不同。

董其昌的高论，颇影响及后来，即如他同时的陈继儒、莫是龙、赵左、沈士充辈至清初的四王恽吴、八大、石涛、浙江、石溪及安徽画派、金陵八家等等，皆为其雄辩所折服。一时贵南贱北之风甚盛。董其昌不仅以画笔为时所重，他的画学的渊博，新奇可喜，是独树一帜的。

研究画学，辨明先后的渊源、流派，这原是必要的，不研究这些，又如何能对绘画艺术、绘画史有所认识，有所辨析呢？在这方面，董其昌是作了贡献的。

董其昌立论的根据，在于李思训父子的着色山水，因为是勾斫之法，定为北宗，王维变勾斫之法为渲淡，定为南宗。南宗是“文人之画”，而北宗不是“文人之画”。这个特定的区分，是董其昌的独创。以前是没有的。以前区分的是“士大夫画”，但并没有人区分过着色、勾斫之法与渲淡。董其昌认为只有“渲淡”与“变勾斫之法”的画，才够得上称之为“文人”，否则就不能畀以“文人”的称号。名不正则言不顺，因此，非“文人之画”就卑卑不足道了，前古是“学而优则仕”。所以称

“士大夫”，都是“文人”，而王维用了“渲淡”、“变勾斫之法”，独成了“文人”。而唐张彦远说，吴道子始创山水之体，又说，王维的画类道子，那吴道子应该是“文人之画”的始祖了，但吴道子很不幸，没有被董其昌所承认。

荆浩说：“吴道子有笔无墨，项容有墨无笔，吾将采二子之所长，成一家之体。”由此看来，荆浩并没有承接王维的衣钵，而董其昌说“其传”为荆浩。米芾分析李成的画派，出于荆浩、关仝，范宽出于荆浩，巨然出于董源。董其昌说，李成、范宽、巨然，都是王维的“嫡子”。王晋卿纯出于李成。米芾分析王的金碧、水墨出水，都是“李成法”。今天还传有王诜的画，是系无旁出的，而董其昌说是“从董巨得来”。赵幹是南唐的画院学生，是江南画派，董其昌把他列入了“北宗”。

宋徽宗赵佶的《雪江归棹图卷》，后有董其昌长题，强调不是赵佶而是王维的画笔。说是赵佶和蔡京弄的鬼。

我们没有见过王维的画迹，即荆浩、李成的画，也都没有见过。董其昌自己说是见过的。但从他的论证到鉴画看来，似并不真切，竟把赵佶的画看成王维，说明

巨然 《溪山兰若图》

对唐与宋的时代风格也看不出。其实两个时代之间画风的分野是极为明显的。

董其昌振振有辞地尚论历代的渊源流派，这些论证，似是而非之处甚多，是宜于给以再论证的。

董、巨画派，米芾高举于北宋，赵孟頫附声于元初。追风沿波，延及四家，黄公望、王蒙、吴镇，尤为显著。王蒙偏于董，黄公望偏于巨然。黄公望发而为简，王蒙引以为密，而吴镇一生服膺于麻皮皴、破墨山水的繁衍。百川分流，渊源有自。于此足以徵信。流派的新生，从没有脱离先进高雅的熏沐与真实华美的感受，而能绝源弃祖，浑然自生的。

这里所搜集的董源、巨然画，其中或为亲见，或得之图蜕。就所知道的尽集于此。其尚有传世号称董、巨并见于著录者，类多附会，既非董、巨，且亦非江南画，故不一一尽列于此。

燕文贵 《江山楼观图》 局部

《燕文贵、范宽合集》序

将燕文贵、范宽的全集合而为一，有两个原因。

一是燕、范同是北宋的代表作家，其原作，流传到今天的，真如凤毛麟角，而范宽的尤少，若各自为一集，不免过于单薄。

一是燕、范同时，他们的画派虽不同，但亦有相同之处，合为一集，以辨明两人之间的异同所产生的各自风貌，对于研究绘画的时代流派将是有益的。这是又一个也是主要的原因。

燕文贵在画史中有三个类似的名字。《圣朝名画评》有燕文贵；《图画见闻志》有燕贵；《宣和画谱》亦作燕贵；《画继》有燕文季。《圣朝名画评》说燕文贵“隶军中”，《图画见闻志》说燕文贵“本隶尺籍”，《圣朝名画评》说燕文贵“画流至今称曰燕家景致”，《画继》说燕文季“画院谓之燕家景”。《图画见闻志》与《画继》都与《圣朝名画评》的论述有相同的地方，而《圣朝名画评》尤较其他两书为详尽。《圣朝名画评》所记与燕自己在《溪山楼观图》和《江山楼观图》的题款合，当以燕文贵为正。可知燕贵、燕文季，即燕文贵，并非别有其人。

据《圣朝名画评》，燕文贵是吴兴人，初隶军中，善写山水及人物，是得之于河东山水画家郝惠的传授。宋太宗时，驾舟来汴京，在“天门之道”卖画。当时图画院待诏高益看到他的画笔，大加赞赏，买了几幅进上太宗，并说：“臣奉诏写相国寺壁，其间树石，非文贵不能成也。”遂诏入图画院。《图画见闻志》说是“大中祥符初，建玉清宫，贵预役焉，偶暇日画山水一幅，人有告董役刘都知者，因奏补图画院祗候。”大中祥符是宋真宗的年号，说这时燕文贵参加玉清宫的修建工事，才发现了他善于画。这一叙说，恐怕是不真切的。而《画继》说是“神宗时人”。出于燕文贵画派的屈鼎，尚是仁宗时画院祗候，燕文贵如何可能是“神宗时人”呢？

《圣朝名画评》列燕文贵的画于三门。一、人物，二、山水林木，三、屋木。叙述了他画的“七夕夜市图，状其浩穰之所，至为精备”。“舶船渡海像一本，大不盈尺，舟如叶，人如麦，而樯帆橹橹指呼奋踊，尽得情状。至于风波浩荡，岛屿相望，蛟蜃杂出，咫尺千里，何其妙也”（人物门）。“尤精于山水，凡所命意，不师于古人，自成一家，而景物万变，观者如真临焉，画流至今称曰燕家景致，无能及者”（山水林木门）。“又能画舟船盘车……有舶舡渡海图，大为珍妙”（屋木门）。“评曰：如文贵……江海微贱，一旦以画为天子所知，盖其艺能远过流辈……”

《图画见闻志》说他是真宗时画院祗候。元陆友仁《研北杂志》记他是“翰林艺学将仕郎守云州云应主簿”。而他的《江山楼观图》左上边有一行题款：“待诏筠州筠口县主簿燕文贵。”那么，他应是图画院待诏了。

宋仁宗时，图画院祗候屈鼎，是惟一宗尚燕文贵画派的作家。《宣和画谱》称他“学燕贵作山林四时风物之变态，与夫烟霞惨舒，泉石凌砾之状，颇有思致……今《画谱》姑取之”。赵佶的《宣和画谱》御制序说：“且谱录之外，不无其人，其气格凡陋，有不足为今日道者，因以黜之。”学燕文贵的屈鼎，《宣和画谱》是“姑取之”。看来屈鼎的“气格”还不“凡陋”，因未被“黜”。而燕文贵，《宣和画谱》却无一字录入，看来并不是由于他的“气格凡陋”，而是由于“江南微贱”因而被黜吧！尽管他的画派被当代推崇为“燕家景致”，居然为“今日所不足道”，而毅然舍弃。可见《宣和画谱》“因以黜之”的原由，也只是托辞而已。

并世所传燕文贵画真本，有《溪山楼观图》、《江山楼观图》、《溪风图》、《烟岚水殿图》、《茂林远岫图》。《溪山楼观图》有款“翰林待诏燕文贵笔”。《江山楼观图》有款（见前）、《茂林远岫图》，原题为李成，据观察，也是燕文贵的手笔（见本书《论李成〈茂林远岫图〉》一文），虽然当时有某些鉴赏，对他作了高的评价，而如米芾，却是绝口不谈他的，可见在当时士大夫中，并不都加以青眼，因此，正如《茂林远岫图》被抹杀名姓，而冒称李成，使此图变易了地位，使“江海微贱”的作者，变而为名重一时的士大夫手笔，从而得以入收藏家的秘笈。

范宽，首先要提的，也是他的名字。据《圣朝名画评》：“范宽，姓范，名中正，字中立，华原人，性温厚有大度，故时人目为范宽。”《图画见闻志》：“范宽，字中立。一或云名中立，以其性宽，故人呼为范宽为”。《宣和画谱》：“范宽，一名中正，字中立。”“蔡卞尝题其画云，关中人谓性缓为宽，中立不以名著，以俚语行，故世传范宽山水”。

以上三书的记载是，“时人目为范宽”，“人呼为范宽”，“中立不以名著，以俚语行，故世传范宽山水”。这些都表明在北宋盛传的“宽”，不是他的名，是时人称他为宽，“以俚语行”，因而他的真名被淹没了。

米芾《画史》“丹徒僧房有一轴山水，与浩（荆浩）一同……于瀑布边题：‘华原范宽’，乃是少年所作”。米芾是北宋人，精于鉴赏，他不可能不知道当时对范宽名字的传说，他却认为有范宽题款的山水是真笔，而且是他的少年之作。而现尚存于世的《溪山行旅图》上也有“范宽”二字的题款。可见范宽自己在少年时即名宽。并不是“人目为”，“人呼为”，“以俚语行”了。由此看来，上列三语云云，只是当时有这样的误传，是不足为信的。

如上列之书所记，范宽仪状峭古，举止疏野，嗜酒好道，经常往来于京洛，仁宗天圣中尚健在。山水始学李成，旋有所领悟，他叹道：“前人之法未尝不近取诸物，吾与其师于人者，未若师诸物也，吾与其师于师诸心。”于是舍弃了旧习，到终南太华山中，终日危坐，纵目四顾，来体会眼前的风景如画，以至雪天月夜，也在山中徘徊凝览，默与神会，对景造意，写山真骨，遂自成一家。以此在北宋为天下所推重，与关仝、李成，鼎立称三家山水。

并世所传范宽画真本，有《溪山行旅图》、《雪山楼观图》。《溪山行旅图》有“范宽”二字款在树叶间。

《图画见闻志》记范宽“峰峦浑厚，势状雄强，抢笔俱均，人屋皆质者，范氏之作也”。《圣朝名画评》、《宣和画谱》都说范宽开始学的是李成，然后舍弃了旧习。他画派的形成，完全是从写实，一师诸心而来。然而米芾认为范宽少年时是从荆浩为师的。米芾说：“丹徒僧房有一轴山水，与浩（荆浩）一同……而笔乾不圆，乃是少年所作，却以常法较之，山顶好作密林，自此趋枯老。水际作突兀大石，自此趋劲硬，信荆之弟子也。”

米芾是从范宽的画派来辨析他的师承所自，应该是可信的。我们现在所能见到的范宽画也仍然是山头作密林，水际作突兀大石之类的形体，并不是“笔乾不圆”。看来不是他的少年之作。

米芾又说：“李成师荆浩，未见一笔相似。”那么，范宽是渊源于荆浩，与李成并无关涉。米芾曾见过荆浩的画一轴与一横披，他说：“未见卓然惊人者，宽固青于蓝。”米芾又说：“范宽作雪山，全师世所谓王摩诘。”

上列三画所记范宽的画派，与米芾的述说是如此的悬殊。荆浩的画，今天已不可能见到，即“世所谓王摩诘”的画，也不可能认识。从这一种述说到那一种述说，来分析这一悬殊的问题，应该认为米芾的述说是可信的。

然而米芾述说范宽的少年之作，是山头好作密林，水际好作突兀大石，虽使人比较清楚了范宽画的形象，但山与石，是通过怎样的笔墨来表现，从而达成这些形象，则米芾并未涉及。这些形象的笔墨，是否也从荆浩而来或是从“世所谓王摩诘”而来？还是范宽自己所独创？

仅凭所能见到的范宽两图，《溪山行旅图》所描写的山，是先有内外的轮廓线，然后以无数的短条子皴来布满这些轮廓线的空隙。这应该就是《图画见闻志》所述范宽画的“抢笔俱均”。而《雪山楼观图》也是如此，只是换短条子皴为点子的皴笔。《溪山行旅图》水边的突兀大石，也有些是用了点子皴笔的。

燕文贵与范宽同时，但估计燕的年龄或许不会比范小。当宋太宗即位后，待诏高益是孙四皓推荐进图画院的，这时燕文贵来到汴京，卖画于“天门之道”，被高益所发现，因而燕文贵与高益同画相国寺行廊壁画。进入图画院，正是高益所推荐。这样看来，他的画笔在宋太宗时就已经成熟了。而范宽至天圣（宋仁宗赵祯）中犹在，回溯到四十余年前的太宗时，不知道他那时的画笔，已经成熟否？

为什么要分析这一点，因为范宽画山的皴笔，如果说其源出于荆浩，则已无从知道，而从燕文贵传世五图的表现，他的皴笔形式也是如此。这正是写山的主要之点。然而这一表现方式，应是范宽所特有的特征。这样说来，他们的这一相同之点，燕是从范而来的了？就上述事实而论，似乎又不是。那么，是范从燕出的吗？怎么又说是范的特征？燕文贵初师河东郝惠，他的画笔究竟是怎样的形体？又从何而来？郝惠的画笔，既已无传，即历史记载，连极空泛的叙说也没有。

概自唐吴道子始创山水之体，自此百派纷呈，旗鼓称雄，至唐末荆浩崛起，关仝北面事之，推为盟主。米芾说：“李成师荆浩，未见一笔相似。”看来也是走过荆浩的路的。由此可知，自五代至宋初，在画史赫然著称的作家，无不以荆浩为先河，这是当时时代的风尚。正如书法自王羲之而后，到唐、宋，也无不经过王羲之的熏沐。荆浩而后，这些后起之秀如关仝、李成、范宽，又成为后学所师承的典范。燕文贵与当时画坛的风尚所趋，似也不会脱然无所牵及，他与范宽的相同之处，一是山的形势，一是皴笔。江南董源后期的变体，米芾称说他“唐无此品，在毕宏上”。这一形体的皴笔，也是短条子。若论年次，董源应前于燕、范。若说燕、范的这一表现是从董源而来，似也不能强据以为准确的渊源剖析。北宋盛兴讲求写实的画风，是成熟的阶段，作者要求笔墨能体现山石的质，出现了多样的皴笔，原在于作者各自的形象思维。董源、燕文贵、范宽，他们之间的相同之处，或者是不谋而合，还是其间有所濡染引发呢？

但米芾说范宽的雪山，“全师世所谓王摩诘”。以他的《雪山楼观图》

而论，风调情性与表现形式，仍然与他的《溪山行旅图》浑然一致，那么，米芾所说的“世所谓王维”，是不是就是这种形式呢？

燕与范的相同之处，范的皴笔刻画强硬，而燕较温润轻淡。方式相同，却是截然异趣的两种情意。此外，更是门户不伦，大异其趣。宋韩拙《山水纯全集》记，王晋卿把李成、范宽的画派，比作“一文一武”。说李成是文，范宽是武。米芾说：“李成淡墨如梦雾中，石如云动，多巧少真意”，范宽“深暗如暮夜晦暝，土石不分”。燕文贵的画派，不是王晋卿所指的“文”，也不是所指的“武”，他既非“淡墨如梦雾中”，也非“深暗如暮夜晦暝”。范宽是气壮雄杰的体制，燕是温穆俊发，凝重多姿，写树好作屈曲之势，是从真实中所选取的新样。所以高益特别赞赏他的树石。描写景物，千林百嶂，变化多端，使观者如身历其境。所以被推许为“燕家景致，无能及者”。苏东坡评范宽：“稍存古法，然微有俗气。”米芾以为“本朝自无人出其右”。而燕文贵为《宣和画谱》所黜，“为今日所不足道”。这与他们的艺术本身，则是两回事。

郭熙 《早春图》

《郭熙、王诜合集》序

郭熙的《林泉高致》中说："今齐鲁之士，惟慕营丘。"

李成为营丘人（今山东临淄），当北宋乾德时李成殁后，名益显，故当时不称其名而称李营丘。

在北宋前期，山水画派，宗尚李成而有名于时的，为李宗成、翟院深、许道宁。而翟与许还伪造过李成的画。米芾《画史》说：画人丑怪赌博村野如伶人者，皆许道宁专作成时画。"又《圣朝名画评》记李成的孙子李宥知开封县时"购其祖画，多误售院深之笔"。不仅如此，如《宣和画谱》所记："自成殁后，名益著，其画益难得，故学成者皆摹仿成所画峰峦泉石，至于刻画图记名字等，庶几乱真，可以欺世。"这就不止许道宁、翟院深了。所以米芾见到过李成画的伪迹有三百本。

当时以李成画派闻名于时的，许道宁的声势尤盛。当时邓国公张上逊有称颂许的诗："李成谢世范宽死，惟有长安许道宁。"事实的确如此。宋晁说之《送屈用诚序》中，就提到过许道宁画在当时的情况。与范宽齐名的屈鼎，到他的孙子屈用诚以他的家学问世，但"遇十人而九不顾"，以至于饥寒交迫，不得已，改画许道宁派，才使他获得温饱。于是屈用诚慨然了，他说："吾虽饱于许阿父，暖于许阿父，其如吾志之饥且寒何，复恐地下无见吾老阿父之面目也。"李成的声势，连他的余荫笼罩着当时的画坛。

除翟院深之外，李宗成是鄜畤（今陕西鄜县）人。许道宁是河间（今河北河间）人，一作长安（今西安）人。即郭熙自己为河阳温县（今河南温县）人。稍后也是"惟摹营丘"的王诜，是太原（今山西太原）人。从上列这些作家来看，所谓"惟摹营丘"者，又何止"齐鲁之士"。

郭熙，字纯夫，后来与李成一样，不称其名而称郭河阳。著《林泉高致》，对写山水的表达，如写景到艺术意立等等，叙论了自己的心得与观点。他高举李成旗帜，是在北宋神宗之前，但他的少年之作，不明他的师承所自。传世唯一的一卷山水，后有金龙岩任询的题语，说是郭熙的少年之作。这该是有所据而云然的。这卷山水，却与他熙宁时期的画笔判然殊途。山形都是方的，树木用笔也不是圆润的，水口都非常直率，其中屋宇却与王诜近似。但它无疑是北宋画。这样看来，郭熙早年，并不是"惟摹营丘"的。黄山谷题《郭熙山水》，可以说明郭熙的画腊行程。黄山谷的题语为："郭熙元年末为显圣寺悟道者作十二幅大屏，高二丈余，山重水复，不以云物映带，笔意不乏。余尝招子瞻兄弟共观之，子由叹息终日，以为郭熙为苏才翁家摹六幅李成骤雨，从此笔墨大进，观此图乃是晚年所作，可贵也。元符三年九月丁亥观于青神苏汉侯所。"由此可见，郭熙在摹六幅骤雨之前，并不是宗尚李成的。那么，郭熙画笔的名世，应在他的中年了。郭熙的寿很长，但历来的叙说中，没有提到过他的生卒。金元好问有两首诗，一是题郭熙的《溪山秋晚》："烟中草木水中山，笔到天机意态闲，九十仙翁自游戏，不应辛苦作荆关。"一是题《汾亭古意图》的注："元祐以来郭熙，明昌泰和间张公佐，皆年过八十，而以山水擅名。"明昌、泰和，都是金章宗完颜璟的年号。说张公佐在明昌、泰和间，其间相距甚长，明昌共七年，接着是承安，五年，然后是泰和为八年。而对郭熙，只是说“元祐以来”。元祐共九年（1086—1094），这就是说“元祐中”郭熙年过八十。又黄山谷“次韵子瞻题郭熙画《秋山》诗，中有句云：‘熙今头白有眼力，尚能弄笔映窗光。’”山谷此诗，作于元祐二年（1087），可见此时郭熙还健在，年已很老，所以句中用“尚能”。

宋神宗赵顼深喜郭熙画，邓椿记：“一殿专背熙作。”

明正德写本郭熙《林泉高致》后有其子郭思纂后附画记。惟颇有脱讹。记一开始云：“思家先子手志，神宗即位后庚申年二月九日，富相判河阳，奉中旨遣上京。”并记在殿阁内外所写诸画，其中曾与“符道隐、李宗成同作小殿子于屏次，蒙白当御书（画）院。宋供奉用臣传圣旨召赴御书（画）院作御前屏帐，或大或小，不知其数，即有旨特授本院艺学……有旨作秋雨冬雪二图赐岐王，又作方丈围屏。又作御座屏二，又秋景烟岚二，赐高丽，又作四时山水各二，又作春雨晴霁图屏。上甚喜。蒙恩除待诏……神宗一日谓刘有葛曰：郭熙画鉴极精，每使之考校天下画生，皆有议论，可将秘阁所有汉晋以来名画，尽令郭熙详定品目前来。先子遂得遍阅天府所藏，先子一一有品题名目，思家恨不得其本，致和（按致字误，应为政和，北宋无致和年号）丁酉春……三月二日〔按丁酉，应为徽宗赵佶政和七年（1117）〕垂拱殿登对，思至榻前，立未正，圣上顾而问曰：熙之子？臣即对：先臣熙遭遇神宗近二十年，语未毕，上又曰：神宗极喜卿父……上又曰：是神宗极喜之，至今禁中殿阁尽是卿父画，画得全是李成。思再对……举家团坐，未尝不叹恨先臣早世，不得今日更遭遇陛下”。

据郭思所记，郭熙奉旨上京，在庚申三月。庚申，为神宗元丰三年（1080）。而郭思记中又说郭熙遭遇神宗近二十年，神宗在位，自熙宁元年戊申（1068）至元丰八年乙丑（1085）共十八年。庚申为元丰三年（1080），当为庚戌之误，庚戌为熙宁三年（1070）。如果“庚申”不错的话，则元丰只八年，为乙丑（1085），此后即为哲宗赵煦元祐元年。则郭熙遭遇神宗仅六年。如何能说“近二十年”呢？

元好问与黄山谷，一则说元祐中年过八十，一则说元祐二年“尚能弄笔映窗光”，且称其元丰末为显圣寺悟道者作12幅大屏，已为“晚年所作”。两者颇相吻合。元好问说“九十仙翁”，看来是诗句所用的成数，或者距离不远。切实一些的当是“元祐以来年过八十”，黄山谷跋“郭熙元丰末为显圣寺悟道者作十二幅大屏”时，纪年为“元符三年九月丁亥”。元符三年为庚辰（1100）为哲宗的最后一个年号，也是最后一年。山谷没有提及郭熙的存亡。元符三年后，接着就是辛巳，也即是徽宗赵佶登位的第一年建中靖国元年（1101）。看来此时郭熙已卒，否则郭思不会对徽宗说：“先臣早世，不得今日更遭遇陛下。”因此可以设想，郭熙在元祐二年如为八十左右，那么，郭熙自河阳奉召为御画院艺学到待诏，当在六十左右了。

郭思画记中所记与李宗成、符道隐合画事，《图画见闻志》也有记载：“熙宁初，敕画小屏风，郭熙中扇，李宗成、符道隐画两侧扇，然符生鼎立于郭、李之间为幸矣。”郭与李皆是李成画派，而符道隐无所师法，多从己见，名存郭、李下，因此说他“为幸矣”。也可知当时禁中殿阁之画，并不都是御画院中人的手笔。

《宣和画谱》说郭熙“向以巧赡致工，既久，又益精深，稍稍取李成之法，布置愈造妙处”。宋徽宗说他“全是李成”，可知郭熙“为苏才翁家摹六幅李成骤雨”之时，在熙宁三年奉旨上京之前，已完全放弃了他的故步，而“惟摹营丘”了。

传世郭熙的画笔，如《早春图》、《关山春雪图》，俱作于熙宁五年壬子（1072）。后一图的书款为“奉王旨画关山春雪之图”。按郭思所记“有旨作秋雨冬雪二图赐岐王”。这幅《关山春雪图》，可能就是为岐王画的。

郭熙这时的画派，已完全是李成，还有纪年的是《窠石平远图)，作于元丰元年戊午（1078），较之前二图又后了7年。这三图应是他六七十岁左右之作。除了任询所题为他的少年之作的那一卷而外，上述三图是同一形体，同一风貌。即本集中所收的，也就是传世所有的，无不是这一风貌。

米芾最推崇李成，他说：“余家所收李成，至李冠卿大扇，爱之不已，为天下之冠。”尽管当时如苏东坡、黄山谷等这些米芾的同好朋友，对郭熙画笔推崇备至，但在他的《画史》中，对当时一些作家颇多褒贬，独对宗尚李成的郭熙，却无一字涉及，似乎不在他的心目之中。我曾为此写过《题米芾画史》一诗："月旦深严可少舒，精微鉴别莫相如，营丘老笔平生重，却下河阳逐客书。"

王诜，字晋卿，驸马都尉，尚英宗赵曙女蜀国公主，时在神宗熙宁二年（1069），时公主才18岁。王诜看来与公主的年龄应该相近（据陈高华《宋辽金画家史料》根据翁同文《王诜生平考略》定为生于仁宗庆历八年（1048）前后，卒于哲宗元符三年（1100）后，我未能见到此文。擅书画，富收藏，精鉴赏。苏东坡题他写的《烟江叠嶂图》诗："郑虔三绝君有二。"是指他的诗与画。而《宣和画谱》称说他"又精于书，真行草隶，得钟鼎篆籀用笔意"。今尚传他的法书有五件，看来对于颜真卿也经过熏沐的，他是"三绝"了。

他曾盖一堂，名"宝绘堂"。专藏法书名画，苏东坡为作《宝绘堂记》。

宋韩拙的《山水纯全集》，《论观画别识》一节中，记着这样一段事："世有王晋卿者，戚里之雅士也……偶一日于赐书堂东挂李成，西挂范宽。先观李公之迹云：'李公家法，墨纯而笔精，烟岚轻动，如对面千

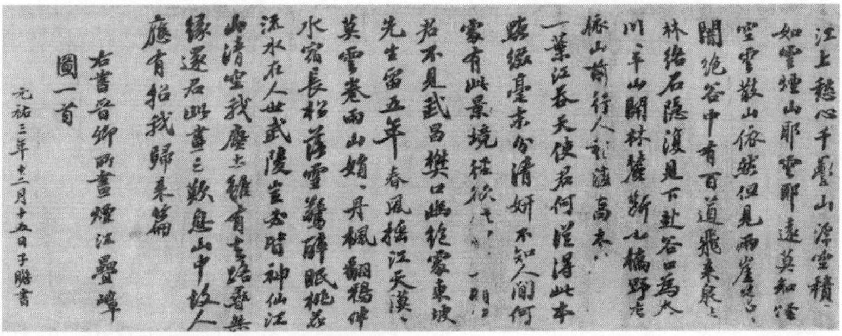

北宋　王诜　《烟江叠嶂图卷》　跋　局部

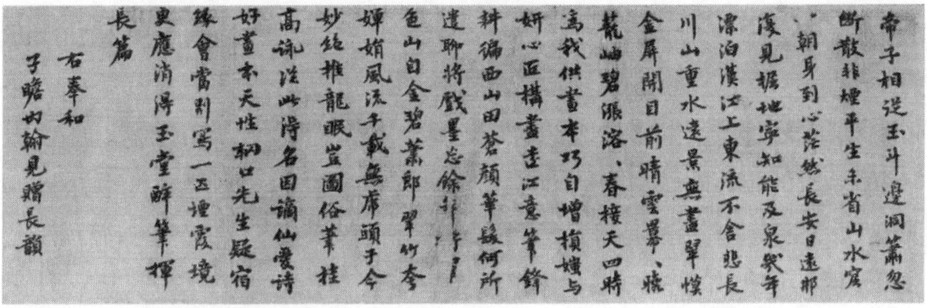

北宋　王诜　《烟江叠嶂图卷》　跋　局部

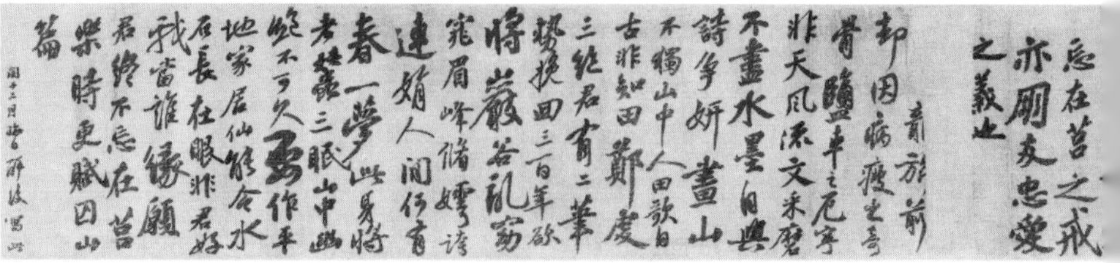

北宋　王诜　烟江叠嶂图卷　跋　局部

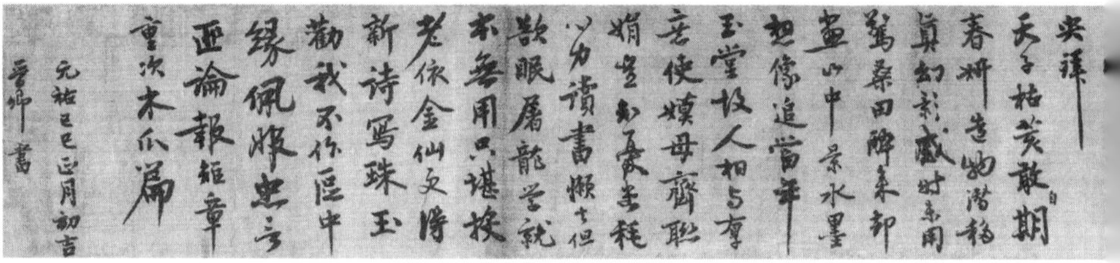

北宋　王诜　《烟江叠嶂图卷》　跋　局部

里，秀气可掬。次观范宽之作，如面前真列，峰岚浑厚，气壮雄逸，笔力老健，此二画之迹，真一文一武也。’予尝思其言之当，真可谓鉴通骨髓矣。”这是王诜对绘画流派的鉴识，而他自己的画笔呢？据米芾的论证是“王诜学李成皴法，以金碌为之，似古今观音宝陀山状作小景，亦墨作平远，皆李成法也”。王诜比郭熙似要小40岁左右，二人虽同出于李成，而郭熙为后期所转变，王诛论画派以李为“文”，而范为“武”，看来王诜入手即以“文”派为宗师的。

据历来叙说，王诜平生作画，“烟江叠嶂”为题材者特多，他的画传世殊不多，而《烟江叠嶂》却有两卷。一卷是着色，上有宋徽宗赵佶的题签，曾入宣和内府。一卷为水墨，后有苏东坡与王诜长歌各两篇。苏东坡的名句“江上愁心千叠山”，即是题这一卷的。按苏东坡集所载此诗之题为《书王定国所藏〈烟江叠嶂图〉王晋卿画》。而明王世贞亦有王晋卿《烟江叠嶂图苏东坡作歌》一卷。苏题与苏集中之题一同，即皆说明为王定国所题者。而传世的水墨一卷，既非为王定国题，且有王诜和诗。又按此卷苏题之第一篇，其纪年为“元祐三年十二月十五日”，其第二篇纪年为“润十二月晦日”。王诜和章之第二篇纪年为“元祐己巳正月”。己巳为元祐四年，而王世贞一卷苏题纪年为“元祐四年三月十日”。其所记年月，并在水墨一卷苏、王题诗所记年月之后。于此可见

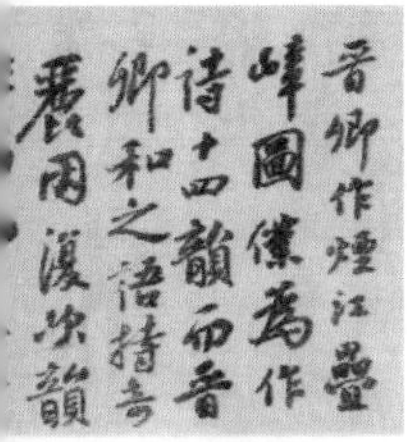

此卷实为王诜所作《烟江叠嶂》之第一图，为王诜所自藏者。而后又为王定国别作一图，苏东坡即以此卷所题之第一篇重为王定国书于图后。可见王定国所藏者为王诜所作之第二图，苏东坡的题诗已是第二次书的了。第一卷画今尚存自“小桥野店依山前”开始，其“中有百道飞流泉”以前一段，已残缺无存。苏题二诗见于苏集，与王诜和诗并见于《式古堂书画汇考》中。

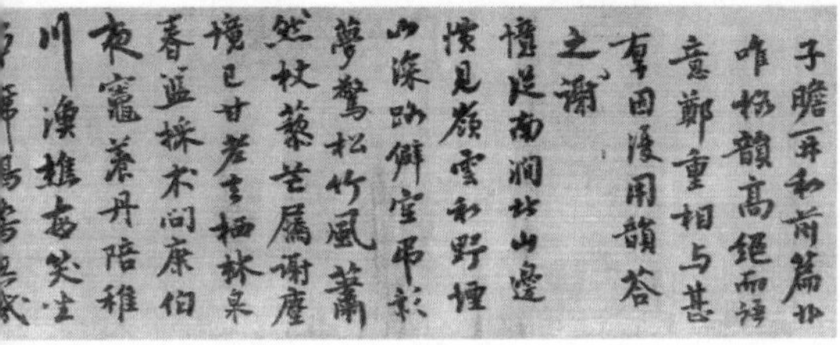

声名籍甚的李成画派，自李宗成、翟院深、许道宁而后，宗尚李成而卓然成家的，是郭熙与王诜。李成的画派，虽文献有所载述，而他的画笔，已是“无可奈何花落去”，没有可信的片纸半幅流传于世，仅有简籍的记述，而无作品相引证，终是指顾茫然，徬徨无倚。不仅李成自己的画笔不可见，即李宗成、翟院深、许道宁的画笔，或者可以从中得到李成的一消半息的也都不可复见。世传许道宁有一卷《秋江渔艇图》，从前北京都称它为《高头渔父图》的，它的风貌，如《图绘宝鉴》所描述：“至中年脱去旧学，稍自检束，行笔简易，风度益著，峰头直皴而下，林木劲硬，自成一家体。”《秋江渔艇图》的风貌比较粗犷简易，不是秀气可掬的格调。与《图绘宝鉴》所叙说的颇有相合处，所以文同题他的《寒林》诗：“许生虽学李营丘，墨路纵横多自出。”可知与李成的风貌和情意，已有一定的距离，墨路变了，也导致了形体的变更，看来李成的面目，难于在此中寻觅了。

绘画所讲求的，主要在风格。这从一家的画笔，一图的整体，都从它的风格来看，而这一种风格到那一种风格，又主要出于它的渊源和它所从渊源中来的自我发抒。因此风格来自它整体的表现技法，而技法是用笔的成果。传统所称说的“用笔”，或者“笔墨”，所谓笔精墨润，笔情墨趣，都是特殊的毛笔所能起的无穷变幻。描绘技法正是从此而来，风格又从此中产生，这正是绘画艺术的行程与规律。

以论郭与王的异同，郭的用笔，是壮健，气势雄厚。它的特征是圆笔中锋而富于凝重。王的用笔，是爽利，气格俊俏，特别显露着圆笔尖锋的特性。这是两人的根本分野。至于铺陈习性和描绘形体以及墨法这些方面，两人不免有相通之处。

惟一可以证实这一点的是《溪山秋霁图》。这一图是历见著录的传世名迹。很有趣，从元代倪瓒、柯九思到明代文嘉、王穉登、董其昌等这些历史上著名的书画家、鉴赏家所一致推崇为郭熙的妙笔。但是试从如上所论列的绘画艺术规律，试从所有郭熙的画笔来与这卷《溪山秋霁图》相检校，可以发现它与郭熙从笔墨到风格是截然不同的别一风貌。若从王诜的画本如水墨的《烟江叠嶂图》、《渔村小雪图》相提并论，就显然看出它们之间的共同一致的习性。

问题就在于此，元明以来所以会产生这种误解，正在于铺陈习性，描绘形体之间的这些因素，而没有注意到它的内在涵蕴，使元明的鉴赏家们目迷于外象，从而把王诜认成郭熙了。

郭熙与王诜，在他们的绘画中，与许道宁的《秋江渔艇图》更无共同之处。赫然的“文”派宗师李成，源泉已涸，而流波未泯。从郭与王的体制中或许还有一些渊源习性之可寻，令人得以遐想风流！

郭思画记：宋徽宗说郭熙“全是李成”。米芾称说王诜的着色与水墨，“皆李成法”。说明两人的共同之处是李成。

据《图画见闻志》：“夫气象萧疏，烟林清旷，毫锋颖脱，墨法精微者，营丘之制也。”又说：“烟林平远之妙，始自营丘，画松叶谓之攒针，笔不染淡，自有荣茂之色。”

在郭熙的画笔中，只有《山村图》比较暴露笔的尖锋，其他的用笔，不是“颖脱”的情势。但《山村图》的笔锋虽较尖，但也不是爽劲俊俏而是温和的情调。而王诜的笔势，真所谓“毫锋颖脱”。又王诜《渔村小雪图》中的松叶，真所谓“如攒针”。在王诜的画笔中，这应该都是李成的消息。郭与王的画松，尽管用笔有二，但体貌习性是相类的，整个的“气象”，也是相类的。在总的看来，王洗之于李成，较之郭熙似更要亲切些。

有一幅历来认为无名氏的宋人画《岷山晴雪图》，试从它的风貌习性，从外象到内蕴，来辨证析疑，与《溪山秋霁图》正相反，却是出于郭熙的手笔。

绘画表达在于技法，技法产生于笔，从笔的势，笔的态，笔的情而来的技法习性，所达成的艺术形体，以之尚论世推为郭熙画第一的《早春图》，试与《岷山晴雪图》相比并，可以看出两图突出于一手。自然，以论两图之高下，《早春图》比之《岷山晴雪图》为胜，但这与是与非是两回事。

这本集子，所以把郭熙、王诜合为一册，因为起着绝大影响的李成以来，画派的分宗，自前期的李、翟、许而后，至北宋后期，正是郭熙与王诜为殿军。当宋度南，峰回路转，李唐豪纵的画派，开创前所未有的风格，风靡了南宋一代。到元初，赵孟頫起来力挽狂澜，他很不满意于他的近世——南宋，宗尚唐与北宋为绘画艺术的主导。郭熙与王诜的体格，也反应在赵的《重江叠嶂图》中。元黄公望《写山水诀》称："近代作画，多作董源、李成二家笔法。"可以看出赵孟頫的影响所及，南宋李唐所开的画风，已经为士大夫画派所唾弃。当时如曹云西、朱德润、唐棣等，无不在郭、李的这种风气围绕中翱翔。李成画派，至郭、王为止，赵孟頫起了存亡绝续的作用。

郭熙与王诜，问其源，既同出于一家。现尚所能见到他二人的作品，可以说都收在这本集子里，这是无可奈何的，虽少，但已经算是得窥全豹了。它不仅将为爱好绘画艺术者的鉴赏与借鉴，还将有助于绘画史的研究，提供原作例证。

郭熙《林泉高致》的刻本，俱无郭思所附画记，仅见于明正德写本，此为傅熹年先生所抄示，并此志谢！

赵佶 《瑞鹤图》 局部

《宋徽宗赵佶全集》序

当五季与北宋后期，有两位大文学艺术家，一是南唐后主李煜，一是北宋徽宗赵佶。这两位在当时身为帝王，一是见灭于宋，一是被金人掳去。

这位大文学家李煜，当他永别他的江南往北宋汴京时，曾赋过一阙《破阵子》词，词写道：

四十年来家国，三千里地山河，凤阁龙楼连霄汉，玉树琼枝作烟萝，几曾识干戈。

一旦归为臣虏，沈腰潘鬓消磨，最是仓皇辞庙日，教坊犹奏别离歌，垂泪对宫娥。

北宋苏东坡读到他这首回肠荡气的词时，有些反感，他说："后主既为樊若水所卖，举国与人，故当恸哭于九庙之外，谢其民而后行，顾乃挥泪宫娥，听教坊离曲哉！"

而赵佶被金人掳去，在北行舟中，不胜悲伤地低吟着"孟婆，孟婆，你做些方便，吹过船儿倒转。"他的这种伤感懦弱的心怀，形于歌咏者，几百余首。亡国的下场，被掳的身世，所余的只是这些悲鸣了。

消沉的亡国之君，本无可足道，然而在文学艺术史上，为人所称说不休的，李煜的词，赵佶的书画，这二人都是承先启后，划时代开派的宗师，所以获得后人的称说不休，正不在彼而在此。

从文学史而言，李煜自有他的崇高地位，而这里所要论列的，则是绘画史上的赵佶。

从绘画史来论证赵佶，将是不朽的光辉一页，尤其，他于花鸟画，精巧深微，天机盎然。苏东坡尝论证"士人画"与"画工画"的分野在于："观士人画如阅天下马，取其意气所到；仍若画工，往往只取鞭策皮毛槽枥刍秣，无一点俊发，看数尺许便倦。"

苏东坡的论证是绘画不在于形似而在于神，这无疑是对的。绘画不讲形象的神而单求形象的似，这不是"士人画"，而是"画工画"。正在于具形而不具神，但不是不要形似而单讲神。"皮之不存，毛将焉附"。神正是要从对象的形上表现出来。

赵佶的花鸟画，工细入微，然而是形神兼全的艺术妙境。使东坡复生，也不能斥之为画工，而要推许为士人画了。

当五代，花鸟画的主力在蜀与南唐，是新兴的阶段。蜀的代表为黄筌，而南唐是徐熙。当北宋开国后，建立起《翰林图画院》，图画院的风尚以黄筌的画派为主。他的表现形体是细笔轻色，号称写生。而南唐徐熙是落墨为格，杂彩副之的"落墨法"，也是写生，然而这一画派，没有被当时图画院所接受。徐熙之孙徐崇嗣，想进图画院，图画院审查他的画笔，认为"粗野"而被摈弃了。徐崇嗣无可奈何，舍弃了他的家传画格，改而为接近于黄筌的描绘形式。这才被通过，进入了图画院。

北宋有句谚语："黄家富贵，徐熙野逸。"黄家已被图画院奉为绘画艺术的典范，而"徐熙野逸"的落墨画派，遂成"广陵散"。

北宋花鸟画，自黄家而后，史称至天圣、熙宁数十年间，演而为崔白、吴元瑜，再越三十年至赵佶之世，已从朴实真诚之趣，变而为精微灵动。黄筌号称写生，崔白、吴元瑜也是写生，赵佶也是写生，都出于写生，而艺术风调之变易，又飞越了一程。赵佶曾对他的臣下说："朕万机余暇，惟好画耳。"南宋邓椿称说他"艺精于神"、"妙体众形，兼备六法，独于翎毛尤为注意"。

赵佶的画笔，从上面的这些论述，来查核今所流传的作品，不论是人物、山水、花鸟，还有多幅，令人可以亲接他的艺术流风。然而，今天所能亲见他艺术的风貌，是多样的，而文字的记载，还有些不同的传说，即传世的这些画笔，是否都是出于赵佶亲手？久已成为一个议论的焦点。

有如下这些记载：

宋蔡绦《铁围山丛谈》："……独丹青以上皇（赵佶）自擅其神逸，故凡名手多入内供奉，代御染写，是以无闻焉尔。"

这是说，当时所有名手，都是为赵佶代笔作画，所以连这些名手的名姓，都没有听说过。

元汤垕《画鉴》："……《宣和睿览集》累至数百及千余册，度其万机之余，安得暇至于此。要是当时画院诸人，仿效其作，特题印之耳。然徽宗亲作者，自可望而识之。"

元王恽题《宋徽宗石榴图》诗："……写生若论丹青妙，金马门前待诏才。"

汤垕、王恽都是说赵佶的画，大都不是他自己画的，赵佶只是在画上加以自己的题印而已。

如上所引，不是说赵佶不精于绘事，而是大有捉刀人在。这与蔡绦所说的"代御染写"故一时名手连姓名都被埋没了的说法是一致的。

至于赵佶自己画笔的渊源所自，《铁围山丛谈》又记："……时亦就端邸内知客吴元瑜弄丹青，元瑜者，画学崔白，书学薛稷而青出于蓝者也。后人不知，往往谓祐陵（赵佶）画本崔白，书学薛稷，凡斯失其源派矣。"

蔡绦是蔡京之子，与赵佶同时，当有许多亲见与亲闻。汤垕等都后了一代，似乎蔡绦的叙说，应该是可信的了。

研究赵佶的画笔，文字记载固然应当重视，但从他画笔的本身而言，在于今日所流传的作品中，一、它的有些创作时期，迷茫难考。二、笔的习性风貌不一，而这不一的习性风貌，也仍然迷茫哪一习性，哪一风貌是出于他哪一时期所创作。看来这便是引起“代御染写”的传说了。

但是赵佶的画笔，不论是他哪一个时期，它的风貌，不止只有一种，不是“代御染写”而确是亲笔。

崔白《双喜图》局部

如《竹禽图》、《柳鸦芦雁图》，柳是粗笔的，坡石与草也是粗笔的，以论笔势纯然一致出于一手，从这些笔势一致的坡石与柳、草，就不能如蔡绦所说与崔白毫无渊源关系。这不可以随便立说，崔白的画笔，著名的《双喜图》今天还流传于世，可以辨认其间笔性情致的连贯性。

从这一角度来看，上列二图，辨明它确是出于赵佶亲手。

从这两卷的柳鸦与芦雁、竹与禽，从内在到外形，有粗放与拙重之不同，也有质朴与细巧之别。柳粗放而鸦拙重，芦雁是拙重的双勾描笔，而竹是精工，禽细巧。至于坡石、草，《柳鸦》与《芦雁》中的是一致的，而《芦雁》中的蓼花，又与《竹禽图》中竹枝的表现技法是一致的。从这两图而论，可以体会赵佶的画，既不是仅有一种笔势，也不是单纯的一种，从而产生了多样的体貌。若论它的创作时期，或者可以说是他的前期之作。

《御鹰图》，论它的艺术描绘，双勾谨细，毛羽洒然，形体生动而自然。鹰眼的神姿，尤为英发，显示着一种威猛之气。而艺术的格调，却是清新文雅，绝去了粗犷率野的情味。尽管双勾是历来的表现形式，而这种新颖的画风，是形神兼备的高妙写生，与崔白显示了一定的距离了。此图纪年为政和甲午（1114年），为政和四年，是时赵佶之年为33岁，是中期之笔了。

《金英秋禽图》却是又一种体制的描写，是一种雍容高雅的骨体。特别要提出的是一双喜鹊，笔与墨是细致的，但用的是俊放的笔势。所谓细致是指它无微不至的写生。以俊放的笔来表达细致的写生，可以说神妙直到秋毫颠了。后面的两只秋禽，则不用俊放的笔调，而是以工细的笔来作无微不至的描写。两禽的呼应，前后的神情，令人体会到在这寂静的秋园中野趣活泼的情景。不是对野禽动态的精深体会，岂能得此高妙的艺术风采。唐王维诗："山林吾丧我。"正是对景物到了"吾丧我"的境地，而后勃然发之于毫端的。至于坡石和双勾的草，则仍是从崔白而来，迹象表明正是从此中演变而形成自己的习性的。

《枇杷山鸟》全用的墨笔，也是赵佶的真笔。除鸟与蝶之外，纯是没骨法，它所散发的一种静穆的墨气，为北宋所独有。据历来的叙说，没骨法为徐崇嗣所创始，是着色的，但今天已见不到有他的一笔存世。赵佶的这一表现，与徐崇嗣的画派，有怎样的关系，已苦无足证。但说是赵佶画笔的性格、情意，则盎然于绢素之上，可以说是赵佶的别调。而蝶，与《金英秋禽图》中的是步趋一致的。此盖为其中后期之笔。

《图绘宝鉴》记：赵佶"尤擅墨花石，作墨竹紧细不分浓淡，一色焦墨，从密处微露白道，自成一家，不蹈袭古人轨辙"。现在传有赵佶的墨笔花鸟，除《枇杷山鸟》而外，尚有《四禽图卷》、《写生珍禽图卷》。《四禽图》为四段，《写生珍禽图》有12段，其中有竹的《四禽图》有一段，《写生珍禽图》有四段，都是撇出的形体，全用焦墨，不分浓淡，竹叶的交加处，都空一白道，使两叶错杂不相混。正是如《图绘宝鉴》所叙说的，"密处微露白道"。竹的细枝，形体大似崔白《双喜图》中的竹枝，只不过不是双勾而已。大抵崔的笔势强劲，而赵佶秀挺。艺术的风采，从某一传统来，从而表现自己的情调。物体不变，同是写生，又各自发抒自己的艺术个性，中间夹着一些带有来历的迹象，这便是创作。借鉴、生活、创作，从文学、艺术而言，是自始至终贯串在其中的。《南宋馆阁续录》记：写生墨画17幅，宣和乙巳仲春赐周淮，16字。可能《四禽图卷》，抑《写生珍禽图卷》，正是赐周淮十七幅中所散失。两者笔墨一致，情调一致，显然是同一时期所作。宣和乙巳（1125年）为宣和七年，时赵佶44岁，明年丙午，即为钦宗靖康元年，是《四禽图卷》、《写生珍禽图卷》或并为赵佶被掳前二年之笔，亦显示其风调与其中期之作有所不同。

《祥龙石图卷》，为湖石写生，玲珑奇崛，表现瘦皱透的清姿，情趣盎然。《瑞鹤图卷》，群鹤翻飞，姿态百变，无有同者，翱翔生动，笔调精英，各极其态。以鹤之大，演而为小，演而为飞翔的一群，而又灵动如生，描写的功夫，从形而入于神。以论绘事，是尤为难能的。其下所写宫殿，或谓其非赵佶之所能为，其实细笔繁琐之图，俱先打稿，即所谓“粉本”，此图所作宫殿，也必有粉本，即飞翔之群鹤，也非有粉本不可。若以为非赵佶所能写，凭此悬想，恐非实事求是之道。而《六鹤图》与《瑞鹤图》的鹤，两者画格是如出一辙的。

《杏花鹦鹉图卷》，色彩艳绝，细笔温婉俊俏，描写入微，真可谓写生绝调。上列《祥龙石图卷》、《瑞鹤图卷》与此图，赵佶均自题“御制御画并书”。《瑞鹤图》并有纪年，为写政和壬辰上元之次夕所见，则此图创作之时，当不会与所记月日相距太远。壬辰为政和二年（1112），时

赵佶　《祥龙石图》

赵佶31岁，以视《御鹰图》又前二年。

此三图以画前后尚有题语并诗，所以题“御制御画并书”。御制是指文字，如《金英秋禽图》、《御鹰图》只题“御笔写”。以画上无诗文题语，亦有仅署“天下一人”花押，如《枇杷山鸟》、《竹禽图》等。而《柳鸦芦雁图卷》所签之押，颇疑为后来所勾填上者，或原未签押，或当时尚不止此两段，其题款在另一段上，殊不可知。而《四禽图》、《写生珍禽图》，并无题款，此二卷决非全璧可知。

赵佶曾画山水四卷，写四时景色。传世仅存其冬景一卷《雪江归棹图》，皴笔俱用剔括及短条子，形体严谨苍劲而气势纵放。它的习性，与《柳鸦芦雁图》、《竹禽图》、《金英秋禽图》等图中的坡石一同。赵佶传世的山水画真笔仅存此一卷，后有蔡京题，纪年为“大观庚寅季春朔”，庚寅为大观四年（1110），这时赵佶年仅29岁。而此图之成，或又在蔡京题前。可笑的是明董其昌，对这一图的论证，硬说不是赵佶而是唐王维的手笔，始终对唐与宋的时代风格也混淆不清。

《芙蓉锦鸡图》与《蜡梅山禽图》虽有赵佶题诗与签押，并为赵佶传世名作，然而这两件名作，却值得提出问题了。那停在芙蓉上的锦鸡与并栖在梅枝上的白头鸟，我们看不出与上列赵佶亲笔的笔情墨意，其中含蕴着共同之处，这些只能说是追随赵佶的格调，是无可逃遁的。《芙蓉锦鸡图》下面的菊花，看来正是以《金英秋禽图》中的菊花为蓝本的。格调虽同，而笔致风度迥异，这是从两者艺术性格、艺术高低得出这样的评鉴。不仅如上所论列，即在文字记载上，也可以得出如上所评鉴的明证。如《南宋馆阁续录》记：“庆元五年十一月，秘书监杨王休札子：契勘本省见有图画，除准御前降下收藏……窃虑久后有换易之弊，欲乞从朝廷指挥，许会本省编定日本，赴都堂请印，庶几他日可以稽考。朝旨从之。”当时御府续行降付，为187轴，其中有两项，一项为徽宗“御画”14轴、一册。一项为徽宗“御题画”31轴、一册。在御题画一项中，《芙蓉锦鸡图》与《香梅山白头图》（按即《蜡梅山禽图》）二图，赫然在内。何以认为即上述传世的这两图呢？因为《南宋馆阁续录》记这两图，并把赵佶的题诗署款，一并记录了下来，与传世的两图上所题的是一致的。可见在南宋御府中，这两图是定为无名氏的御题画。这里也证明御题画与“代御染写”纯然是两回事。

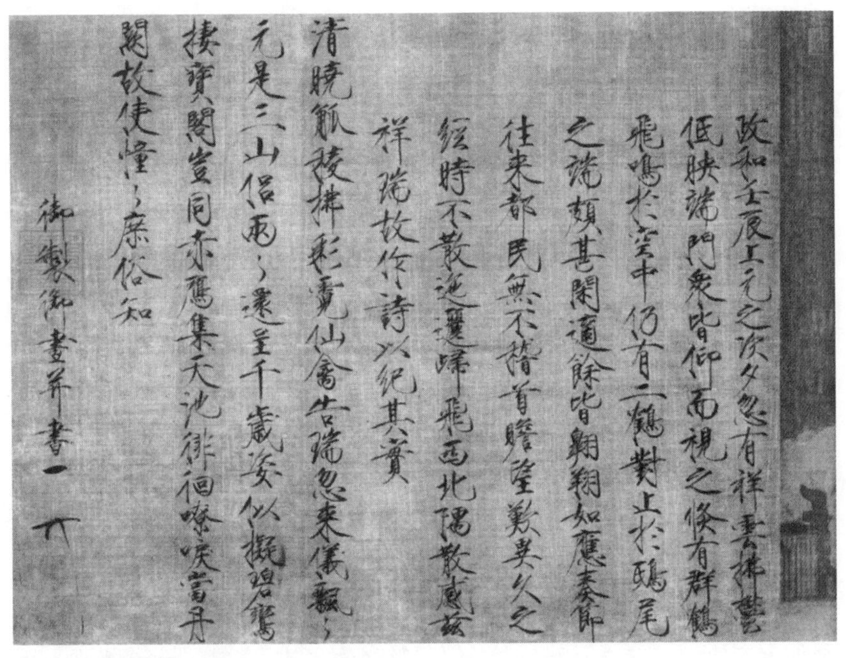

赵佶 《瑞鹤图》 局部

《听琴图》与《文会图》那些人物与竹木等等，也与赵佶的亲笔有异，情况与上列的两幅御题画相等，这是从艺术角度的评鉴。

此外还可以证明这一点，《听琴图》与《文会图》上面都有蔡京题诗，《听琴图》题在画上面正中，清胡敬曾大骂蔡京，说是敢于在皇帝御笔上中正题诗，是“肆无忌惮”，而《文会图》，蔡京题诗在画的左上面，赵佶的题诗，在画的右上面，两题遥遥相对，蔡京只是依韵和赵佶的诗，赵佶题的第一行是：“题《文会图》”，接着是诗，诗的末两句为“多士作新知入彀，画图犹喜见文雄”。令人想到《文会图》如果为赵佶亲笔所画，怎么能用“画图犹喜见文雄”这样的语气呢？蔡京的诗，也只是颂扬宋朝统治的光明，绝无一字涉及皇帝陛下的妙笔。这能说是“代御染写”之作吗？赵佶与蔡京分明只是题这一幅画而已。《听琴图》的蔡京的诗，也只是形容画中的情景。而《御鹰图》、《雪江归棹图》上蔡京也都有题，情况就完全不同了，却是左一个“皇帝陛下丹青妙笔，德动天地，仁及飞走……神笔之妙，无以复加”。右一个“皇帝陛下以丹青妙笔……盖神智与造化等也”。何以对《听琴图》、《文会图》的题，却无一字提到皇帝陛下的丹青妙笔呢？（前曾写《宋徽宗〈听琴图〉和他的真笔问题》一文，收在《鉴余杂稿》中）可见《听琴图》与《文会图》，均非赵佶所画，也都是御题画而已。

上列的《芙蓉锦鸡图》、《蜡梅山禽图》、《听琴图》、《文会图》既已证明都不是赵佶所作，只是御题画，并不是如蔡绦所说的“代御染写”之作，那么，赵佶因何在题字时不题出作者的名氏？而《南宋馆阁续录》御题画一项中，有些却都题作者的名氏，直到与他同时的吴元瑜。

有一个推想，这些画绝非“代御染写”，事实上赵佶的画并没有“代御染写”之作。那么，这些不提作者名氏的御题画，看来都是“三舍”学生的创作，或者是每月考试的作品，被赵佶入选了，才在画上为之题字。这已经是显示了皇帝的恩宠。然而，被人说成是“代御染写”，这是这位善画的皇帝尊严，始料所不及的吧！

大体赵佶的艺术主旨，追求的在于写生，笔致秀挺温婉，形象俊俏生动。虽然也有雄健的格调，如《柳鸦芦雁图》，但大多数的创作，都是如上所论证的主旨从事描绘，以气韵奠定艺术高峰。那些御题画，正是缺乏这方面的深入成就，但已经不容易了，在北宋，不能数一，也是数二的高品。这些学生，努力追随赵佶的表现形式，必然要下一等。上列传世的那几幅御题画，都可以看出这方面的弱点。

赵佶即位以后，对图画院开始了一系列的改革。

之前，据《宋会要辑稿》所记：神宗“熙宁二年（1069）十一月三日，翰林图画院祗候杜用德等言，待诏等本不递迁，欲乞将本院学生四十人，立定第一等、第二等各十人为额，所有祗候，亦乞将今来四人为额，候有缺于学生内拨填。其艺学原额六人，今后有缺，亦于祗候内拨填。已曾蒙许立定为额，今后有缺，理为递迁，后来本院不以艺业高低，

赵佶　雪江归棹图

只以资次挨排，无以激劝，乞自今将元额本院待诏以下至学生等，有缺即于依次等第内拣试艺业高低，进呈取旨，充填人额，续定夺到拣试规矩，每预令供报所工科目。各给与印绢口子，今待诏等供到名件，点定一般监试画造至了当，即待诏等定夺高下差错去处多少，即合与不合格式，编类等第。从之”。

至徽宗崇宁变了。《宋会要辑稿》又记：“徽宗崇宁三年六月十一日，都省言：‘窃以书用于世……朝廷图绘神象，与书一体，令附书学，为之校试约束，谨修成书画学敕令格式一部，冠以崇宁国子监为名。’从之。”

把书画学属到国子监去了。《续资治通鉴长编拾补》记：崇宁五年正月丁巳，“诏：书、画、算、医四学并罢，更不修盖，书画学于国子监擗截屋宇充，每学置博士各一员，生员各以三十为额”。原来，崇宁三年定的算学学生员，命官子弟及庶人为之，公私试三舍法，略加太学上舍三等。到大观四年以算学生归之太史局，并书学生入翰林书艺局。画学生入翰林图画局。原来的算学生是命官与庶人为之。在书画学，则分士流、杂流。乞愿入学者三舍补试。所谓三舍，即上述之太学上舍三等，名为内舍、外舍、上舍。所谓士流与杂流，即朝官之子弟及无出身的庶人。到大观元年，所分之三舍，上舍为五十人，内舍十人，其外舍止各十人。据《宋会要辑稿》大观元年二月十七日，诏：“书画学谕、学正、学录、学直各置一名。”至大观四年，三月庚子，诏：“书学生入翰林书艺局，画学生入翰林图画局。”

至于画学谕、学正、学录、学直，看来，原有的博士也取消了，这些代替了以前祗候、艺学等，而且看来还要兼管行政职务，因为每一职称的各只设一人。翰林图画局，近似一所学校，是以学生为主，实为赵佶直接领导，执行的是赵佶的艺术旨意。训练学生写生与摹古，考试用一种诗句为题，来考验学生们对诗与绘画结合的所谓“诗情画意”。

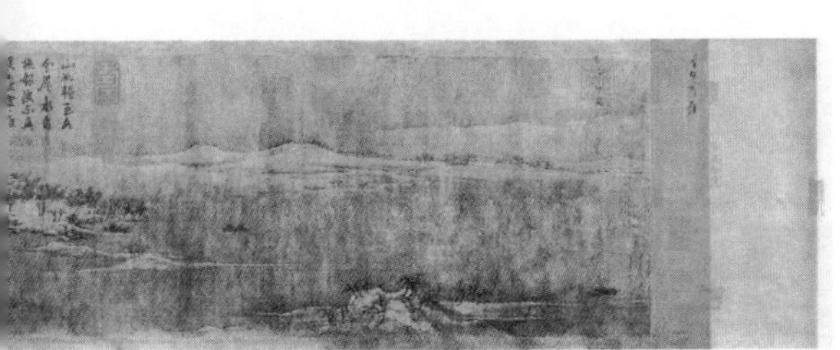

待诏、祗候、艺学，前朝有这些头衔的作家，是不是被赵佶抛在一旁，还是改组掉了，不得而知，看来已

经没有了。《图绘宝鉴》列了好几位宣和待诏，如马贲、黄忠道、苏汉臣、朱锐、李端、张浃等等，不知他的根据从何而来。史称李唐曾人宣和画院。事实上，画院之名，早已不存在，看来画院只是成了一般通称。李唐应是入的翰林图画局。没有听说他在图画局里有过如“画学谕”之类的头衔，看来也不是学生。我们不知道，当时录取学生，有无年龄限制。“云里烟村雨里滩，看之如易作之难，早知不入时人眼，多买胭脂画牡丹”。可以看出，这首诗出自李唐肺腑。一腔的牢骚，显然没有受到赵佶的重视。从而也不会受到从画学谕等到同学的重视。“多买胭脂画牡丹”，正是赵佶所领导的写生艺术主旨。皇帝老官的声势之大，是不言而喻的。邓椿《画继》有这样一段记载：“凡取画院人，不专以笔法，往往以人物为先。盖召对不时，恐被顾问，故刘益以病赘异常，虽供御画，而未得见，终身为恨也。”因而这些人的作品，尽管被赵佶所认可，题名签押，是不会再题上作者的名氏的。从上列传世的几幅“御题画”，其风格应该说都是遵循赵佶的艺术旨意的作品。在赵佶的亲自教导之下，开始一系列的写生与临古。“每旬日蒙恩出御府图轴两匣，命中贵押送院以示学人，仍责军令状，以防遗坠渍污。故一时作者，咸竭尽精力，以副上意”。《画继》的这段记载，很有意思，我们从时代艺术角度而论，韩滉《文苑图》、韩干《牧马图》虽都是赵佶所亲题，但都不是唐人的画笔，看来都是学生们责军令状之下的摹本。这两图的确是高品，那幅韩干的马，四蹄从形体到神态，灵动而有力，而衣褶已非唐人的形体，正是赵佶领导下艺术特有的风神体态。至于还有赵佶的《摹张萱捣练图》、《虢国夫人游春图》，也都不是赵佶所作。《捣练图》是金章宗题为赵佶画的，它的笔势较冗弱，殊不流畅，看来也是“责军状”之下摹笔。《虢国夫人游春图》的马的四蹄，呆滞无神，与赵佶的艺术精神殊不相类。

赵佶对写生体物非常敏锐，如“孔雀升墩”、“日中月季花”，前者遭到赵佶的批评，而后者受到“赐绯”的恩宠。这些记载，都说明赵佶对写生的严格。他不是指扬补之画的梅花是村梅吗？扬补之并不是精工细笔的写生风貌。

蔡绦说凡名手多入供奉，所以一个名氏都“无闻”。看来，蔡绦对当时的翰林图画局并不注意，所以一无所知。其实当时宋迪的犹子宋子房，工画，曾当过博士，是邓洵武所推荐的。张希颜，善画花，当过“画学谕”（见《画继》）。陈尧臣当过“画学正”（见王明清《挥麈后录》）。李唐在当时，却是“无闻”的，他煊赫的待诏之名，实始于南宋，并形成了南宋一代的画风。这时不用再去买胭脂画牡丹了。

图画局除了几名画学谕等之外，都是学生。那些御题画，如上所论列看来都出于学生的手笔。17岁的王希孟，经过赵佶的亲自教导，画出了一卷大青绿《千里江山图》的精妙巨制。赵佶在上面一个字也没有题，因为他并图画局的学生也不是。这也足以说明“御题画”的用意所有。因此说“代御染写”（即代笔）这个说法是不可靠的。

汤垕说：赵佶的亲笔画，他“自可望而识之”。但没有说明赵佶的亲笔又是什么样子，举出例子。不免有些自我吹嘘。史言混淆，因而在今日有必要加以深入的分析辨认，从他的笔势、风调、情趣，从而来认识对他的艺术心理。上述的哪些是亲笔画，哪些不是，加以推断，正是根据这些对赵佶纯客观的规律，作出论证，以补绘画史之缺。总之，赵佶的画，传世所见到的，没有一幅是“代御染写”的。从一些纪年来推算他的创作年月，以《雪江归棹图》为最早，而《四禽图》、《写生珍禽图》即从它风貌而言，已是他后期之作了。

文中所用的资料，大都是引自陈高华先生所辑《宋辽金画家史料》，并致谢忱！

王希孟 《千里江山图》 局部

沈周　绿茵亭子图

谈《明清摺扇书画集》

扇子，在中国已有很悠久的历史，汉班婕妤《咏纨扇》就有“裁为合欢扇，团团似明月”的诗句。但说的是圆形的，历来称之为团扇，这个形式一直沿用下来，不仅到南宋，依然是“团扇家家画放翁”，即在元代，风行的也仍然是团扇。在今天，我们不仅在文字里见到，从北宋、南宋到元，都还流传着书画团扇的原物。

摺扇，是摺叠扇的简称，则是外来的，据记载，其制出于高丽，在北宋时即已传入中国，苏东坡曾称道其扇“展之广尺余，合之只两指许”，然而它的原物，至今已邈不可知。直到明代，高丽国以此为礼品赠送中国，于是在永乐时，开始盛兴了起来，到宣德、弘治之际，更出现了几辈精制摺扇的名手。看来，书画家在摺扇上作书作画，使摺扇成为完整的艺术品，正是这个时期开始的。而团扇，明清以来，虽还流行，却远不如摺扇之盛了。

由于摺扇的形式特殊，因而摺扇上的书画也形成了一种特殊形式。明沈周曾有一绢本画册，先在每页界上摺扇形的线条，然后在此摺扇形中写山水。可见当时以摺扇形式为新颖的绘画表现形式，而历来的收藏家，也以收集书画摺扇为专题一类。

这里编选的摺扇书画，共150页，分为三册，明代二册，清代一册，汇为一函。其中明代的绘画为76页，法书24页，清代绘画为40页，法书10页。

在这150页的绘画法书中，所包含的明清两代各科绘画，各体法书，各个作家，各个流派，大体具备，可以概括地窥见明清两代的绘画法书的艺术风貌。

从传统画派的流衍而论，在明代前期，如谢缙、姚绶，多少还上承元代的余绪，尽管它的风貌已经变了。这应该就是摺扇盛行时期的作品。距离最早有书画的摺扇为时无几。

著名的沈、文、唐、仇，是从南宋和元四家熏沐而出。而谢时臣、钱谷、丁云鹏之与沈、文，是源与流的关系。而文嘉、文伯仁、陆师道，也是以文为依归。至于唐寅、仇英，则是南宋的继声。仇英工于细笔重色，而唐寅是从周臣上溯到南宋的，其实仇英的阔笔却也与南宋神联貌合。而后起的尤求白描，也推为一时妙手，陈道复的山水，是米派所蜕变，而更多的是劲爽清新的墨笔花卉。王谷祥、周天球、周之冕、陈元素、陈嘉言，都是陈道复的追随者。蓝瑛被称为浙派的殿军，其实宗尚他的画派者，当时在浙江就大有人在的。最负盛名的陈洪绶，他的山水、花鸟，几无不是依蓝瑛起家，即人物的某种形体，也与蓝瑛相仿佛。至于纨扇仕女，就更无法掩盖他与蓝的渊源所自。此外，特别要提出的是一些颇为罕见的作家作品，如王孟仁、李著、汪浩，画风出于南宋，笔势精细，特为清妙。至于詹和的竹枝，颇寄意于元吴镇，而谢道龄、魏居敬的树石，都与文征明的关系密切，王声则是仇英的继承者。

绘画艺术的论证，在元代，赵孟頫是大宗师。他反对他的“近世”，推崇的是唐和北宋。在他自己的艺术实践中也充分体现出这一艺术主旨，从而导致了元代一代的流风所尚。到明代又以元为宗，至明后期，则以董其昌为主导，他的南北宗之论，其实是赵孟頫的延续。董其昌画派，导引了当时的画坛直到清代。他的声势是颇为烜赫的。如当时的赵左、卞文瑜、陈继儒，无不是走董的路子。而项圣谟，董更赞叹谓与“宋人血战”，程嘉燧、李流芳、沈颢、莫是龙、倪元璐、杨文骢、程正揆，以萧散的笔墨，随意抒写胸臆，都是当时别具一格的风貌，但也不能与董其昌的宗尚脱然无所牵涉。

清初，董其昌的重南贬北之论，影响了四王恽吴，也影响到金陵八家，以及渐江等四僧。四王恽吴提倡的是北宋与元，在明代而后，就这一原则与范畴而言，不能不说是出现了新的繁荣，成为当时的主流。而站在主流之外的如梅清、渐江、髡残、朱耷、元济、孙逸、戴本孝，却打破了四王恽吴正统的表现形式，各自确立了自己的门户。然而他们的艺术观点，艺术主张，却与主流派毫无二致。渐江出于倪瓒，髡残出于黄公望、王蒙。而元济的先导也是倪瓒，提起元人，他是五体投地的。最有趣的是朱耷，一生服膺董其昌，好董其昌之所好，临摹董其昌的画本，曾付出了不少精力。然而，从他所产生的风格情调看，与董其昌却又如此地天南地北。至于梅清与元济，情意相近，梅比元济要大十余岁，看来他们两人是相互影响的。孙逸近于渐江，而戴本孝的焦墨乾笔，与垢道人是异曲同工，这都是世称的安徽流派。在南京，樊圻、龚贤、吴宏、叶欣、高岑、胡慥，号称金陵八家的这里居其六，山水清音，格高气爽。而龚贤以层叠墨痕，创为新调，他自诩是前无古人。张风的体貌，疏旷散逸，才调清绝；他也在南京而自立于八家之外。王铎的书名掩盖了他的画笔，流传下来的也远比书法为少，然而，他的画笔并不是属于一般文人雅士的游戏笔墨，对北宋画派，他确实下过工夫，从他稀少的画笔中，可以看出他对绘事的三折肱。号称扬州八怪的名家，推崇的是元济、朱耷。李鱓奉命拜蒋廷锡为师，郑燮自称是“青藤门下牛马走”，表示了他们的宗尚。然而，他们的画派，与他们所揭举的典范，有的痕迹稀微，有的是烟空云散。康熙而后，山水一派，半是四王的余波，而八怪精工花竹禽鸟，以奔放的格调，独立于扬州，异军突起的是江都人袁江，工写楼阁，山水号称学宋人，却是前无古人的新颖体制。这一画派，他的从子袁耀可谓同声相应，然自此已无继起，遂绝响于乾隆之后。

笔墨，是书与画的共同特性，说书画同源，正是指的这一点。唐代《历代名画记》的作者张彦远就曾说过："故善画者必善书。"但也不是绝对的，有些善画者却与书法无缘，而有些善书者于绘事也是远隔蓬山。因而号称书法，有的是退笔成冢，池水尽墨，穷年白首以善书为能事。而有的"挥毫落纸如云烟"，是文人学士诗酒高会的逸兴遄飞。

专工书法的祝允明、丰坊、王宠、邢侗、张瑞图，这些都是名震一时的书坛巨擘。他们兼擅各体，宗尚的是晋、唐、宋。王鏊生冷拙峭的体态，吴宽一手苏东坡，而高唱以汉、唐为宗的诗文学家李梦阳，质朴天真，对它的欣赏，是书法也超乎书法之外的。陆深出于赵孟頫，多少还有点师承的蛛丝马迹可寻，而狂草纵横驰骤，几使祝允明退避三舍。沈周、文徵明、唐寅以画负高名。但沈、文祖述黄山谷，而文的行草书，却是刚健的情采，唐寅是唐宋颜、苏的流衍。徐渭以米芾为宗，演为颠张狂素，自诩书法在自己的画笔之上。董其昌下笔追晋唐，正行草书，风靡了大江南北。倪元璐的格调奇崛，是一种高妙的新创。傅山行草兼工，朱耷、陈洪绶各以行书自立规范。金农漆书，可谓前无古人。郑燮隶正混一的书体，是他的奇思妙制。约略所举的专工书法或书画并擅的这些作家，继宋元而后，追风沿波，可以窥见他们的师承和宗尚，从而发为各自的体态，形成了明清两代的时代风貌。也正是在摺扇上的特殊风采。

梁楷 《八高僧故事图》 局部

《梁楷全集》序

人物画到北宋，从绘画史看，是新兴的一个阶段。南宋，又是一个阶段。

追溯到更前一阶段，唐人以吴道子集大成而为格式，并奉为典范，而北宋的赫然巨擘李公麟，其出身也是吴道子。乃至武宗元，米芾笑他把吴当作教条。李公麟虽卓然独立，自创门户，米芾还是说他对吴“终不能去其气”。

唐宋之际，画图百派，渊源兴废，“吴带当风”邈然渐祧。从而“终不能去其气”的李公麟，又成了他后来的典范。追随李的贾师古，不意导引了南宋梁楷画派的形成。

诚然，一个画派的确立，从来没有不进入它的传统艺术渊源，然后突破出来，决非纯从凭空幻想、闭户造车所能产生的。

传统绘画，特别讲求的是用笔，以此作为绘画艺术的生命线。唐张彦远《历代名画记》写道："夫象物必在于形似，形似须全其骨气，骨气形似，皆本于立意而归乎用笔。"这是张彦远对南齐谢赫的"六法"所阐发的论证。

"六法"第一条是"气韵生动"，第二条是"骨法用笔"。张彦远申说道：画要能"移其形似而尚其骨气，以形似之外求其画"，"纵得形似，而气韵不生，以气韵求其画，则形似在其间矣"，"若气韵不周，空陈形似，笔力未遒？空擅赋彩，谓非妙也"。这里所说的"骨气"就是"六法'所指的"骨法"，"笔力"就是"六法"所指的"用笔"。

"六法"提出的"用笔"，所指应该是粗细一致的线条。因为，在谢赫之世，绘画通过笔所表现的一切，还只是单纯的粗细一致的线条作为唯一的手段。而在当时提出这一系列的论证，就付与粗细一致的线条——用笔——以沉重的负荷，严肃的使命。因而以线条所描绘的形象，仅仅形似了是不够的，它的主要之点还在于"骨法"。

所谓"骨法"即描绘形象所用的笔，如何使遒炼精妙的线条——笔——来表现形象，为形象奠定它的艺术基础。从而使形象产生特殊的艺术性——"移其形似"。这就是所谓"骨法"，亦即张彦远所尚论的"骨气"。因而他说："移其形似而尚其骨气，以形似之外求其画。"这里所指的"画"即笔所描绘的形似之外的形象艺术性，以"尚其骨气"。用笔不精妙，也可以获得形似，而这种形似，就是没有"骨气"，也就不可能产生"气韵"，更谈不上"生动"，是没有艺术性，不能称之为"画"。

这一论证，是传统绘画的主要之点，也为历来的作家所奉为规范的。今天所见到的从汉代到宋及宋以后的画，无不是遵循这一法则，从而升腾幻化的。

绘画发展到南宋，梁楷异军突起，他无所不能，特别是人物画，开创了前所未有的风貌。

历史对梁楷的叙说很少，比较具体一些的是元夏文彦的《图绘宝鉴》。说梁楷是东平相义之后，南宋高宗赵构绍兴时画院待诏贾师古是他的师门，工于人物、山水、道释鬼神，超过了他的老师。南宋宁宗赵扩嘉泰年间（1201—1204）曾诏他为画院待诏，并赐了金带，但他没有接受，把金带挂在院内离去了，以纵酒为乐，号曰梁风子。当时画院中人见到他的画笔，是无不敬伏的。夏文彦说，梁楷传世的画，“皆草草，谓之减笔”。梁楷的《羲之观鹅图》明初宋濂有一跋，他说：“或者但知笔势遒劲为良画师，且又谓其师法李公麟，误矣。”

夏与宋所见到的梁楷画笔，既与李公麟截然殊途，说他师法李公麟，自不能为夏、宋所承认。而梁楷老师贾师古却是师法李公麟的，可惜已没有画笔传世。《严氏书画记》里有一条：“贾师古《归去来图》一，笔法古雅，绢素精好，殊可爱玩，亦自龙眠翻出，宋绢中之不易得者。”

梁楷是否受到李公麟的影响；又如何形成他自己的画派，必然有他的艺术历程。新生与旧习，是代谢的。从亲密始，以疏远终，这是规律。梁楷传世的作品，在今天人们的心目中，确也如宋濂一致，说他与李公麟会有什么瓜葛，将是不可思议。

这位“风子”很幸运，一卷细笔白描《黄庭经神像图》还幸存于世。惜冷落少为人知。梁楷画派的渊源，将从此得以分明。此卷有两家著录，一见于《吴其贞书画记》，再见于张丑《真迹日录》。

贾师古师法李公麟，梁楷正是李的再传弟子。这一卷的艺术描绘、繁密的铺陈、谨严的骨体，精劲的白描、过多的自己个性，却透露着师承形迹，探本溯源，能说不是李公麟、贾师古的一家眷属？导引心源的是李与贾，而抒发心源的是才情，这一卷精工白描的巨制，透漏了来龙。九转丹还，奔腾幻化，变而为豪放，减笔，显示了去脉。没有见到过这一种形体的，自不可能想象后来会转到如此地放浪不羁，绝去畦径，而单单见到他的后来，就不免起宋濂“误矣”之叹！一个画派的形成，如此的剧变是足以使人惊奇的！

以梁楷传世的真笔而论，《八高僧故事》、《出山释迦》，与《破经》、《截竹》两图，骨体豪纵，但还不是“减笔”。而前两图又较后两图工整。从流派的演变而言，《八高僧故事》、《出山释迦》、《破经》、《截竹》，乃至《泽畔行吟》、《雪山猎骑》等等，都尚未脱去固有的形体，而“减笔”才是突变的新创。

传世梁楷的画笔，《黄庭经神像图》是细笔白描。《八高僧故事》、《出山释迦》、《破经》、《截竹》等等，是一种形体，差异仅在谨饬与烂漫之不同，《李白行吟》、《寒山拾得》即所谓之“减笔”。然两者的“骨法”、“用笔”又各有异。《李白行吟》，概括的幅度特别大。《寒山拾得》则粗、细兼施，使形象特别显得神采飞动。两肩只是遒劲简括一笔而过。这两痕墨线，完成了“形”，也达到了“神”。而衣领是用圆浑的破笔直下作两大点，可以想见，梁楷下笔的时候，一种新奇的“立意”正在于强烈地表现它的不被着意的部分。下来到衣袖至袍子的下垂，笔的放浪，墨的淋漓，纵横扫荡，与两肩的笔势，谨饬与纵逸，联为一体。抒发着笔墨的浩然英气，流露出游刃有余的表现神通。令人起一种新奇的艺术感受。

而《泼墨仙人》又演变到越出以线条为主的藩篱。除面目而外，纯然是一片壮阔的笔墨波澜，而仍然准确地掌握了要表现的曲折内容。真所谓“移其形似而全其骨气”，“以形似之外求其画”。这一

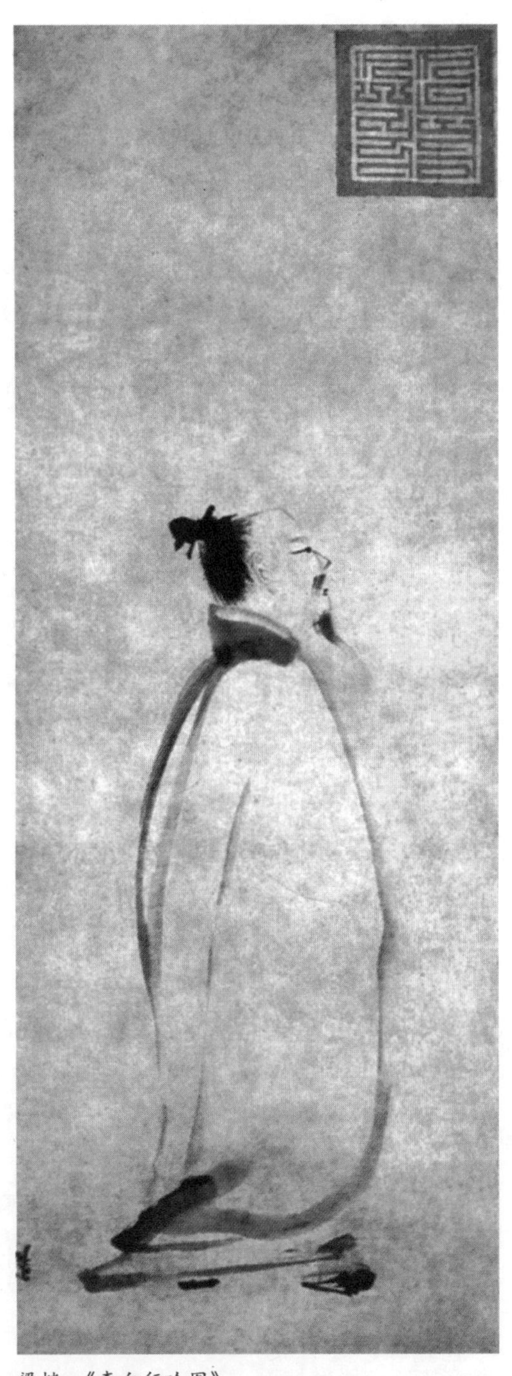

梁楷　《李白行吟图》

笔墨的表达又飞向减笔而外的奇妙境界，是减笔的又一体。真可谓“神妙直到秋毫颠”了！

《布袋和尚》，不完全是减笔，但又与《八高僧故事》等的形体有别，其艺术情思，与减笔是近似的。以上所剖析的，是指他的风貌，归纳他的各别形体，若从他的画腊而言，他变迁的行程，以《黄庭经神像》为最早，然后是《八高僧故事》、《出山释迦》、《雪山猎骑》、《秋芦飞鹜》等等，而减笔如《李白行吟》、《寒山拾得》、《泼墨仙人》，正是紧接着《八高僧故事》等这一风格之后所形成，显示着精力弥满，才气横溢，下笔不能自休的情意，跃然纸上，而《祖师图》之《破经》、《截竹》与《布袋和尚》，虽不是减笔，则风华顿减，浑朴之气盎然，已是他后期的作品。从以上传世的十七图，可以看出其间先后是如此。

梁楷的造诣，这一令人惊绝的新奇创造，从它的传统中来，“立意”的升华，又到了超越传统的艺术境地卓然自立。从“六法”到张彦远的论证，梁楷又丰富了它的内容。如果没有见到这些真笔，而仅仅凭简略的叙说——“减笔”这个名词，决想象不到会是如此这般的表现形式。《图绘宝鉴》有唯一较详的叙说，说他“皆草草”。相反，梁楷所表现的是“以形似之外求其画”，“以气韵求其画，则形似在其间矣”这一精微深刻的高度艺术境界。而传统不变的描绘习尚，看来在夏文彦的心目中根深蒂固。梁楷的艺术境界，遂不为夏文彦所理解，惟有觉得它“草草”了。

当宋南渡之初，山水画的风气，开始转变到李唐晚期的画派。世所称道的马远、夏珪、刘松年，是当时的巨擘。风起云涌的正为这一流派所笼罩。梁楷知名于嘉泰年间。当宋南渡七十年之后，李唐所开的画派，早已确立。几乎成为南宋统一规格的小斧劈，大斧劈皴，在梁楷的笔底，似无所濡染，尽管豪放是南宋的风气，而他后期也不外乎此。然而他的个性，却是在当时的共性之外的。

《雪山猎骑》，《雪景山水》，许多迹象表明，它的渊源似与范宽不能无瓜葛。李唐的出身，也不能与范宽了无瓜葛。以他的《烟岚萧寺》、《万壑松风》这两图而论，很可以看出是从范宽所演变。从来对李唐的叙说，绝未涉及到他与范宽的关系是很可怪的。而梁楷画笔的迹象表明，也是直接从范宽脱胎换骨，而不是沿着李唐的脚迹走的。但从他的早期如

《黄庭经神像图》中的山林泉石，既不是北方李成、范宽画派，也不是南唐董源的江南画派。工整的形式，出于北宋，无从指定是从哪一派、哪一家而来。

梁楷画禽鸟，历史上没有评述过。看来这不是他主要的。他确也没有为禽鸟作过特写，而只是在怪石丛莽、烟沙浅水之间，表现它的飞鸣静止，仍然是近于山水画中的铺陈点缀。然而它在整个画面上，却如此鲜明地成为主体。因为爽利的笔和墨，生动的情与态，传神的表现，突出在画面成为主题。稍后的牧溪和尚，也善以阔笔水墨作禽鸟，或许他受到了梁楷的影响。这一种表现形式，导引了后来水墨花鸟的发展，正是梁楷与牧溪为其先河。但两人的风调是绝不相同的。

梁楷 《泼墨仙人》

梁楷的画笔，就所知道传世的，都收在这册里，共17图。这17图中，大半流散国外，只有《泼墨仙人》在台湾，《秋柳双鸦》、《雪栈行骑》在北京故宫博物院，《八高僧故事》在上海博物馆。

上述四图，《泼墨仙人》、《秋柳双鸦》与《雪栈行骑》都是册页，而《八高僧故事》是卷子，写八个高僧的故事。传世的17幅，大部分都是小幅，较繁密的巨制，除《黄庭经神像图》而外，这一卷将推为梁楷的剧迹了，因为它有八段之多。

以这一卷所描写的人物而论，各种不同的形态，各种生动的神情，在这八段中，变化多端，显示了艺术的造诣之深。纵横流畅，才气洋溢，显得非常精能。和他同时的刘松年，也以写道释著称，并世所流传的如罗汉图等，那种凝滞的笔势，所表现的形象，正与梁楷的风调相反，在当时可以说没有能像梁楷这样具有如此高妙艺术手段的人，譬之相马，真要空冀北马群了。

这一卷与《释迦出山》同为工整而豪放的格调。人物画从粗细一致的线条，从直下而圆转的到带有钉头的下笔到方折的，以及从粗壮的到纤秀的形体，在这卷中看到他从传统而来的种种表现，以及面部描写的深刻，无不洋溢着笔的善变多能和形象的特性所产生的奇妙骨气。达摩一段中的树与乌窠禅师一段中的树，本干与枝条，极富于写实的情意，是两种不同的表达，是两种不同的笔所达成的。达摩与乌窠禅师两段中的是浑厚雄健的格调，与《雪山猎骑》中风姿顿敛的风貌，尽管形体相近，却形成了两种不同的情味。只有《邓州香严寺智闲禅师》一段中的双勾从竹，与马远是步趋一致的。

总的看来，从前期的工整形体转到减笔，它的渊源流衍之迹与北宋的关系多于他和并世的影响，而豪纵的气格，是他自己的蜕变，但又不能不承认他对当时风尚的趋向。风貌虽异，时代则一，这是无可逃遁的。

这里另有三幅画，值得单独提出来说明一下。日本山梨县久远寺藏，传胡直夫笔《夏景山水图》，及日本京都金地院藏，传为宋徽宗笔的秋景、冬景山水二图，是定为国宝的，诚然是三幅高妙的画笔。但是不能把它们传为胡直夫和宋徽宗的画。因为这一画派当宋徽宗之世尚未产生，而说是胡直夫，也不相类，说它们是南宋画，则已为研究中国绘画者所共知，但从真切的辨析而言，它们又是南宋谁的画笔呢？

这三图，从它们的骨气用笔、神理习性来辨析，满幅都明显地流露着、充溢着梁楷的风规神韵！而与《秋芦飞鹭》、《泽畔行吟》、《雪禽图》尤为接近，可以说是又与梁楷这三图为同一时期的作品，为了说明这一问题，这三图故不依编次而单列于后。

梁楷传世的真笔，或者可以说是都收入这本集子里了。当这本集子编就，才得知《黄庭经神像图》为美国翁万戈先生所珍藏。经过辗转探询，得到翁万戈先生慨允，赠我这一卷的照片，并承同意发表，使这本集子得趋于完善，并在此深表谢忱！

梁楷 《黄庭经神像图》 局部

清　石涛《云山图》

《石涛画集》前言

山水画在明代，大概可以分为两个系统，一是仿南宋以李唐为首的马远、夏珪派，这一派的主力如戴进、李在、吴伟、王谔、钟礼等，他们都是画院系统；一是仿元代以赵孟频为首的黄公望、吴镇、王蒙、倪瓒等四家的画派，这一派的主力是沈周与文徵明，也就是后来所称的“吴派”。南宋画派，虽然是皇家画院的系统，但它的声势以及所起的影响，远不如以元四家为主的沈周、文徵明的“吴派”为大。

“吴派”的影响，直到明代末期，董其昌还起来力加推崇，同时还竭力贬抑马、夏画派。所谓南宗、北宗的论说，左右了当代的画坛。如赵左、沈士充等的画派，都是以步趋董其昌为荣的。

这一个画派主流，以王时敏、王鉴为首的和王翚、王原祁、恽寿平、吴历，合称清初六大家的画派，这又是董其昌派系的生力军和卫道者。他们一方面追随董其昌的风格，一方面以董其昌的论点为依归，在北宋与元代画派的笔墨与形式上大用功夫，形成了他们的新风貌，并在画坛上起着主导作用，因而对马、夏派系如吴伟等的作品，几乎不入赏鉴之列。在清代三百年中，总的说来，很少能超出他们的范畴。这也说明董其昌的潜势力，一直左右着清朝一代。

清　石涛　《山水清音》

然而，清代的山水画，虽在这样一个风尚之下，在康熙六十多年的这一时期中，异军突起的也颇不乏人，如金陵的龚贤，安徽的梅清，江宁的石溪，江西的八大，以及在江南的石涛，都是这一时期中与六家画派截然不同的作家。但是他们的师承，与清初六大家还是同源的。

由于他们在传统基础上能够抒发自己的创造性，不像清六家那样在传统的笔墨与形式上兜圈子，因此，都具有独特面貌，如龚贤就曾称说自己的画笔是“前无古人”，虽然有些自诩，但也可以说明他是不为传统所左右的。这几家中间，尤其是石涛在这方面的创造性，更为丰富与杰出。

石涛，姓朱，名若极，是明朝的宗室。明太祖朱元璋长兄南昌王的曾孙名守谦，封靖江王，封藩在桂林，守谦的嫡子悼喜王赞仪，是他的十世祖。他的父亲名亨嘉，当庄烈帝朱由检自杀之后，福王朱由崧在南京监国。不久，福王亡，石涛的父亲亨嘉在桂林挟制了巡抚瞿式耜，自称监国，为瞿式耜所杀。石涛的家世大致是如此。石涛当明朝大势已去之际就和他的哥哥出家做了和尚，正当他还是少年的时候。据一些有关他的传记和他自己的题画诗记，他的大半生是登山临水，四方云游，逗留在安徽、南京、扬州一带的时间居多，而且是死在扬州的。

石涛的名号很多，如“元济”、“阿长”、“苦瓜”、“钝根”、“瞎尊者”、“大涤子”、“清湘陈人”、“清湘遗人”、“零丁老人”等等，是经常在他画上题写的。他一生描绘了无数写实的山水与花卉画，是清初杰出的革新画家。石涛开始绘画很早，而且是早熟的。据他自题兰竹诗：“十四写兰五十六。”可知他画兰花是从14岁开始。他有一本山水、花卉画册，是清顺治14年丁酉所作，已经很成熟，看来他的山水画，比画兰花的时期还要早，在他的流传作品中，恐怕要以这一册为最早了。

石涛的年龄，由于流传的一些伪迹，曾引起考证的混乱，举一个例，石涛有一通致八大山人索画大涤草堂图的信。这通信现在流传着两个墨本，一本说：“闻先生年逾七十，登山如飞……济将六十四五……”另一本说：“闻先生花甲七十四五，登山如飞……济将六十……”两者的差距很大，经过真伪的辨认，证明“年逾七十’的那一通出于伪造，而后者的一通是真迹。这就可以知道石涛与八大相差15岁左右。而最可证明石涛的年龄的是他自己写的《庚辰除夜诗》，在序中说庚辰为周花甲。依旧传统计算，所谓周花甲，应为61岁，依此上推，可知石涛生年应为崇祯十三年庚辰（公元1640年）。也证明与致八大那通信的真本所说的完全相符。

石涛在长江下游，即他自己所称的“江东”，关系很深，成为他的第二故乡。据他的《山水书画卷》自题：“庚申闰八月初，得长干一枝。”《山水册》里也题着：“庚申闰八月初，得长干一枝。”所谓“长干一枝”，是指的什么呢？据他的《秋声赋图卷》后田林的跋：“忆辛酉初秋，石公挂锡天禧寺之一枝阁上……”按石涛在康熙二十四年乙丑二月，曾至青龙、天印、东山、锺陵、灵谷等处去探梅，到十五日回转，画了梅花卷，并写了纪游诗九首，即《探梅诗画卷》。其最后一首的题目是：“长干寺梅花，归来作。”又题着：“余自庚申闰八月独得一枝，六载远近不复他出……”从庚申到乙丑，整整六年，这一时期中，他住在长干寺，也证明他到青龙等处去探梅，是从长干寺出发的。

长干寺在哪里呢？

按长干，是古金陵里巷名。清《一统志》引《通志》谓即报恩寺前大道，又据《六朝事迹》：“天禧寺在城南门外，旧名长干寺。”以田林的跋语说是天禧寺一枝阁，那么，他屡次所题的“长干一枝”，就是南京长干寺一枝阁的简称，《探梅诗画卷》写成“独得一枝”，就有些故弄玄虚了。

计算他的云游之迹，从庚申那年起，住在南京天禧寺，庚申为康熙十九年（公元1680年），那时他41岁，但是他来到江东，早在庚申之前，据他的一本山水花卉画册的题记是：“丁酉二月，写于武昌之鹤楼。”又一开题着“作于岳阳夜艇”。丁酉为顺治十四年（公元1657年），他为21岁，说明这一时期他在岳阳、武昌一带，武昌以后到庐山。在他的一页画扇上题着：“秋日与文野谈四十年前与客坐匡庐……”纪年为庚辰，从庚辰上推40年应为顺治十七年庚子、十八年辛丑之间，那时他约二十一二岁。此后，他同他的喝兄到了宣城，大游黄山。他写的《黄山图》题着“丁未游黄澥归敬亭作”，丁未为康熙六年（公元1667年），这时他约28岁。他是否就在这年到的宣城，或中间曾到别处去逗留？现在无从考知。他从宣城到南京，又从南京迁居扬州，后来又到过北京。他在北京的时期，大致是从康熙二十九年到三十二年（1690—1693），据他的《南归赋别金台诸公诗》：“吾身本蚁寄，动作长远游，一行入楚水，再行入吴丘，乘风入淮泗，飘来帝王州……三年无返顾，一日起归舟……”最后他从北京归扬州，一直到他死去。至于石涛是哪一年死的，恐怕要到康熙四十九年庚寅以后，据石涛自写的刻本《画谱》前有广宁吴琪的序言。纪年康熙庚寅，为康熙四十九年，卷首并盖有石涛自己的朱印，可知其时石涛尚健在，时年已71岁了。石涛一生大概行踪是如此。

石涛是一个和尚，与八大山人的一时为僧，一时为道士的情况有些不同。根据《龙池世谱》里载“石涛济为木陈忞的徒孙”，“旅庵月的徒弟”，是南岳下第三十六代。石涛在28岁时曾写过一卷《十六阿罗应真图》，他的题款是：“丁未年，天童忞之孙，善果月之子，石涛济。”这个题款，正与《龙池世谱》所记的相符。但八大、石涛虽是同样的身世，同是革新画派，而两人的行径却是截然不同的。因为石涛当清康熙皇帝两次南巡，他都去“接驾”，还画了画，作了诗，感叹知遇，引为无上光荣。真是所谓“身在江海，心存魏阙”。八大山人的一生却是老死于乡里。

自然，石涛一生最为人所激赏的，不是因为他“接驾”，而是由于他在绘画史上所起的革新作用，因此，一般讲是与八大齐名的。他一生云游，登山临水，写下了无数绝妙画本。他的作品，所以能够千变万化，丰富多采，正是由于他仔细地观察了自然景色，通过现实生活，运用了传统技法，创造性的发挥了自己的艺术特性，这与当时所谓正统派的四王画派，恰好成了鲜明的对比。我们不能说四王在绘画上不是好手，但问题在于似古与写实，艺术生命的寄托与绘画的主旨，应该是不在彼而在此的。

抛尽一生心力，获得对黄公望画派“形神俱似”的王原祁，最后恐怕也有点厌倦于埋头故纸堆中，对与他毫不相同的石涛画派，却也大加叹赏，称许为“大江以南第一”，与王翚都自惭不如。在文人相轻的封建社会里，王原祁的话不能不说是出于肺腑之情。

在清初，宋元画派与董其昌学说造成整个画坛讲求宋元面貌的风尚，要求笔笔有来历的时候，石涛是首先冲破了这些陈规的。他反对不师造化陈陈相因拘泥于古人的创作方法。正如他自己所说的“搜尽奇峰打草稿”，要求从真实山水中写出生动活泼的图画，创造出富有生命的新的风格。力图扭转元明以来中国绘画艺术上临摹仿古的趋向，他在这一方面是有贡献的。

我们从他的绘画艺术以及所题诗句画跋来看，有非常精湛的论点，如说："古人未立法之先，不知古人法何法，古人既立法之后，便不容今人出古法。千百年来，遂使今之人不能一出头地也。师古人之迹，而不师古人之心，宜其不能出一头地也，冤哉！"他曾批评过北宋郭熙的画笔说："人皆道好，余独无言，未见有透关手眼。"他非常反对摹拟那一家或那一派的因袭风尚。他说："此道见地透脱，只须放笔直扫，千岩万壑，纵目一览，望之若惊电奔云，屯屯自起，荆关耶？董巨耶？倪黄耶？沈赵耶？谁与安名？余尝见诸名家，动辄仿某家、法某派，书与画，天生自有一人职掌一人之事，从何处说起？"于是他更进一步放笔写道："万点恶墨，恼杀米颠，几丝柔痕，笑倒北苑。"根据这些题语，那么是否石涛在传统绘画上加以诋毁，或者是鄙弃了古人在艺术上的成就呢？当然不是，他并没有反对与鄙弃传统中优秀部分，他所不同意的只是抄袭与摹拟而已。例如他很爱元代倪瓒的画，也曾采取了倪瓒的风格，并曾经写过这样的题语："倪高士自有一段空灵清润之气，冷冷逼人，后人徒摹其枯索寒冷处，此画之所以无远神也。"也仍然显示了他的艺术意图，对传统并不是亦步亦趋的。虽然他这样的反对泥古，这样的要求推陈出新，还是不免被人以当时一般的风尚来衡量他的作品，如他有这样一首诗："诗情画法两无心、松竹萧疏意自深，兴到图成秋思远，人间又道似云林。"事实上他不但崇尚倪瓒的画，即他的书法，有一种瘦瘦形体，也是从倪瓒的风格而来。他的山水画中干渴的笔墨情趣，特别有元人的情感与好尚，他的《十六阿罗应真图》，那种白描的形象，也流露了元人余韵，明代沈周、陈洪绶的画格，有时也濡染到一些，至于他的竹菊之类，又是从夏昶与郭诩的风格之中升腾变化而来。由于他能够继承传统、运用传统，在传统基础上创造和发扬，形成了自己独特的风格，这正出于如他自己所说的"透关手眼"，含意是非常深远的。

石涛绘画的优点很多，他首先是打破了旧有的创作方法，在布局上的结构铺陈，显示出变化多端新颖奇妙的章法，倘不是从山水的真实境界中熟习了大自然阴晴变幻，烟云明灭，寒暑时节的风光，那么亘古的壮美河山，又怎样能体现出那些千情万态呢？因此，他要"搜尽奇峰来打草稿”，来描写出许多美好的河山，他的绘画之所以使人叹赏，即在于生动变化的艺术特性，正如高谈雄辩到了随意自如的境界，因此即使是板桥流水，或者是茅舍芦汀的寻常景色，通过他的描绘，也足以引人有一种特殊的艺术感受。

他的这种新颖的布局，与笔墨上的千变万化是分不开的，他的绘画，决不是拘守于一种形体，而是配合了多种多样的笔势，如肥的、瘦的、圆的、扁的、光的、毛的、硬的、柔的、破的、烂的、深的、淡的、湿的、干的以及婉媚的与泼辣的、飞舞的与凝重的等等，凡是笔所能表现的形态，都毫无逃遁地淋漓尽致地描绘出来了。同时他网罗了先进的技法，丰富了自己的艺术创造，形成了自己不平凡的、多样化的风格。因此，如若仅仅取他的某一幅或某一卷来申说它的风格，势将陷于顾此失彼，故必须从它的整体与全面来了解他的艺术成就。

此册收集了石涛从 28 岁到 62 岁的作品。石涛一生的创作很丰富。流传之迹，不仅在国内，也还有若干流散在国外。此册虽是石涛作品中的一小部分，但他的各种风貌，也足以窥见其大略。

元　无款《广寒宫图》

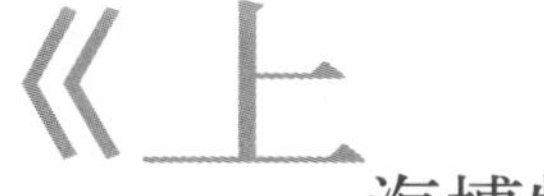

《上海博物馆藏画》读后记

《上海博物馆藏画》的内容是上海博物馆所藏历代书画的一小部分，可以看出这里所选取的什九都是直幅和很少几页册页，而属于卷子的则并未列入。

从绘画史说来，这册画集提供了一些关键性的史料，它解决了一些过去文字记载所不能解决的问题和明确了过去文字记载所提出的一些说法。

关于历代的作家和流派，在画集的说明里，都已谈到了一些，根据内容，就个人所见，在这里拉杂谈几点。

画册第一图北宋巨然《万壑松风图》，是一件稀世的名作。巨然的

宋　郭熙《幽谷图》

作品，经历了千年的沧桑，仅仅流传下来不过三四件，这一图是其中之一。巨然和董源，都是南唐的山水画家，是当时“江南画派”的主要人物。要论列江南画的体系，这一图提供了真实面目。姑且举一点，历来叙说巨然画的特征是“好作矾头”。假使不从实物而仅凭一些叙说来探讨它的风貌，势将无法使我们具体地意识到所谓“矾头”是怎样的形体，为什么要称之谓“矾头”？现在从这一图里使我们可以清楚地辨认到所谓“矾头”，就是指所表现在山头上的明润而光洁的卵石，矾是透明体，是借来形容这些卵石的。

北宋初期的李成是北方画派的主要人物。他从11世纪以来一直影响到清初山水画流派的发展，历来对他的画有“烟峦轻动”、“淡墨如梦雾中”等等的评述，北宋王诜曾把李成和范宽的画派，比作一文一武。但是直到现在，我们又从哪里能见到这位划时代作家的手笔呢？这就需要靠引证与贯通。历史证实，北宋的郭熙和王诜都是李成

宋 《溪山楼观图》

的嫡系，虽然郭与王都建立了自己的风格，而他们两者之间，还存在着若干共同之点。试从那些特点中可以提供我们来探寻李成画派的流风，这里所列的第二图《幽谷图》就是郭熙的画笔。

北宋诗人苏东坡，曾经提到唐王维的诗和画是“诗中有画、画中有诗”。明白提出了诗和画的关系。自从魏晋以来山水诗盛兴，后来又以诗的内容来作画。到北宋，在诗里更以画来形容真山水。北宋诗人林逋就曾写过“忆得江南曾看着，巨然名画在屏风”的诗句。同时画竹名家文与可的诗有“君如要识营丘（李成）画，请看东头第五峰”。当诗人登山临水，眼前触及的景色如画，因而是画的景界引发了诗的陶铸。我们从北宋、南宋以及后来的一些山水画可以看出，其中各种流派的作品，有一部分是从壮丽的真实之景而来，这些真实之景，反映到诗里，也反映到画里，终至于以描写真景的画派，来作为诗对真景的描写。使两者的艺术特性，得到沟通和交流，因而传统的诗与画，久已联袂接壤起来了。

我要特别提出的，是第五图宋无款《溪山楼观图》，此图清方濬颐的《梦园书画录》说它是唐王维的画笔，这显然是把它的年份提得远了一些，但它也不会距离唐代过远，至少是北宋初期的画笔。元王振鹏的嫡派李容瑾的《汉苑图》，在形体上完全脱胎于这一图。同时的夏永，也属于这一派。第二十七图元人《广寒宫图》，是元代初期的作品，画风与王振鹏最相近。这几位元代的杰出画家，风格均不脱第五图的范畴，就隋唐的画壁上的界画来看，第五图已是新兴的流派，指出了从唐以后到元代界画的“源”与“流”。至明代的界画，又是承接南宋的衣钵，与这一派已是大异其趣了。

元代画派的兴起，是赵孟頫反对南宋画派的结果，南宋画派以李唐为始祖，马远、夏珪等是李唐的鼓吹者。这一派，在南宋一百五十年中几乎是清一色的。画集里的几幅南宋山水画，可以看出这一种关系。赵孟頫的论证，开口是唐，闭口是北宋，确认这些才是艺术正宗，推崇这些时代的画派，直截了当地说：“与近世笔意辽绝。”不仅他的论证是如此，同时他确也切实奉行着自己的清规戒律。画集中第十图《洞庭东山图》，风格纯出于董、巨，使出了江南画派的身手。下来从十二图到十四图，第十七、十八图，第二十图到二十五图，第二十九图到三十一图

元　赵孟頫　《洞庭东山图》

（第三十图是明马琬《暮云诗意图》，马琬本也是董、巨一系，但这一图出于“米氏云山”，而特与高克恭的风貌接近，可以从第九图高氏的《春山欲雨图》来得出它的结论）。这些画派的渊源，不是董、巨，便是李、郭，从这些先进的典范之中求田问舍，来建立起自己的门户。而这些画家不是接受赵孟頫的耳提面命，便是私淑或再传，走北宋路线的鼓锣喧天，赵孟頫成了一代宗师，一直影响到清初画派。四王的泥古风尚，固然是遥接他的衣钵，而当时以豪放为主的革新画派如朱耷、髡残、道济等，也不免间接受了他的影响。朱耷的山水画是明董其昌的蜕变，髡残是元黄公望、王蒙的脱化，道济面目多，但也不离元人笔墨的境界。照

高克恭 《春山欲雨图》

理，凡爱好元人是无条件地接受北宋的，道济却也并不拘泥于纯一条路线，如对郭熙，在他看来，“未见是斩关手眼”。然而，他与南宋，却也是绝缘的。赵孟頫所反对的“近世”是所谓南宋“院体”，有一派以扬补之为首的水墨花卉，却不在他反对之列，他的从兄赵孟坚，就是扬派的嫡传，而他自己也是这一领域里的健将。元王冕的墨梅，第三十三图《墨梅图》，正是紧跟着这一体系而起来的画派。而第三十九图王谦《卓冠群芳图》，又是从王冕的体系中来的了。这正是元人的艺术妙境。传统的论诗是：“命意十分，下语三分，可并骚雅。”元人曾经以之论证绘画艺术，认为“长于形似，短于命意”的绘画就谈不上有高超的艺术修养的。

明代当南宋、元剧烈变迁之后，分为两大画派，一是宫廷画，完全接受南宋院体；一是宫廷以外的画派，高举的是北宋和元的旗帜。这两大派之间，分野昭然，好像是河水不犯井水一样。到清初，几乎不把宫廷画派，列入鉴赏之列，其实在明代的画坛上，不论宫廷和非宫廷画派，除了有一部分，严守这条界线而外，其他也并不把壁垒守得如此森严。如李在、周文靖，都是宫廷画家，第四十一图周文靖《古木寒鸦图》与南宋关系显得异常淡漠，而第四十图李在《琴高乘鲤图》里的山与树，似乎与北宋不免有些瓜葛。历代的叙说，不也称他兼宗郭熙吗？可见并没有明确分野的绝对性，不过他们的主要表现，确完全是南宋的骨体，即如李在的山和树，虽非南宋的形体，但那种情味，却与郭熙的旨趣毫无牵涉，而跟南宋仍然是情投意合，表与里都把南北宋混合了。而杜堇，他并非宫廷画家，他完全是南宋画派，从第四十四图《梅下横琴图》看来，与李在《琴高乘鲤图》的人物，风格是非常之近的。

最后，我想再谈一谈明代中期的郭诩、徐端本和孙龙。这几家的作品，比较少见。在绘画的领域里，对他们的谈论也不多。郭诩是人物画家，而山水、花鸟也有他自己的境界。第四十五图的《牛背横笛图》，虽是出色的画笔，但在他说来是一鳞一爪，他的人物画有三种形体，一种是南宋的渊源，与宫廷画派的面目一样，一种是元人的白描的形体，一种是从前者两种形体所脱化的极端粗放的格调。总的看来仍与宫廷画派相近。徐端本与郭诩的风格关系交密，出入不多。所有这些画派中如当时的“画状元”吴伟，是南宋画派的代表，宫廷画派的要角，也不乏元人白描形体。周文靖和李在，如上所叙说的也是这一情况，而总的说来仍以南宋为主体，而郭诩和徐端本却较多于元人风格的变幻。这一画派如再把它们归到哪一边，看来都是多余的。孙龙的花鸟，流传尤其

明　王谦　《卓冠群芳图》

明　周文靖　《古木寒鸦图》

明　李在　《琴高乘鲤图》

少，一种阔笔着色的格调，是当时新颖的画派，这一种风貌表明，多少是受到南宋牧溪的引发，与这一派起共鸣的首先是郭诩，第四十四图郭诩的《青蛙草蝶图》，与孙龙可谓亦步亦趋。在明代的阔笔花鸟画，历来称说的是白阳、青藤，一般看来，白阳是沈周体系的后起，而青藤又从白阳而来。但是他们也不可能与孙龙、郭诩绝无关系，一个画派的形成，总是要受到它的时代艺术的制约的。

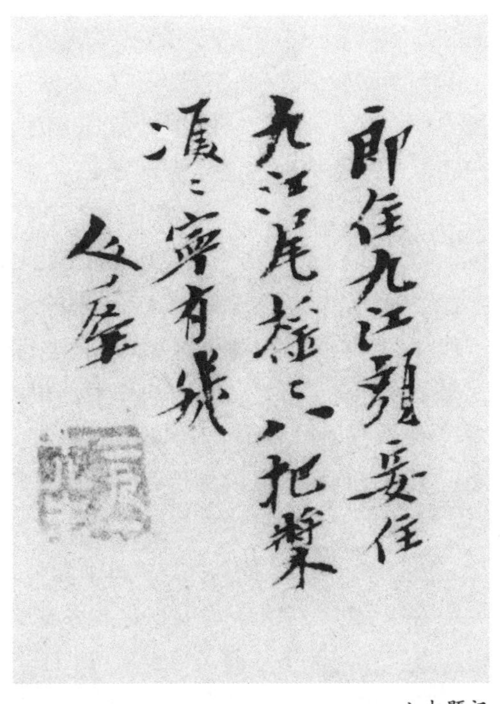

八大题记

大山人取名的含义和他的世系

我曾写过《朱耷》一文，谈了他的身世与诗、书、画，这已经是20年前的事了。近年来，我对八大山人已很少注意。但经常看到国内外发表的研究论文，旧兴又被引起，这里想再来谈两个问题，聊作为旧作《朱耷》一文的补充。

一　八大山人前期名个山的含义

八大山人的一些作品，在60岁以前，他用的是传綮、刃庵、驴、驴屋、个山等名号。而在60岁以后，以上这些名号除个山外都不见再用，而个山也把山字简去，独用一“个”字，一直到他后期的画上，经常还看到他录款写一“个”字，而在“个”字下写“相如吃”三字，凡写“个”字的下面必联缀“相如吃”三字，可见这“个”的名号，八大一生没有废弃过。在八大49岁时黄安平为他画了像，画像中段的左边，有蔡受一题，这一题特别古怪，蔡受写道：“𣝣，⊙，咦！个有个而立于一二三三×之间也。个无个，而超于×三三二一这外也，个山个山，形上形下，圜中一点。减余居士蔡受以供个师，已而为世人说法如是。”在“法”字下空一格，以示特别尊重这“法”的意思。乍看这个题语，确乎是难于理解，高僧是讲究禅语机锋的，这位蔡受不知何许人，这段题语倒也近于是这一类型的话。但再一探索，却并非禅语而是有所指的。

尽管在这隐晦而难于理解之中，还是透露了一些消息，漏泄了春光。那么，他到底是说的什么“法”呢？

明朝自太祖朱元璋而后，为惠帝朱允炆，成祖朱棣。朱允炆是朱元璋之孙，朱棣之侄。而仁宗朱高炽，是与允炆同辈，接着是宣宗朱瞻基，英宗朱祁镇，宪宗朱见深。在这些名字中包含着棣字“木”旁。炆字炽字“火”旁。基字下面是“土”。镇字“金”旁。深字“水”旁。这六代皇帝的名字里，都带有木、火、土、金、水。以后再从木起，依着这个次序循环下去，而宗室也无不如此。八大的儿子名议沖，沖字“水”旁。八大名统𨨗，𨨗字下面是“金”。父亲名谋䴀，䴀字的左下是“土”。祖父名多炡，炡字“火”旁。曾祖名拱桧，桧字“木”旁，也正是木、火、土、金、水。

蔡受这段题语的第一个字是不认识的，仿佛像篆书。实际上并不是字，只是一个符号。正是由木、火、土、金、水，这五个字所组合而成。第二个〇中加一点，也是一个符号，以下就自己解释所编的符号。一开始叹了一口气，“咦”！然后说：“个有个而立于一二三三×之间也”。这“一二三三×”是什么呢？就是代表第一个像篆书的符号，即“木”、“火”、“土”、“金”、“水”。所谓“个有个，而立于一二三三×之间也”，就是说八大原是明朝的嫡系宗室之一，而现在呢？是“个无个而超乎×三三二一之外也”。这“×三三二一”，也仍然是指的“木”、“火”、“土”、“金”、“水”。只是故弄玄虚，把它颠倒了一下。意思是说，明朝已经灭亡了，朱家的天下不复存在，还有什么宗室呢？正如石涛赠钟玉行的那句诗：“巢倾卵亦殒。”本来是明朝宗室的一分子，所以说：“个有个。”

如今完了，所以说“个无个”。已经出家在朱家之外了。已经不存在“一二三三×”的关系。那么，既然“个无个”了，为什么还要自名“个山”呢？因而说：“个山，个山，形上形下，圜中一点”，就是解释的第二个符号⊙，是说从宗室变到遗民，这个“个”，只是“圜中一点”的“个”。是硕果仅存，因此，八大仍自号“个山”或“个”。这正是八大的伤逝念远，故都故国的情怀，孤独一身，立于“圜”中。因而始终不放弃这个“个”字，来保持明朝遗民的身分。

这便是蔡受代表八大山人为世人所说的“法”。

八大有口吃病，所以每题“个”字下联缀着“相如吃”三字，是用汉司马相如有口吃的典故来说明自己与司马相如同病的。这很风趣，当他在画上每题这样的款时，使鉴赏家频添了对它的艺术感受。

二　八大山人取名的含义和他的世系

八大山人前期所用的名号既如上述，而用八大山人这个名号是在他的后期，但这后期，又在他哪个时期呢？

八大山人有一本杂画册，一般看来，是他前期中较后的作品，题款还是用的个山，纪年为甲子春。甲子为清康熙二十三年，这时八大已59岁。但盖的印章，却是用的“八大山人”。由此可知，此时个山的名号还在用，然而他却已经用八大山人四字为印章了。

上述的这本《个山杂画册》，后有选堂的题跋云：“八大此册署款甲子春，有‘八大山人’、‘蝦䱇鳊轩’、‘人屋’等印。世谓用八大题名仅在康熙乙丑到乙酉二十一年间，此绘作于乙丑前一载，即康熙二十三年也……”这一题跋极有理。八大卒于康熙四十四年乙酉，年80岁，清李麟的《虬峰文集》有哭八大山人诗，即作于是年。而我们至今也未发现八大有乙酉以后纪年的作品。八大59岁尚用个山，而印章上已出现了八大山人的名字，看来他专用八大山人署款的，要在60岁了。

当明朝甲申国亡，此时八大19岁，过了四年清顺治五年戊子，那时他23岁，才剃发为僧。又过了五年顺治十年癸巳，他28岁时，又正式在耕庵老人那里“正法”。直到顺治十八年辛丑，他36岁以后，开始在南昌城南15里的地方，营建了一所道院——青云谱。康熙二十年辛

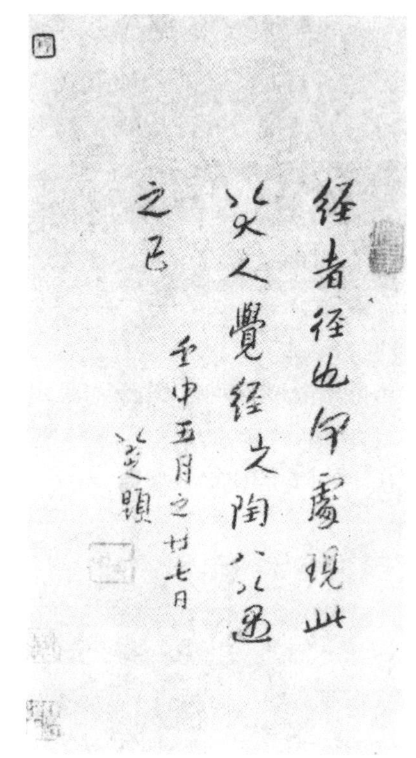

八大题记

西，在《青云谱志》上作了跋。直到康熙二十六年丁卯退休，这时八大62岁。很可怪的是八大在《青云谱》所用的名字是朱道朗、良月、破云樵等等，但是八大在书画上，却从未用过这类名字，也从未见诸印章。这朱道朗与八大，究竟是一是二呢？的确，八大的朋友们每在他的书画上题跋，只谈僧，却从未提到过他改当道士。

张庚的《国朝画征录》，有这样的记载："……或曰，八大山人固高僧，尝持《八大人觉经》，因以为号。"这个"或曰"，却也有一点根据。康熙三十年壬申，他在《八大人觉经》后曾加过题语。他写道："经者径也，何处现此《八大人觉经》，山人陶八，八遇之已，壬申五月之廿七日，八大山人题。"

北宋米芾的宋本《宝晋山林集》，有《颜鲁公碑》一文。其中写道："吾（颜鲁公）昔江南遇道士陶八，八得刀圭碧霞饵之，自此不衰，尝云七十后有大厄，当会我于罗浮山，此行几是欤！次汜水，恍遇陶，笔谓曰，吉吉，指嵩少而去，后公死于贼。"

据《续藏经》、《八大人觉经》，西土圣贤集，后汉沙门安世高译。安是五代时安息国的王子。所谓《八大人觉经》，是诸佛菩萨大人之所觉悟，共有八觉，这八种觉悟，讲的精进行道，慈悲修慧。八大山人自称之"陶八"，应该就是借用颜鲁公遇到的道士陶八这个典故，以说明自己是道士。尽管八大的朋友们，从未谈到过八大当过道士，这里却证明，八大从僧转到道，是他自己承认的了。八大有一常用的印章，文曰"可得神仙"，神仙正是道教的范畴而不为释教所有。八大自己既转为道士，而又信奉着《八大人觉经》，可知他虽已身为黄冠而仍未能忘情于释教。由此看来，青云谱的朱道朗与八大既同属道教，同在南昌，八大姓朱，朱道朗姓朱，就显得多少有点关联。而且，八大从僧转到道，他的朋友既从未谈到过，那么，从未涉及朱道朗就是八大，也就觉得不是意外了。反之，说朱道朗不是八大，还得等待更有力的证实。

八大从僧转到道，以陶八自居，又信奉《八大人觉经》的“八觉”。陶八是“八”，八觉是“八”，因此他说：“山人陶八，八遇之已。”身为“陶八”，服膺“八觉”，合释、道于一炉，以“八”为大，他之所以改名“八大山人”，其含义当在于此。

八大山人的世系，据《朱氏八支宗谱》：“谋鹳子——统鍌，统鍌号彭祖，别号八大山人，封辅国中尉，子——议冲字何缘。”

现在有一些考证，认为八大山人不是谋鹳之子，而是谋鹳之孙议冲。

说八大山人不是谋鹳之子，其根据在于那幅黄安平为八大山人所画的像。画像上有八大山人的释弟饶宇朴的题：“个山綮公，豫章王孙贞吉先生四世孙也。”贞吉是朱多炡的字，工诗歌，善绘事，见朱谋垔《画史会要》。谋鹳是朱多炡之子，也见于《朱氏八支宗谱》。

如果说八大是谋鹳之子，如何能说是朱多炡的四世孙呢？因此，一些考证，才推定八大不是谋鹳之子，而是谋鹳之孙，因此八大即议冲，这样才符合朱多炡的四世孙。

我曾亲见黄安平为八大山人画的那幅画像，饶宇朴的那句题语，在“四世”二字上，用墨笔圈掉了。根据原迹看来，决不是后人所伪加上的。看来正是八大因饶宇朴写错了而把这“四世”二字圈掉的，或者竟是饶宇朴自己圈掉的。圈掉了“四世”二字，就是“贞吉先生孙也”。陈鼎的《八大山人传》说：“父某，亦工书画，名噪江左，然喑哑不能言。”而谋鹳的族兄弟谋垔所撰的《画史会要》记着：“谋垔字太冲，号鹿洞，贞吉第六子也，生有喑疾……山水花鸟，兼文沈周陆之长，而好以名走四方，求者绢素盈室。”八大的父亲“喑哑不能言”，谋鹳 “生有喑疾”，而且都工书画，事情竟有这样的凑巧。如果说八大的父亲不是谋鹳，又是谁呢？

就在黄安平为八大画的那幅画像上，还有彭文亮（伯生）题的《个翁大师像赞》：“瀑泉流远故侯家，九叶风高耐岁华，草圣诗禅随散逸，何须戴笠老烟霞。”瀑泉是朱多炡的号，他的诗文书画，名高一时，因此诗的首句，先提到瀑泉，是说明八大是多炡的嫡系。从宁献王朱权开

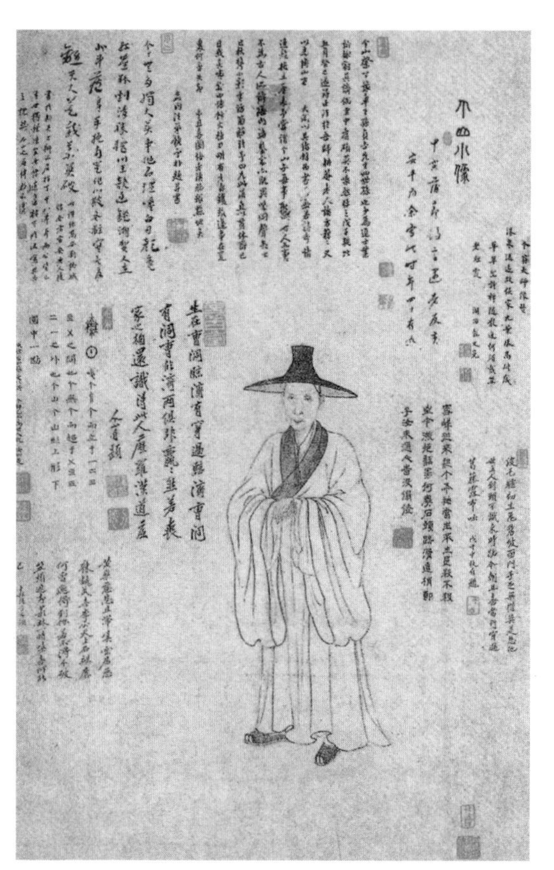

《八大山人像》　黄安平绘

始到八大，正是第九代，如果说是谋鹳之孙，那八大是第十代了，又如何能说是“九叶”呢？

八大的书画是晚成的，到炉火纯青，是在六十以后，八十以前。他的艺术高峰，将近二十年。八大、石涛，为后来所并称，八大是明宗室、弋阳王孙。石涛也是明宗室、靖江王后，同是以明亡而出家为僧，同是以遗民的身分并立于清代。石涛两次接驾，作了“接驾诗”，画过《海晏河清》。而八大一生终老于江西，临川县令胡亦堂曾以上宾之礼款待八大，而八大终以佯狂走还南昌，他两人表现自己的形式，是截然殊途的。

八大山人　《双鹌图》

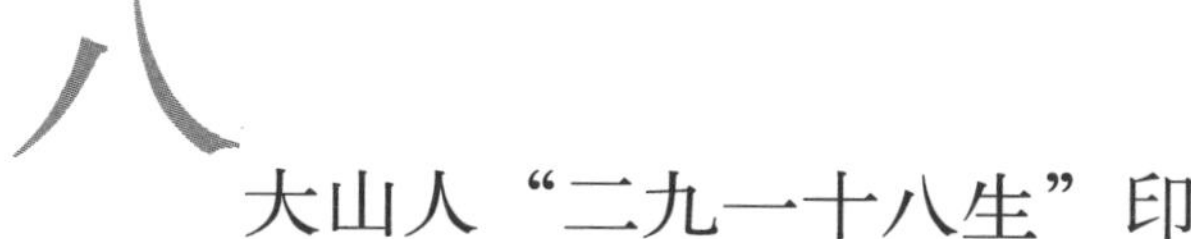

八大山人“二九一十八生”印

八大山人有一花鸟册，现为日本东京金冈酉三所藏，共十叶，纪年为“癸”，为近年八大山人画的新发现。在这册上钤有一“二九一十八生”印，这方印，也是在八大山人的画上所仅见的。

八大山人生于明天启六年丙寅，卒于清康熙四十四年乙酉。在他一生中逢到八个“癸”：为癸酉、癸未、癸巳、癸卯、癸丑、癸亥、癸酉、癸未。从他的书与画的历程来看，他要到康熙二十二年癸亥以后，笔墨才转入圆浑的体貌。星洲陈文希所藏纪年为甲子，署款个山的那一册花鸟，正如上述的那种风貌，这时八大山人为59岁。金冈酉三的这一册画笔，还显得尖削一些，应早于陈文希的那一册。因此，这册纪年的

"癸"，应以康熙十二年癸丑为近是，八大山人为48岁。

八大山人的题画诗、署款，经常用一些隐约朦胧的语句，令人费解，举两个例，如"三月十九"。又如他在己巳八月十五夜画的《西瓜月饼图》，上面题的六言诗："眼光饼子一面，月圆西瓜上时，个个指月饼子，驴年瓜熟为期。"

那个写在他画上的"三月十九"，是用一个不认识也没有的字形编成的。三月十九是崇祯朱由检吊死在煤山的日子，正是以此来暗记明甲申亡国。在他的诗文中，大都不出他的国破家亡身世之感。这首六言诗，看来也是不离其宗的。

按《传镫录》有"驴年马月"是禅宗的机锋语。作"何年何月"解，诗中用"驴年"，却发现了八大山人的秘密，诗的大意是，个个想过中秋吃西瓜月饼，但谁又知道"何年"再能安然过着吃西瓜月饼的中秋呢？看来是再过不到了，月明三五，触景生情，"愁因清秋发"了。

这册在画蟹一页上，钤有"二九一十八生"一印，用算数作别号，非常离奇。但它的含义又何在？千言万语，看来还是不能离开他的身世这一主旨。

如上所述，这册当为八大山人48岁之作。那么，"二九一十八"可能是暗记他的年龄，故弄玄虚。以二九一十八用加法来计算，"二九"即廿九，加一是三十，再加十八，就是四十八。正与他的年龄相符。那个"生"，除了本义之外，经常用为如张生李生，又作为别号，如祝枝山号枝指生，华新罗号布衣生等等，八大山人除这一印而外，从未见到他用过"什么生"的别号，而这一印，也还没有在他别的画上发现过。如果这个别号，是暗记他自己的年龄，则名为别号，实则在这里用文言来说，是"生四十八年矣！"而用口语，就是"活到四十八岁了！"这大概是八大山人癸丑年的专用章。感念自己的身世，随时随地总不免引起无限的慨叹！这是一个推测。

此外，还有一个推测，"二九一十八"其中之"二"与"一"作"二个"与"一个"解，即两个"九"与一个"十八"。两个"九"也是十八，十八加十八为三十六。这又怎么讲呢？

《南齐书》王敬则传："檀公（道济）三十六策，走为上计。"这是三十六策的最早出处。此外又见于《续传镫录》子盛禅师有"三十六着，走为上着”的话。八大山人暗用了这个典故。而“生”与“僧”为谐音。明太祖朱元璋曾做过僧，有用了“生”这个字的被认为是隐射“僧”。如《廿二史札记》载：“杭州教授徐一夔贺表有光天之下，天生圣人，为世作则等语。帝（朱元璋）览之大怒曰，生者僧也，以我尝为僧也。光则剃发也，则字音近贼也。”八大山人明亡为僧，自然决非出于甘心自愿。然在当时的情况下，走出家，逃于禅，未尝不是八大山人三十六着的上着。因此，“二九一十八生”这一离奇的别号，正寄寓着他不得已出家为僧的隐痛。

上列两推测，不免出于个人臆说，又安得起八大山人证之。

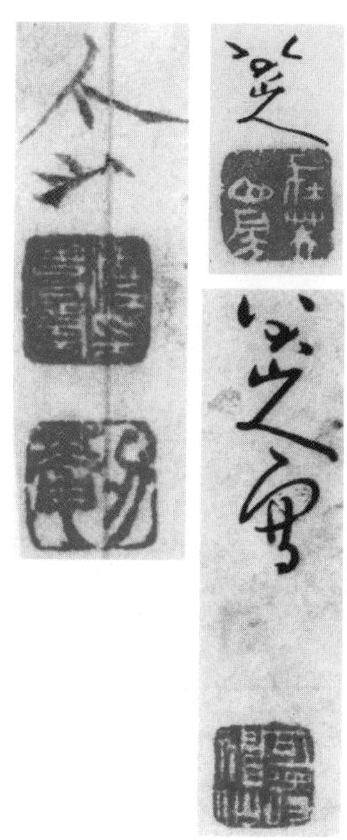

八大山人　落款及印章

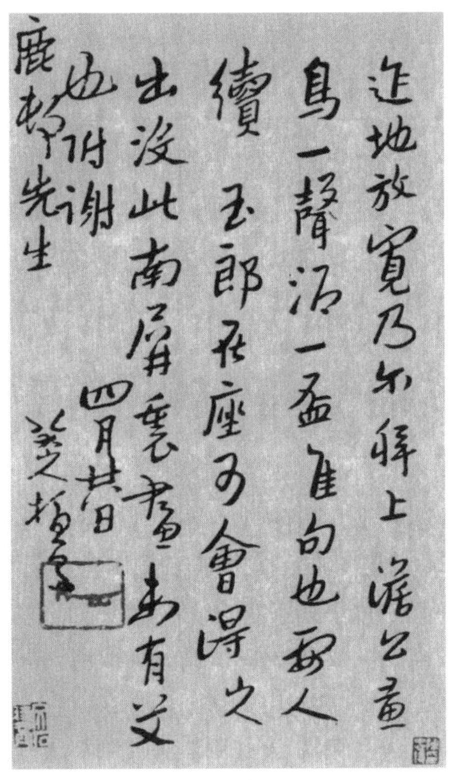

八大山人　尺牍　局部

八大山人□印

八大山人当他在临近60岁时改用八大山人为名号以后，开始用一方扁方小印，印文为□。多少年来，一些鉴藏家，对这一印章究竟是什么字，都无法认识，有的说就是“八大山人”四字，有的说“一山人”三字。但究竟是什么字，始终没有能作出肯定的解释。

八大山人的印章，常有一些令人费解的印文，如“二九一十八生”印。前曾写一小文，作了推测，但这印文，始终不能认识它是什么字的含义。近注意到八大山人在自己的画上用过一白文长方印，文为“口如扁担”。这一印钤在他的“眠鸭图”上，纪年为“己巳闰三月”(康熙二十八年，1689)，这时他64岁。款下用一有边框的□这一印，同时在画的右上角，又用了“口如扁担”的白文长方印。但这一印以后却很少见到再用了。而有边框的□印也少见，屡见不鲜的是无边框的且不止一方。

这突然使我恍然，这方小印就是“口如扁担”，这又作怎么解？

□右下是“山”字，左面是“人”字，而那横挑的一笔，是一如扁担的形象。

八大山人题“八大人觉经”说：“山人陶八，八遇之已。”是说八大山人的八觉，正是与八大的名号相符合的。过去又有一个说法，说八大山人取名的含义是“哭之笑之”。看来这个说法也不无道理。“口如扁担”是什么含义呢？正是说口的两角向上翘如□，而这一形象正表现口在哭笑的时候所显示的形象。

因此，此印应释为“山人口如扁担”。

八大山人有许多不易解的诗、纪念符号与古怪的印章文字，千言万语，无非寄托他的国破家亡之感！

八大山人　印章

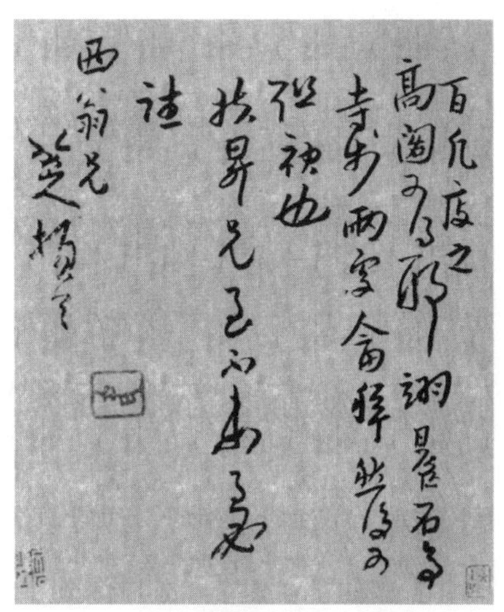

八大山人　尺牍　局部

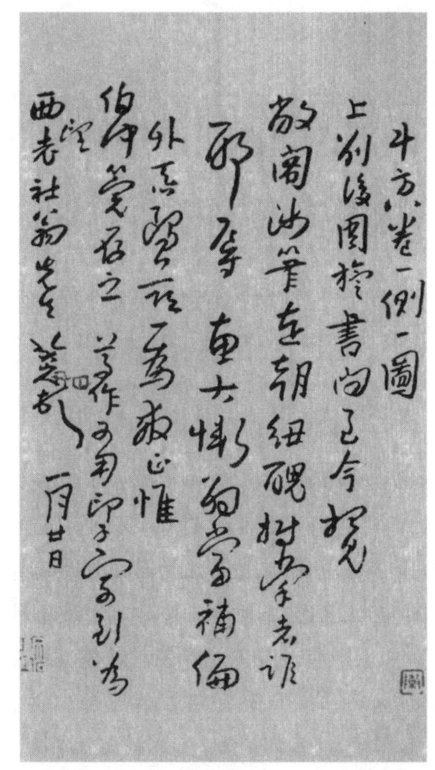

八大山人　尺牍　局部

清　石涛《致八大山人书札》局部

关于石涛的几个问题

一

石涛题自己的画兰诗："十四写兰五十六。"这是他 56 岁时叙述自己写兰花的经历是从 14 岁开始的，从石涛的画学来说，写兰是他的余事，他写山水、人物所开始的年岁，或者还要早于 14 岁，我们没有得知他自己也如写兰一样，曾作过叙述否？

由于石涛的画腊久，风貌多，尤其是他的伪作多，伪作的派别多，不容易掌握它的性格，而石涛的年岁，历来对他的记载和考证虽多，但仍不免于错杂，失去了辨证的依据。因而要来研究石涛画派的过程，风貌的变易，辨清他的年岁，也将消除一些论证上的困惑之点。至于平生行实，就更需要以他的年岁来证明了。

历来研究石涛的年岁，有如下的一些材料：一、清汪绎辰《清湘老人题记》所载《重午即景图》题诗。二、日本版《支那名画宝鉴》所印之《五瑞图》题诗及近人程霖生《石涛题画录》所记《重午即景图》题诗。三、日本永田编《清代六大画家展览图录》和日本八幡关太郎撰《支那画人研究》所记《石涛致八大山人信札》。

清汪绎辰《清湘老人题记》所载的《重午即景图》的题诗："亲朋满座笑开眉，云淡风轻节物宜，浅酌未忘非好酒，老杯口口为乘时，堂瓶烂漫葵枝倚，奴鬓鬅鬙艾叶垂，耄耋太平身七十，余年能补几首诗。"署款的纪年为"己卯"。

《支那名画宝鉴》所印的《五瑞图》题诗，与前者相同，惟第七句作"见享太平身七十"，纪年为"乙酉"而非"己卯"。程霖生《石涛题画录》亦记《重午即景图》其纪年亦为己卯，而其诗句则与汪绎辰《清湘老人题记》所载的相同。

其次是日本永原所藏见于日本永田所编《清代六大画家展览图录》和日本八幡关太郎撰《支那画人研究》所记的"石涛致八大山人的信札"中有"闻先生年逾七十，登山如飞，真神仙中人，济将六十四五，诸事不堪"云云。

据上面的几种材料，汪绎辰所记的《重午即景图》石涛七十自寿诗和程霖生所记的《重午即景图》诗，纪

石涛 《庐山观瀑图》

年是己卯，为康熙三十八年（公元1699年），据此上推，石涛的生年应为崇祯三年庚午（公元1630年）。

见于《支那名画宝鉴》的《五瑞图》石涛七十自寿诗的纪年是乙酉，为康熙四十四年（公元1705年），据此上推，石涛的生年则为崇祯九年丙子（公元1636年）。

按八大山人生于天启六年丙寅（公元1626年），根据那通石涛与八大山人的信札，八大山人与石涛的年岁是“年逾七十”与“六十四五”之比，作为石涛崇祯三年生，至康熙三十八年己卯，八大山人74岁，石涛正70岁，以石涛为崇祯九年生，则石涛比八大小10岁。

根据上面所列的材料，除汪绎辰所记的仅见于文字外，其他如《五瑞图》、程霖生的《重午即景图》以及日本永田编《清代六大画家展览图录》所发表的石涛致八大山人信札，都还能见到实物，试以石涛的画笔和书体，从它的风格、习性来辨析上述所列各件，证明都是出于伪作，因而这些材料也就丧失了它的可靠性。

历来考订石涛年岁的材料，既然不能作为论证的依据，而近年也陆续发现了一些新的实物材料，这些材料，证明都是绝无疑义的石涛真迹，计有：一、石涛自书《钟玉行先生枉顾诗》。二、石涛致八大山人信札真本。三、石涛自书《庚辰除夜诗》。这些真迹，提供了准确无疑的石涛年龄，从而也澄清了过去淆乱论证的荒诞伪迹。

1．石涛自书《钟玉行先生枉顾诗》：

> 丁巳夏日，石门钟玉行先生枉顾敬亭广教寺，言及先严作令贵邑时事，哀激成诗，兼志感谢，录正，不胜惶悚。
>
> 板荡无全宇，沧桑无安澜。嗟予生不辰，龆龀遭险难。巢破卵亦陨，兄弟宁忠完。百死偶未绝，披缁出尘寰。既失故乡路，兼昧严父颜。南望伤梦魂，怛焉抱辛酸。故人出石门，高谊同丘山。竭来敬亭下，邂逅兴长叹。抚怀念旧尹，指陈同面看。宿昔称通家，两亲极交欢。须眉数如写，骨气光采寒。翻然发愚蒙，感激摧心肝。识父自兹始，追相遥有端。便欲寻遗迹，从君石门还。一为风木吟，白日凄漫漫。清湘苦瓜和尚昭亭之双幢下。

根据诗的首句：“板荡无全宇，沧桑无安澜。”是指的明崇祯十七年甲申明亡时的动乱。接着他写道：“嗟予生不辰，龆龀遭险难。”是说当明亡的时候，他还是一个孩童，而“兼昧严父颜”，就连他父亲的容貌也已模糊不清，当听到钟玉行的叙说后，才使他“识父从兹始，追相遥有端”。假使说石涛是生在崇祯三年，到崇祯甲申，他已15岁，年近弱冠，是不能再称“龆龀”的，又如何可能“兼昧严父颜”呢？

2．石涛致八大山人信札真本。

> 闻先生花甲七十四五，登山如飞，真神仙中人，济将六十，诸事不堪，十年已来，见往来者所得书画，皆非济辈可能赞颂得之宝物也，济几次接先生手教，皆未得奉答，总因病苦，拙于酬应，不独于先生一人前，四方皆知，济是此等病，真是笑话人，今因李松庵兄还南州，空函寄上，济欲求先生三尺高、一尺阔小幅，平坡上老屋数椽，古木樗散数株，阁中一老叟，空诸所有，即大涤子大涤堂也，此事少不得者，余纸求法书数行列于上，真济宝物也，向所承寄太大，屋小放不下，款求书大涤子大涤草堂，莫书和尚，济有冠有发之人，向上一齐涤，只不能迅身至西江，一睹先生颜色，为恨！老病在身，如何如何！雪翁老先生，济顿首。

从这封信里看到，八大山人七十四五，石涛还不满六十。按邵长蘅作八大山人传，说八大山人“弱冠遭变”，而“黄安平为八大山人画像”上面八大山人的自题：“甲寅蒲节后二日，遇老友黄安平为余写此，时年四十有九。”甲寅为康熙十三年（公元1674年），以此可知八大山人生年为天启六年丙寅（公元1626年），至崇祯甲申（公元1644年）为19岁，与邵长蘅所记“弱冠遭变”是正相符合的。根据石涛信上所说两人的年岁，是“七十四五”与“将六十”之比，也就是说石涛比八大山人要小到15岁左右。以八大山人天启六年生，下推15年左右，则为崇

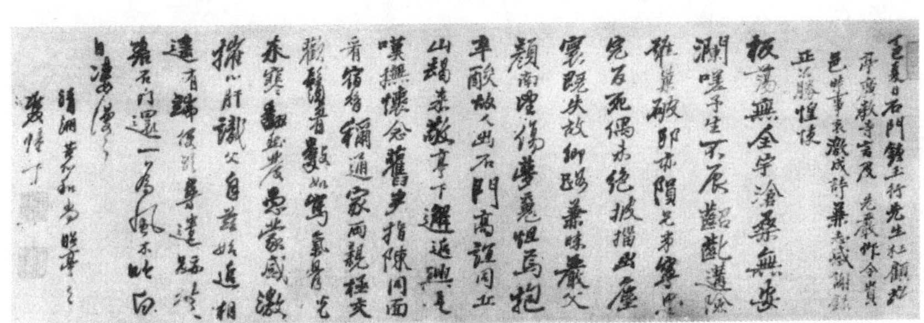

清　石涛　《赠钟玉行诗》

清　石涛　《致八大山人书札》　局部

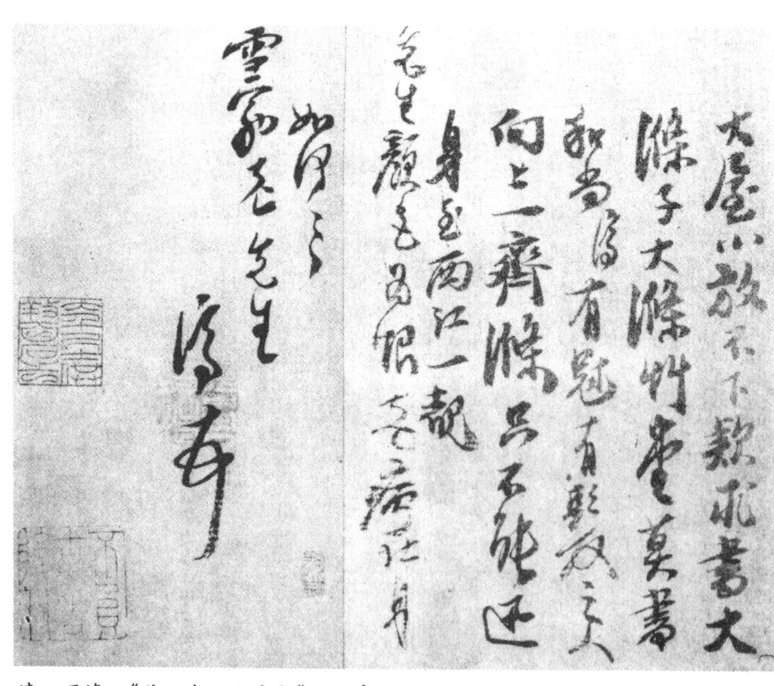

清　石涛　《致八大山人书札》　局部

祯十三年左右，那么，当明朝灭亡的时期，石涛才四五岁，真是“龆龀遭险难”了。

3．石涛自书庚辰除夜诗

诗首序言：“庚辰除夜，抱病，触之忽恸恸，非一语可尽平生之感者，想父母既生此躯，今周花甲，自问是男是女，且来呱一声，当时黄壤人喜知有我，我非草非木，不能解语，以报黄壤，即此血心，亦非以愧耻自了生平也，此中忽惊忽哦，自悼悲天，虽成七字，知我者幸毋以诗略云。”诗共七律四首，中有“花甲之年谢上天”之句，兹不全录。

依据诗的序文，庚辰为康熙三十九年（公元1700年）石涛自己说是年为周花甲，这就完全肯定石涛的生年应为崇祯十三年庚辰（公元1640年），依据旧传统计算，康熙三十九年庚辰，所谓“周花甲”，石涛应为61岁，又，石涛山水册，其中一页题诗云：“诸方乞食苦瓜僧，戒行全无趋小乘。五十孤行成独往，一身禅病冷于冰。庚午长安写此。”按庚午为康熙二十九年（公元1690年），其时石涛51岁，亦证明为生于崇祯庚辰，比八大山人正小15岁。

又按：石涛有一位朋友淮南李驎，所著的《虬峰文集》里有赠石涛六十和哭石涛诗。赠石涛六十诗中有句云“出腋知君岁在壬”，是说石涛是生于壬午年的。依据生于庚辰，则壬午石涛应为63岁。看来还是应该从石涛自己说的庚辰为准。哭石涛诗在《虬峰文集》中编年于丁亥。丁亥为康熙四十六年（公元1707年），其时石涛68岁。按石涛画的《双清阁之图》后有姜实节、杜乘题，姜题即在丁亥十月十七日，未言石涛卒。石涛的《金陵怀古册》亦作于丁亥中秋。又按十余年前发现一册石涛著的《画谱》，是由石涛自书的刻本，前有广宁胡琪的序言，作隶书，亦为石涛所书，序后纪年为康熙庚寅，可知此书的印成至早在康熙庚寅，而书的扉页又印有“阿长”、“清湘老人”二朱印，又可知此书印成后为石涛所亲见并印上了自己图章。庚寅为康熙四十九年（公元1710年），照此看来，此时石涛尚健在，他已71岁了。

二

石涛的生年，既已获得肯定，那么，一向记在石涛历史账上的一件事，就值得提出疑问，而这个问题，对研究石涛说来，是向被引起注意认为是石涛平生突出的事情。

顺治八年辛卯（公元1651年），在庐山的萧士玮伯玉曾写过一通信给虞山钱谦益，这通信是由石涛从庐山专程送往虞山的，钱谦益的萧士玮《春浮园集序》：“丧乱甫息，伯玉遣石涛僧贻书劝以研心内典，刊落绮语，余方笺注楞严，谢绝笔墨，报书曰：如兄约久矣，书往而伯玉已不及见。”同时在石涛离开虞山回去的时候，钱谦益又送石涛绝句十四首，诗后的跋语说：“石涛开士自庐山致伯玉书，于其归，作十四绝句送之，兼柬伯玉，非诗非偈，不伦不次，聊以代满纸之书一夕之话，若云长歌当哭，所谓又是一重公案也，辛卯三月，蒙叟弟谦益谨上。”

石涛的生年既已肯定，以此来辨析，这能是石涛的事情吗？顺治八年辛卯，石涛才12岁，从庐山到常熟，不能不算是长途跋涉，以一个12岁的小沙弥来担任这样一个使命，是可能的吗？近情理吗？

再且，钱谦益赠石涛诗的跋语，自称“弟谦益谨上”，顺治八年，钱谦益正70岁，以一位70高龄的长者，对12岁的小后生，既称“弟”，又书“谨上”，这样称呼，近情理吗？

石涛 《黄山八胜图》 之一

石涛是住过庐山的，他到庐山的行程，看来是这样，石涛有一本山水花卉小册，自题为“丁酉二月，写于武昌之鹤楼”，另一页题着“作于岳阳夜艇”，丁酉为顺治十四年（公元1657年），其时石涛18岁。石涛又有一页山水扇页，题着“秋日与文野公谈四十年前与客坐匡庐，观巨舟湖头如一叶有似虎头者，今忽忆断烟中也”，纪年为庚辰，庚辰正是石涛“周花甲”之年，上推40年，应为顺治十七年庚子（公元1660年），这时石涛21岁，照此看来，石涛18岁时，是在武昌、岳阳一带，21岁时在庐山，那么，顺治八年，石涛根本不在庐山，又如何能替萧伯玉送信往常熟呢？

萧伯玉的《春浮园集》中，有一首五言诗：

鄱湖望匡庐，退寻旧游，次而纪之以诗。

忆昔从南康，探胜到栖贤，譬如嗜色人，温柔乡在焉，躯之不肯去，欲终老其间，舆曳与人掣，醉向大林眠，婆娑双树下，乐如三禅天，石僧复招我，来作水口缘，晚云出谷口，缕缕如茶烟，数道忽狂驰，遍地兜罗棉，石公口喃喃，纵谈诗与禅，我竟不知答，

石涛 《黄山八胜图》 之二

直视欲无言。

诗中的“石僧”，不知名叫石什么，他与萧伯玉一同游山，说诗，谈禅，是萧伯玉的一位方外友，那么，替他到常熟去送信给钱谦益的就是这位石僧，看来倒是很可能的，而这位石僧，应该就是钱谦益诗中的“石涛开士”，钱谦益对一位擅于谈禅说诗的法师，临别赠诗，称兄道弟，就显得很自然了。

又按清王士祯《渔洋感旧集》载有闵麟嗣《宿开先听雨赠石涛禅师》诗，这里所称的“开先”是庐山开先寺，替萧伯玉送信的那个石涛，定然就是这个开先寺的石涛禅师，决不是12岁的石涛。显然，萧伯玉诗里所称的石僧，也就是这个开先寺的石涛了。

三

有一个问题必须提出的，就是石涛的家世。

从乾隆以来，说石涛是明靖江王之后。这一说法初见于江都员燉题石涛画的跋语，跋语说：“尝见公（石涛）手书《临池草》，载《内宫实

石涛 《黄山八胜图》 之三

录》一篇，低徊吞吐，意不尽言……公名若极，应是亨嘉的嗣，所云‘托内官以存活’者，其即在思文平粤之日耶？吾邑洪丈陔华，以画师事公，得公自述一篇，序次颇详……”

明太祖朱元璋的从孙朱守谦，洪武三年封靖江王，封藩在桂林，朱守谦死后，子朱赞仪袭封。石涛有一方印章，文为“靖江后人”，又有一印，文为“赞之十世孙阿长”，这个“赞”就是靖江王第二代朱赞仪。当南京福王朱由崧败亡，当时靖江王朱亨嘉，在桂林自称监国，旋为巡抚瞿式耜执送福建，为唐王聿键所杀，时为清顺治二年乙酉（公元一六四五），从朱赞仪到亨嘉是九世，从石涛是亨嘉之子而言，他正是第十世。

石涛的这些印章所说明的和员燉的跋语是符合的，那么，石涛的《钟玉行先生枉顾诗》所云“板荡无全宇，沧桑无安澜。嗟予生不辰，龆龀遭险难。巢破卵亦陨，兄弟宁忠完。百死偶未绝，披缁出尘寰”云云，正是指的明末动乱之际，他遭到了家破人亡的险难，当时他还很小，也濒于垂死的绝境，因而被迫做了和尚。如果说，石涛所遭的险难与亨嘉

石涛　《黄山八胜图》　之四

因争夺权位而被杀无关，那又是从何而来的呢？靖江王的灭亡，并不是由于清朝，而是由于朱家的自相残杀，作为靖江王的后人而言，只有这才是大险难。

然而石涛自书的《钟玉行先生枉顾诗》，也是无可置疑的真笔，却说他的父亲是石门县令，“抚怀念旧尹，指陈同面看”、“须眉数如写，骨气光采寒”、“识父从兹始，追相遥有端”，这些叙说，看来石涛并没有随着他的父亲到石门，乃至连他父亲的形象也一无所知，这就与上述为亨嘉之子的说法，纯属两事，大相矛盾了。

曾经遍查了《石门县志》，县志里的文职表中所记从明万历到崇祯列任的县令共30人，却没有一人是姓朱的。《石门县志》中还记着有一个朱道亨的墓，于是有人说这该就是石涛的父亲，看来其理由是既姓朱，名字中又有“亨”字。照这样讲，那也该叫朱亨道而不能是朱道亨，因为，朱亨嘉的“亨”字是名字的上一个字而不是下一个字，这是显而易见的，事实上，《石门县志》也明白记载着，朱道亨是石门县的一名学博。

石涛 《黄山八胜图》 之五

如果完全承认江都员燉的跋语，那么，《钟玉行先生枉顾诗》就无法解释，如果依据这首诗来否认员燉的跋语，那么，石涛的那些印章，又将如何解释？而且，不牵涉到当时重大的政治原因，而仅仅由于一个县令的家世，又何致遭遇到如此危急的险难？而且，作为一个县令，也够不上有内官。如果说，这位县令当时对清兵作了顽强的抵抗，因而遭到全家屠杀，而县志中又绝无这类的记载。石涛有一首《赋别金台诸公诗》：“吾身本蚁寄，动作长远游，一行入楚水，再行入吴邱。”他又有一方印章，文曰：“湘南粤北长千里，越客吴僧尽一生。”清梅清有赠喝涛诗：“喝公性寡谐，远挟爱弟（石涛）游。出险澹不惊，渺然成双修，朝泛湘江涯，暮涉匡庐陬……”都说明石涛离开自己家的行程是从南而北的，他 18 岁时在岳阳、武昌，21 岁时在庐山，之后才作了吴僧越客，也证明当他“龆龀遭险难”，是在广西而不是在石门。

又按南都的覆亡，在清顺治二年乙酉（公元 1645 年）。靖江王亨嘉称监国于桂林，亦在清顺治二年。清兵下浙江，是在清顺治三年丙戌（公元 1646 年）。这时广西是唐王聿键，接着是桂王聿锷的势力范围。如果

石涛 《黄山八胜图》 之六

说，石涛是石门县令的儿子，与靖江王亨嘉无关系，那么，石涛的“险难”就应该由于他的父亲石门县令的原故。然而，石涛当时是在广西而不在石门，又如何能由于他父亲的原故而遭到“百死”之危呢？亨嘉还有一个兄弟，当亨嘉死后袭封。清徐鼒著的《小腆纪传》，还有这样的记载：“亨甄，盖亨嘉兄弟行，袭封时日不可详。永历元年（桂王聿锷）冬十二月（清顺治四年，公元1647年），自象州返跸桂林，亨甄偕留守瞿式耜迎于郊。四年（清顺治七年，公元1650年），桂林破，亨甄弃城走，世子某暨长史李某缢于宫中。”这里所说的“桂林破”，是被清兵所攻下。亨嘉的灭亡，不由于清，而亨甄是为清所灭亡的。看来，石涛的“龆龀”的遭遇，与亨嘉、亨甄似不能没有关系的。

那么，《钟玉行先生枉顾诗》里所说的，又是怎么回事呢？看来，“抚怀念旧尹”的“旧尹”只是指的靖江王，而钟玉行与亨嘉是相识的。

四

石涛的画派，体貌多，因而风格多变，用区别它的时期来辨析它的

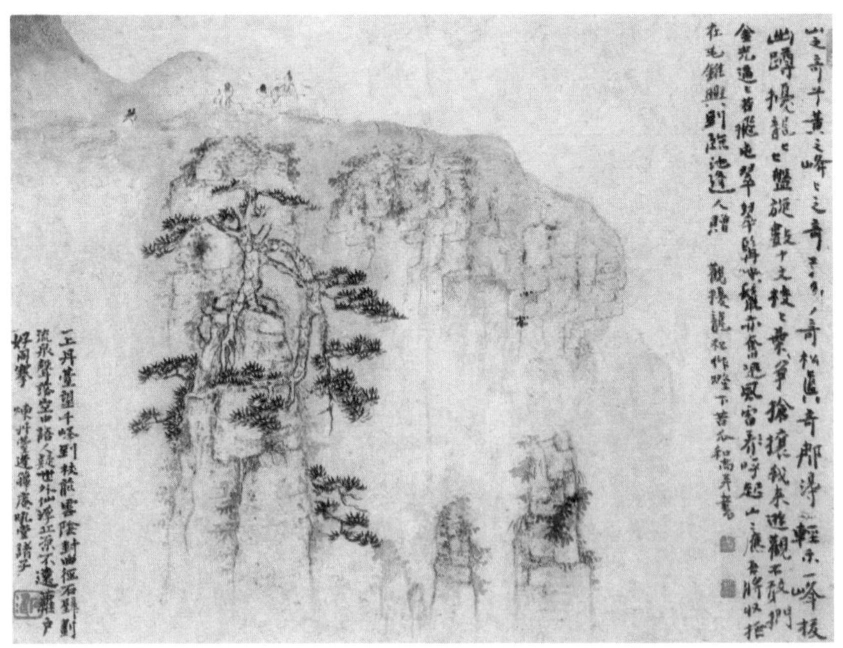

石涛　《黄山八胜图》　之七

变易之迹，考定年岁就有它一定的必要性。至于认识艺术风格，就要从他的风骨到情采，从他的习性作根本的探求，相反地可以与考订年岁相互引发。

认识一个画派，首先要明了它的渊源，当石涛的时代，画坛的风气，正当董其昌的南北宗之论盛极之时，从四王恽吴为主流的重“南”贬“北”的情势之下，如宗尚南宋的戴进、吴小仙辈，吴人已把这一画派摒于鉴赏之外。当时如金陵的龚半千、石溪，安徽的梅清，江西的八大山人以及石涛是完全站在主流之外的。

然而这些画派，虽与主流的四王恽吴风格异趣，他们的渊源，却并无二致。四王恽吴循着董其昌的艺术论证所推崇的是北宋和元到明代的吴派，而石涛也未尝不是如此。他与南宋到明代的院画派，确也是绝缘的，照当时的好尚，爱好元人的，大都爱好北宋，而石涛于此却有不同之处，如对郭熙，在他看来“未见有透关手眼”。

石涛的渊源，大体是陈老莲、沈周和元四家，陈老莲的画派则流露在他早期的体制中。

石涛 《黄山八胜图》 之八

古人有许多欺人之处，经常不大愿意提起自己的师承所自，石涛正是如此，如他的画笔，有许多形体，都是从元倪云林而来，即他有一种尖细的书体，其源也出于倪。他虽不讳言对倪的钦慕，但有时不免要声明："偶向溪边设亭子，世人又道是云林。"老揭他的底，看来就有些不愿意了。

石涛的艺术渊源，到元四家为止，从他的艺术形体里，除倪云林外，其他三家的风调，也有许多蛛丝马迹可寻，他的艺术旨趣，也认为他们"直破古人"，显然，他认为元代的画派，已凌驾于宋人之上。

其实，石涛对沈石田，也是钦慕备至的，有某些体貌都是从沈石田而产生，然而他是绝口不谈沈石田的，也从不谈陈老莲。

此外，他与梅清，也有共通之点，他早年往安徽宣城写黄山，与梅清极友好。但他二人的画派，看来可能有相互的影响，虽然梅清比石涛大 18 岁，梅清在 73 岁时写的黄山图册，其中有一页，自言是采用了石涛的画本的。

然而石涛的笔墨，不论它是怎样的善变，形体是怎样的多样，而它的性格只是一种，不论他各个时期的画派有多少区别，而仍然有可能沟通之处，怎样的错综复杂也不能完全隐蔽它的性格的一致性，相反地从它的一致性中可以来认识它的变易之迹。

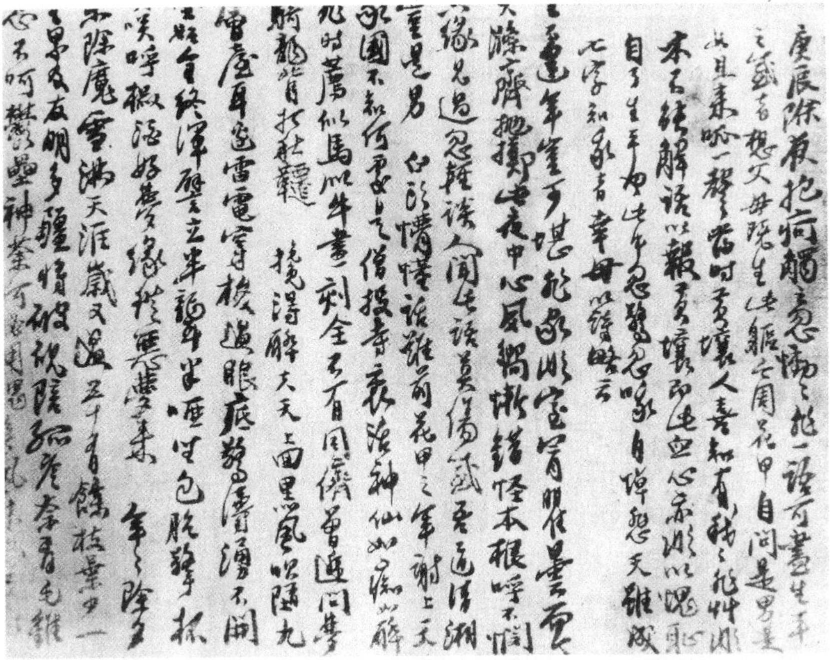

清　石涛　《庚辰除夜诗》

谈石涛二事

一

这里再来谈一谈石涛生卒年的问题。

石涛自书的《庚辰除夜诗》序言，原文如下：

“庚辰除夜，抱病，触之忽恸恸，非一语可尽生平之感者。想父母既生此躯，今周花甲，自问是男是女，且来呱一声，当时黄壤人喜知有我，我非草非木，不能解语，以报黄壤。即此血心，亦非以愧耻自了生平也。此中忽惊忽哦，自悼悲天，虽成七字，知我者幸毋以诗略云”。序后共七律四首，其第一首的前四句：“生不逢年岂可堪，非家非室冒瞿昙。而今大涤齐抛掷，此夜中心夙响惭。”其第四首，还有“年年除夕未除魔”等句。

按照一般说法，60岁称花甲。石涛以庚辰生，再到庚辰，即他一生中的第二个庚辰，应为61岁。但石涛在这里说是“今周花甲”，这“周”字说明是实足60周年，譬如小孩生下的日子，到明年却要为小孩做周岁，照传统习惯的算法，小孩的周岁要算两岁了。从年龄上来说，“周”不可能有第二种解释，这是常识问题。所以石涛特别在这里说庚辰为“周”，就是从庚辰到庚辰。但令人又感到石涛在“庚辰除夜”却算到自己的60周年，而且引起了无穷的悲感。

从序言和诗句，字里行间，低回愤激，吐露着说不尽的“生平之感”。从“来呱一声，当时黄壤人喜知有我”之后，60周年以来，度过的是“非家非室冒瞿昙”。不能以报黄壤，无可奈何，只有“此夜中心夙响惭”了。“此夜”就是“庚辰除夜’，为什么要在“此夜”特别想起“父母既生此躯”，又为什么不仅要在庚辰，而还要在“庚辰”的“除夜”？

这里可以想见“此夜”正是石涛“来呱一声”堕地之时。“此夜”竟是石涛的出生之时。当他在“庚辰除夜”，抱病过着自己“周花甲”的生日，想起了“当时黄壤人喜知有我”，“当时”也就是他六十周年前的“此夜”。便引起了他的“自悼悲天”。

这就很明白可以推知，石涛的生年、月、日，为明崇祯十三年庚辰(1640)十二月除夜。这就是石涛所以在“庚辰除夜”赋诗的主因。

同样，在一本石涛的山水册，其中一页题诗云：“诸方乞食苦瓜僧，戒行全无趋小乘。五十孤行成独往，一身禅病冷于冰。庚午长安写此。”照一般算，从庚辰到庚午，他为51岁。但诗句可以举一成数。庚午为清康熙二十九年(1690)以“周花甲”为例，上推50周年，为明崇祯十三年庚辰(1640)这与“庚辰除夜”、“今周花甲”即实足年龄，是完全符合的(以下俱以实足年龄计算)。

至于石涛生活到何时，根据他画的《金陵怀古册》，纪年为丁亥中秋。丁亥为清康熙四十六年(1707)，时石涛为67周岁。

又按有一册石涛著的《画谱》，是由石涛手写的刻本。前有广宁胡琪的序，作隶书，亦出于石涛手笔。序文的纪年为康熙庚寅，而此书的扉页上，并印有“阿长”、“清湘老人”二印。可知此书印成后为石涛所亲见，并盖上了自己的图章。清康熙庚寅，为康熙四十九年(1710)，则此书的印成，至早也要在康熙庚寅，这时石涛为70周岁。或许还要后一些。

最近程十发先生出示其所藏的石涛《兰竹图》轴。这是一个新奇的发现。画上的署款为“时乙未春清湘大涤之子并识于大本堂中”。“乙未”为康熙五十四年(1715)，这时石涛已75周岁，幸而这一图尚传于世，得以证实这时石涛尚健在。

有一位淮南李驎所著的《虬峰文集》里，有《清湘六十赋赠》诗。有《哭大涤子》诗。有《大涤子传》，看来对石涛很钦佩。两人的交往是“三绝画图频拜赐，五言诗句每联吟”。但就在李驎这首诗里，还有两句：“悬孤怜我年逢甲，出腋知君岁在壬。”却说石涛的生年是“壬”而非“庚”。从李驎的诗中所叙，石涛曾送他画并和他赋诗联句。但两人之间交谊的深浅，来往的疏密，我都不知道，但我以为朋友之间来往即使很熟，把生年弄错了，是极寻常的事。八大山人的49岁画像，他的朋友饶宇朴的题说八大是贞吉的四世孙，就是一例。而李驎在康熙四十六年丁亥(1707)石涛67周岁时，又有《哭大涤子》诗。我也不知道李驎与石涛是否常在一地，时常相见，或李驎这时不在扬州。石涛屡次提到他有病，而这时又或者适有“海外东坡”之谣，为李驎所闻，因而率尔赋诗哭起来了。这也不是不可能的事。但生年错了，还无足为怪，哭错了就不免引起人的迷惑。总之，李驎对石涛的生年与卒年都不足为凭。显然，可以想见，这些错，在当时定有这样或那样的原因，问题在于既然有石涛自己所说的为证，就不必苦苦纠缠住李驎不放。

再举一个例。故宫博物院研究员刘九庵先生见告，据袁枚《小仓文集·李方膺墓志铭》说他“卒于乾隆十九年甲戌(1754)九月三日”。而近年出的各书，都援引袁枚所撰的《墓志铭》为据。但据李方膺的原作，不仅有乾隆十九年十一月作于金陵借园的《墨梅图》轴(今藏故宫博物院)，还有乾隆二十年三月立夏后六日作的《墨梅图卷》(见《百梅集》上卷，商务印书馆印)，同年还有李鱓、郑燮、李方膺三人合作《岁寒三友图》见(郑板桥年谱)，又四月六日作《梅花卷》于金陵借园虎溪桥。夏五作墨竹轴(以上两幅藏南通博物馆)。

根据以上所记的这些原作，袁枚的《李方膺墓志铭》还能作准吗？

材料有第一手、第二手，证据有直接的、间接的。前面所援引的石涛事实，都出于石涛自己的手笔，都是第一手材料，直接的证据。第一手与第二手，直接的与间接的，应该排斥的是前者还是后者呢？

石涛《庚辰除夜诗》序言与诗，即前所引的，写得特别激动而真率。这种日子真受不了，"非家非室"，冒充和尚。这可奇了，石涛分明是旅庵月的正式徒弟。石涛画过一卷《十六阿罗应真图》，题款是："丁未年，天童忞之徒孙，善果月之子，石涛济。"《龙池世谱》也载着："石涛济为木陈忞之徒孙，旅庵月之徒弟，是南岳下第三十六代。"这里却说是"冒瞿昙"。石涛从北京回扬州后，盖了大涤堂。写信给八大山人求他画《大涤草堂图》。信中有这样几句话特别提醒八大山人："莫书和尚，济乃有冠有发之人，向上一齐涤。"这就表明他把过去统统涤净，全部抛却，过去做和尚，只是不得已，所以用了这个"冒"字，表明绝非他的本愿。当他在60周年的生日，想起了当时"来呱一声，黄壤人喜知有我"之时，而60年来却过的是"岂可堪"的"非家非室"的日子。所以他的第一首诗的末一句是"吾道清湘岂是男"。还像个男子汉吗？他决心革命了，把过去一切洗尽抛光，恢复了他为"有冠有发之人"。看来他还俗了。所以他用"大涤草堂"之后，又用"大本堂"，正是还我本来的意思。"大本堂"是石涛最后一个堂名。

二十余年前，我曾写过《关于石涛的几个问题》一文中，曾谈到石涛的生年和年龄问题，这里再略加以引申。

二

石涛有许多名号，屡见于他的作品中，也为尽人皆知，兹不一一列举。

但在石涛的名号中，有一个名字却很冷落生疏。这个名字叫"石乾"。在石涛原作中，我曾三见他用这个名字，其中之一是印章。

（一） 石涛书某某老人广陵竹枝辞画扇，署款为"甲辰初夏，雨窗读老人广陵竹枝辞十一，录为与白道翁文长博教，一枝石乾耕心草堂"。

这里先提出他在这一画扇中，出了几个疏误。他写"雨窗读老人广陵竹枝辞十一"。老人是谁？他把"老人"前面的某某人的名字漏写了。又"十一"，似乎要写十一首或十一章，他把"首"字或"章"字漏写了。更错误的是“甲辰初夏”的“甲辰”，说干支写错了是不可以任意随便说的，必须要有根据。

按石涛有一《山水书画卷》上题：“庚申闰八月初，得长干一枝。”又有一册《山水册》里，也题着“庚申闰八月初，得长干之一枝”。他还有一《梅花诗画卷》，后题：“余自庚申闰八月独得一枝，六载远近不复他出。”这六载，就是从庚申到乙丑。庚申为康熙十九年(1680)，到康熙二十四年乙丑(1685)，这6年之中，他都没有离开过金陵。也就在这一时期用“一枝”二字，这时他为40周岁到45周岁。这页扇子上写的是“甲辰初夏”，而署款是“一枝石乾”。甲辰为康熙三年(1664)这时石涛尚未到金陵，尽管石涛在金陵不止住了6年，但再一个甲辰要到雍正二年(1724)，这决不可能。这就证明甲辰实为“甲子”之误，“甲子”为康熙二十三年(1684)，是石涛“得长干一枝六载远近不复他出”的第五年。所谓“长干一枝”，长干是古金陵里巷名。一枝是天禧寺一枝阁，天禧寺旧名长干寺，所以他称“长干一枝”。石涛从庚申到乙丑，都住在天禧寺一枝阁，但他离开金陵之后，他就不再用“一枝”了。

其次，美国的王己千先生藏有一幅石涛山水，署款为“石子乾”，但没有记年月。

其三，就是上述石涛乙未年75周岁的那幅《兰竹图》，款下盖了三方印，第一印为“眼中之人吾老矣”。第二印为“西方之民”。第三印为“石乾化九”。这三印都是白文。

我现在所见到的他45周岁用“石乾”是第一次，第二不知是哪一年的，第三就是75周岁的印章。“石乾化九”这个名字，我想是这样的用意。按《周易》乾卦“乾”，“初九，潜龙勿用”。朱熹注：“初九者，卦下阳爻之名，凡画卦者，自下而上，故以下爻为初。阳数九为老。七为少，老变而少不变。故谓阳爻为九……”孔子传：“子曰，龙德而隐者也。不易乎世，不成乎名，遁世无闷，不见是而无闷，乐则行之，忧则违之。确乎其不可拔，潜龙也。”

所谓“石乾”，“石乾化九”，大概就是用的《周易》“乾”，“初九”的这一出典。

周易乾卦初九的含义，是读书人士大夫的遁世无闷的立身处世之道，是儒家的学说，以释家来说，是完全背道而驰的。虽然和尚称“苦行僧”，但如石涛的“苦瓜”、“瞎尊者”、“零丁老人”这些别号，从庚辰除夜诗的序言与诗看来，可以理解石涛从头至尾的思想中，并没有“释”。一生在佛门中稽栖，最后却说他的“瞿昙”是“冒”的。彻底吐露了自己的所处环境和他本身想望的衷情。

从释家而言，石涛自北京回扬州后，他的“凡心”实在再亦无法抑止论石涛家世，虽然也是明朝宗室，但他的“龆龀遭险难”、“百死偶未绝，披剃出尘寰”，并不是由于清朝的迫害，而由于朱家的自相残杀，因此清康熙两次南巡，他两次接驾，还写了接驾诗，画了《海晏河清图》。所以他虽与八大山人同为明遗民，而身世之遭遇，稍有不同，八大从僧转到道，石涛还俗，事实上都是“冒瞿昙”。而思想情感，或者有所不同而已。

清　石涛　《睡牛图》

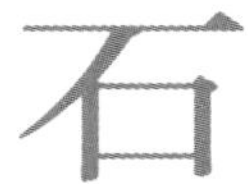

石涛作品纵观

——为上海博物馆建馆三十五周年出版《四高僧画集》作

石涛的画腊相当长，自云14岁就开始写兰花，当他“龆龀遭险难”、“披缁出尘寰”而后，看来他诵经，远不及他对诗书画的热情。不是吗？他的高僧之名，不在于佛经而在于诗书画。

清初人好戏弄文字的莫过于八大山人，他的诗几乎十九不能解，别号之奇，用到“二九一十八生”。而石涛署名，忽然写“石乾”或“石子乾”。石涛的名号最多，而这个名号却是陌生的。最有趣的是他有卷山水书画卷——《探梅诗画》卷，后题有“得长干一枝”与“独得一枝”，于是有人解释说是石涛得到一枝竹子。

按长干是古金陵里巷名，在石涛的《秋声赋》卷后，田林有一跋语，说是“石公挂锡于天禧寺一枝阁”，又据《六朝事迹》天禧寺在城门外，旧名长干寺。所说“得长干一枝”、“独得一枝”云云，事实上石涛住在天禧寺的一枝阁中，单用“一枝”，而且还加以“独得”，这就不免故弄玄虚了。“长干一枝”，他整整得了6年，或更长。

石涛云游四方，在他《南归赋别金台诸公诗》中写道：“吾生本蚁寄，动作长远游，一行人楚水，再行人吴丘，乘风人淮泗，飘来帝王州。”石涛自离开他的家乡广西，他有在岳阳、武昌画的山水花卉小册，时在他18岁。他又在60多岁时画过一页山水扇，题着他20岁在庐山，然后与他的喝兄同到安徽宣城，曾写过黄山图，题着丁未游黄渚归来作。丁未，石涛28岁，这时画风是接近梅清的，当他“独得一枝”，是在庚申年，他已41岁，画风已与梅清脱开了。后又迁居到扬州，并且终老于扬州。按石涛的朋友，淮南李驎的《虬峰文集》有哭石涛诗。《虬峰文集》把这首诗编年于丁亥，丁亥为康熙四十六年，以此推算，石涛卒年为68岁。我们至今还未发现石涛68岁的画笔。

有一个问题，还是值得提出，李驎《虬峰文集》还有赠石涛六十诗。有句云：“出腋知君岁在壬。”那就是说石涛是生于壬午年的。但是石涛自己的《庚辰除夜诗》的序言云：“今周花甲。”那么石涛应为庚辰年所生而非壬午。曾见到有些地方，还在沿用着李驎这句诗为石涛生年，尽管李驎是石涛的朋友，他的话有可信之处，但终究不如石涛述说自己的年龄干支之为更可信吧。

石涛、八大山人同是明朝宗室，画史上以他二人并称，但石涛比八大要世俗，两人的性格是殊途的。八大从僧到道，不出里门，以80之年，老死南昌。石涛是四出云游，交游颇广。两次接驾，作过接驾诗，并曾奉旨图江南之胜。又写过《海宴河清图》，与辅国将军博尔都结为好友，与王原祁合作过画，这些大致是到北京时的事。

石涛经常在他的画上打着一方印章，文为“搜尽奇峰打草稿”，这是大家都知道的。但是这句尽人皆知的熟句子，却说明一个问题。它说明中国与其他国家绘画创作的不同之点，中国的文学以臆造为它的艺术性，而西方的文学也是如此。而绘画却不然，在19世纪后期以前，西方绘画基本上是以一毫不变如实反映为其艺术性的，中国的绘画它的创

清　石涛　《细雨虬松图》

清　石涛　《竹石梅兰图》

作方法和文学一样，是以臆造为其艺术性的。如果不是这样，那他既搜尽奇峰，直接把奇峰反映出来就是了，又何必搜尽了奇峰还要再打草稿呢？中国自有绘画以来，在创作中，始终运用的是这一原理，是传统绘画的主要之点，即在生活中搜集素材，而以素材通过作者的臆造为其艺术性的，千百年来这一创作主旨，却从未有人谈及，直至石涛的这方印章，才一语道破。因此他的画千姿百态，淋漓幻化，正是他搜尽了奇峰，而后才能臆造出来。

这里所选的石涛画共36种，其中有纪年的自康熙甲寅(1674)，至康熙乙酉(1705)这三十一年间，即康熙甲寅(1674)他34岁，康熙己未(1679)39岁，康熙辛酉(1681)41岁，康熙丙寅(1686)46岁，康熙丁卯(1687)47岁，康熙庚午(1690)50岁，康熙癸酉(1693)53岁，康熙甲戌(1694)54岁，康熙丁丑(1697)57岁，康熙己卯(1699)59岁，康熙庚辰(1700)60岁，康熙乙酉(1705)65岁和一些无纪年的作品，包括卷、轴、册，大体说来，不能说是具备，约略可以概括他的艺术总体。凡人物、山水、花卉，一鳞一爪，从它的虚虚实实，浓浓淡淡，秀密的，空疏的，雄健的，清淡的，万般风貌，千种风情，将从这36件作品中显示出它的这些特色。有清一代的绘画艺术中，铺陈之多变，结体之多门，从传统中来，从生活中来，创作的源泉，发而为新奇神妙，从未有石涛如此之变幻莫测的。所以清初四大家之一王原祁不得不推许他为“大江以南第一”。其实在当时，指数天南地北，他的艺术创造，似还不能局限于此，应该是笼罩了南北的。

唐　孙位《高逸图》局部

从上海博物馆所藏唐宋绘画论艺术源流

建国十三年来，晚周的楚国帛画，汉唐之际的壁画，陆续在墓葬中发现，填补了中国绘画史若干空白之点，使古代艺术的传统关系增添了新的证据。历来认为是从犍陀罗艺术而来的敦煌石窟壁画，也将改变这一论证。就从三代的玉器、青铜器上的花纹，汉晋的石刻画与砖画，也都足以证明是一脉相承的传统艺术。

一

上海博物馆在十几年中所收的古典绘画，其最早的为唐代孙位的《高逸图》卷与敦煌石窟所出的唐代佛画。这两幅作品，前者是士大夫画，后者是民间绘画。

绘画和文学一样，文学的源来自民间，士大夫画的源也来自民间。因而士大夫画正是民间绘画的流。

唐张彦远《历代名画记》对绘画的论证是“自古善画者，莫匪衣冠贵胄，逸士高人，振妙一时，传芳千祀。非闾阎鄙贱之所能为也”。张彦远的论证，自然是出于他的阶级意识，然而有迹象表明民间绘画与士大夫绘画，不在唐时而是早已合流了。

从记载与流传的画迹证明，士大夫绘画在迅速发展，而民间绘画逐渐地衰落下去。这种趋势，看来是必然的。当封建统治阶级获得了政治经济的优越条件，而人民处于被压迫和穷困的地位，绘画艺术，也就不可能继续在民间有发展的条件与机会。只有让封建士大夫阶级来垄断独占了。

这种趋势从东晋开始明显起来。

据最早的绘画史，如南齐谢赫的《古画品录》，以三国吴的画家曹不兴开始。据《历代名画记》西晋卫协师于曹不兴，张墨师于卫协。《抱朴子》说，卫与张是当时并称的画圣。这些都是当时的士大夫所推崇的大家。

到东晋，顾恺之的绘画声望，凌驾于他的前代作家之上。南齐谢赫批评了顾恺之的画笔，引起了后来很多人的义愤填膺。陈的姚最，唐的李嗣真、张怀瓘都表示了他们的不平。然而顾恺之的历史评价，不仅在他的后代，即与他同时的谢安也曾推许他的绘画艺术“自苍生以来所未有”。所谓苍生以来，就连民间与士大夫都包括在内了。这里，可以看出，顾恺之的绘画艺术已超越了他前代的成就而获得了高度的发展。试从顾恺之的《女史箴图》卷来辨认它的艺术表现，已更多地脱离了民间的习尚而独立了自己的门户。在当时，顾恺之的画笔是风靡一时的，瓦棺寺的维摩诘像，三天中收得了百万钱的参观费。顾恺之的画派，迅速地被广泛接受。如近年南京西善桥南朝墓出土的砖刻画《竹林七贤图》，它的艺术风格显得与顾恺之的渊源极深。而山西大同石家寨北魏司马金龙墓出土的屏风漆画，与顾恺之的《女史箴图》为同一格局，就显得更明显。说明绘画艺术发展到南北朝，即使民间砖刻、漆画等等，也已为士大夫画派所渗透。下来到隋唐，它的体系，已脱胎换骨，已把民间的

东晋　顾恺之　《女史箴图》　局部

传统风规完全抛弃，而与士大夫画派，结下了他们之间的亲密关系。

以敦煌石窟的壁画而论，从北魏到隋开皇为止，都可以看出传统的民间渊源。而开皇以后到唐朝一代，绘画转变的角度异常突出。这种突变，在石窟中几乎无法来找寻它的渊源因素。但是，以顾恺之《女史箴图》和砖刻的《竹林七贤图》和屏风漆画来互相引证，就不难辨认士大夫画派的流风，到隋开皇以后，也传播到了敦煌石窟的壁上。传统的民间绘画艺术，至此已为士大夫画派所代替了。

士大夫画自顾恺之以后，循着他的艺术途径，蓬勃地发展起来。《历代名画记》所记的“师资传授南北时代”，晋以后，历齐、梁、陈、隋、唐，父传子，子传孙，师传弟子，一传再传，或亲授，或私淑，到唐代，是士大夫画派的全盛时代。前有阎立本，后有吴道子，唐长安净土院的金刚变，安国寺的释天等及西方变，都是吴道子与画工合作的作品。从绘画艺术角度而论，就说明画工的艺术风貌已与吴道子的画派混一了。米芾曾说：“唐人以吴（道子）集大成而为格式，故多似。”可以想见吴道子以后的人物画，或多或少的都是吴的画格了。不论是壁画，抑或是纸或绢画，不论是士大夫，抑或是民间，它的体系，都是出于士大夫的画派，不再是独立的民间绘画艺术传统。上海博物馆所藏的敦煌唐代佛画，可绝没有丝毫隋开皇以前壁画上的民间传统的情意，是与壁画上的唐画风格一致的。

从唐到北宋，李公麟的画派，笼罩了当时的画坛。他的艺术地位，等于唐的吴道子，而画派也正是从吴道子而来。上海博物馆所藏的李公麟《莲社图》卷，见于高士奇的《江村消夏录》，是流传有绪的作品。虽然不是真迹，却是不失李的原意而艺术性较高的宋人摹本，其中布景，与宋乔仲常《后赤壁赋图》相似。乔仲常的画派同是出于李公麟，作为论证李公麟的流派风格，它依然起着历史的作用。这一图与并世所传的《五马图》（皆见本书第118页——编者）的风调不同，而与《临韦偃牧放图》的

宋　李公麟　《莲社图》　局部

宋　乔仲常　《后赤壁赋图》　局部

性格较近（皆见本书第118页——编者）。《五马图》是他“行云流水有起倒”的笔势所自创的格调，而《莲社图》与《临韦偃牧放图》是圆润的骨体，还含有唐人的情意。现在所见到的李公麟画迹，正是有这两种风貌。李公麟虽然确立了自己的风范，但米芾对他的画格仍然表示：“李曾师吴生，终不能去其气。”也正说明了北宋绘画的艺术风尚。

南宋一到临安，艺术空气就改变了，一种豪放的格调在滋生起来，迅速地代替了北宋的艺术情意，这一格调的风气为李唐所开，而笼罩了画院。在当时以投降为上策的政治局面，这一豪放气格的产生，虽然出于皇帝的画院，但与民间的郁结之气似乎不能毫无关涉。李唐的《采薇图》，不是对当时投降派的讽刺吗？

《望贤迎驾图》、《人物故事图》、《八高僧故事图》、《罗汉图》，从上海博物馆所藏的这些南宋画笔来看，都足以说明这一代的艺术风尚，《望贤迎驾图》是描写唐安史之乱后，唐肃宗李亨迎接从四川返回长安的父亲玄宗李隆基过望贤驿的情状，是一幅历史题材的艺术杰作。当时正是宋徽宗赵佶、钦宗赵桓被金人掳去之后，对这一历史事件的描写，不能不令人意识到它的含意。而《人物故事图》所描写的情景，有许多迹象表明，可能是以宋高宗未做皇帝时出使金国等事迹为题材，如《中兴祯应图》之类的描写。《中兴祯应图》为当时昭信军节度使曹勋所编，共十二段，现在还流传有一卷是南宋萧照所画的。《人物故事图》可能也是同一题材中的一本。因为当时所画的，并不仅仅是萧照的一卷，萧照与李嵩相传还合写过一卷。看来，这一颂扬皇帝的题材，当时是分别画了好几本的。

在南宋豪放的风气中，梁楷的画派，是特别豪放的格调，但也是从工整之后的变格。在他的画迹之中，可以看出他的先后演变之迹。传世的梁楷作品，可以确信的大致不超过15件，如《祖师图》、《寒山拾得图》、《李白行吟图》（见本书第211页——编者）等，都是他的所谓“减笔”。而《泼墨仙人图》（见本书第213页——编者）奔放到以泼墨的手法来描写，这又是梁楷的奇特创格。梁楷的《释迦出山图》就与他的“减笔”有异，而是比较工整的体裁。“减笔”正是从这一形体之后所形成的。上海博物馆的《八高僧故事图》与《释迦出山图》的风格完全一致，无疑它也是梁楷较早的手笔。

南宋 《望贤迎驾图》

《望贤迎驾图》与《人物故事图》都是铺陈繁密的工整之作。豪放是南宋画风气的总趋向，而工整的描写与豪放的气格也不是绝对对立的，如上述两图的气格可以辨明《望贤迎驾图》比《人物故事图》要豪放些，与《八高僧故事图》属同一类型，都鲜明地显示了它的时代性，而《罗汉图》描绘深刻和豪放雄健的格调，还饶有唐人的气氛，与上述几图的形体有别，是南宋时代风气中某一个人的风格。

二

作为人物画的布景点缀的山水，发展到隋唐，也已是完全脱离了附庸地位而分科独立起来。虽然在六朝晋齐之间，如顾恺之、宗炳等已在从事专门山水的描写。但是这些远古的画迹已绝无流传。姑不论六朝，就是隋唐，在元初赵孟頫已经慨叹于王维、李思训、李昭道、郑虔等的画迹“不能一二见”。而米芾在北宋也已感到五代末期李成画笔的稀少而要作“无李论”。到今天来尚论远古的山水画的艺术源流，就苦于不太真切了。

然而，从敦煌壁画上北魏以来佛教画中的山水布景，可以看到它与汉砖画上的形式是一脉相承的，也与《历代名画记》：“魏晋以降，名迹在人间者，皆见之矣。其画山水，则群峰之势，若钿饰犀栉，或水不容泛，或人大于山，率皆附以树石，映带其地，列植之状，则若伸臂布指。”这一叙述相符合。看来士大夫画，还从属于民间绘画的范畴。

敦煌壁画中的山水，绝无纯用墨笔的，墨笔之于着色是后起。看来着色画是民间绘画的传统，而水墨画是士大夫的产物了。

唐人的水墨画，现在已绝无流传，所能窥见一斑的，是唐梁令瓒《五星二十八宿神形图》中的山石与孙位《高逸图》中的湖石。从开元天宝到唐末水墨画的形式与风貌，只有这几块墨石透露了一点消息。

宋人尚论的山水画派是唐王维，五代荆浩、关仝、李成，南唐董源，宋巨然、燕文贵、范宽、郭熙、王诜。以流传可信的画迹而论，就只有董源、巨然、燕文贵、范宽、郭熙与王诜了。

在当时，范宽与李成同是出于荆浩、关仝。从荆、关所流衍的范与李，却是两种截然不同的风貌。王诜曾把他们比作“一文一武”，说李成是文而范宽是武，李是秀润的格调而范是雄杰的气势。

这“文”派的画迹，当米芾之时，就要作“无李论”，到现在就真是“广陵散”了。

李成的继承者是郭熙与王诜。

黄山谷说：“郭熙因在苏才翁家摹六幅李成骤雨，从此笔力大进。”而米芾称说王诜的画“皆李成法也”。郭熙、王诜的画传世还多，因而这“文”派的源虽绝而流尚存。

上海博物馆所藏郭熙画迹有二：《古木遥山图》与《幽谷图》；王诜画迹有《烟江叠嶂图》。原都是北宋宣和内府所藏。

以论两轴郭画的相异之点，《古木遥山图》属于平远之景，而《幽谷图》属于高远之景。这正是郭熙自己所论“三远”的艺术表现。而前者的笔墨比后者的偏于柔润的一面。因而这两图的风貌就显得稍有不同，其实它的骨体是一致的。王诜的画派有二，一是着色的，一是水墨的。《烟江叠嶂图》是着色的，比较工整。与他的水墨画派如《渔村小雪图》不同。着色的情调凝重而水墨的情调爽秀。王诜与郭熙的水墨画派在形式上有某些共同点，而笔墨的情态完全两样。郭熙的气格是属于雄健。要探求李成的画格，看来就在于郭与王的某些共同之点。

李成与范宽，只是北方的主流。在南方，以南唐董源为主的“江南画”，与北方的是完全不同的体制。

北宋人经常把“江南画”看作唐人或唐王维。米芾论唐杜牧之所摹顾恺之维摩说：“其屏风上山水林木奇古，坡岸皴如董源，乃知人称江南画，盖自顾以来皆一样，隋唐及南唐至巨然不移。至今地州谢氏亦作此体。余得隋画《金陵图》于毕相家，亦同此体。”江南画的体系是如此，可笑董其昌的南宗北宗之论，他把董源、巨然，列为南宗，而以南唐画院学生赵干列为北宗，传世的赵干《江行初雪图》与董源的《寒林重汀》是一脉相承的。赵干正是江南画的嫡系，怎么能将董、巨与赵分成二南一北？真是“不辨仙源何处寻”了。

宋　李唐　《万壑松风图》　局部

米芾称说董源画“平淡天真多，唐无此品，在毕宏上。近世神品，格高无与比也”。董源画格，现在所见到的有二种，一种是上海博物馆所藏的《夏山图》，用点子特多，描写一片江南景色；另一种是不用点子，如半幅《溪山行旅图》与《龙宿郊民图》。巨然的画格从董源而来，接近于后一种，与前一种的关系是很疏远的。巨然画派的风貌，现在所见到的是一种，也可以说是二种，《层岩丛树图》是一种，上海博物馆所藏的《万壑松风图》是一种。《层岩丛树图》是米芾所说“矾头太多”的少年之作。《万壑松风图》是米芾所推许的“平淡趣高”的晚年之作。

南宋当北宋的北方与江南两大画系而后，别开天地，与人物画一样趋向于清旷豪放的一路，在当时是一新耳目的画派。

李唐画派成了南宋的祖师。虽然其中也仍有走北宋路子的，如上海博物馆所藏的朱锐《盘车图》，是郭熙的体系，《溪山风雨图》还带有燕文贵的风调。但总的趋向，已是李唐所开的风气了。

李唐的风格，从现在遗存的画笔中可以见到有两种：《万壑松风》、《江山小景》与《烟岚萧寺》，还具有范宽的骨体，是他前期的作品。也足以证明李唐的画派，其源出于范宽。李唐写过这样一首诗：“雪里烟村雨里滩，看之如易作之难。早知不入时人眼，多买燕支画牡丹。”如《清溪渔隐图》那种阔略豪放的骨体，看来就是“不入时人眼”的后期格调。然而他又哪里知道，就是这不入时人眼的格调，却开启了南宋一代的画风。上海博物馆所藏的马远《倚松图》、《四段雪景》，明显地显示了与李唐的渊源关系。形成了南宋院体的中坚。而《山楼来风图》，从它的风骨而论，也可以断定是出于马远的手笔。至于赵葵《杜甫诗意图》和其他的南宋山水，都反映了李唐画风在南宋的总趋势。

三

唐以后，花鸟画之盛，不在五代而在十国的蜀与南唐。蜀的黄筌与南唐的徐熙，前者是双勾轻色，而后者是落墨写生的两种截然不同的体系。宋初，翰林图画院领导了绘画艺术。当时画院以黄派为主，而徐熙的落墨被视为粗野，在摒斥之列，虽然宋太宗推崇徐熙说“吾独知有熙，其余不足观”，也没有能改变画院的风气。直到崔白、吴元瑜等的画派兴起，画院的艺术趋向，又从黄转移到崔、吴。然而崔、吴与黄的风格不同，也没有如徐熙落墨那样大的距离。上海博物馆的宋徽宗赵佶的《柳鸦芦雁图》，雄健的笔墨对真实的描写，在当时是一种奇特的风格。然而，总的看来，它的关系还是与崔、吴较近。徐熙落墨的画派，早已绝响了。

宋　李嵩　《花篮》图页

南宋的人物和山水，与北宋完全改道易辙，而花鸟的趋向，纵然笔墨有别，却与北宋的形体，距离不远。双勾着色的描绘形式在继续前进。只有梁楷、牧溪纵横豪放，是别开生面的格调。

上海博物馆的李迪《雪禽图》、林椿《梅竹蜡嘴》、李嵩《花篮》以及其他的南宋花鸟画，这些后来称为院体的，无不是北宋的继续。而在画院之外，梁楷、牧溪之外一种水墨画派，在骚人墨客隐逸之士中发展，江西的扬无咎是创始者。这一画派，讲求笔墨标格，强调花竹清意逼人的高华情韵。它的渊源，据说是从北宋文同与华光仲仁而来的。宋晁以道诗："画写物外形，要物形不改。"诗意是：画主要在于写物的情，但又要

宋　李迪　《雪禽图》

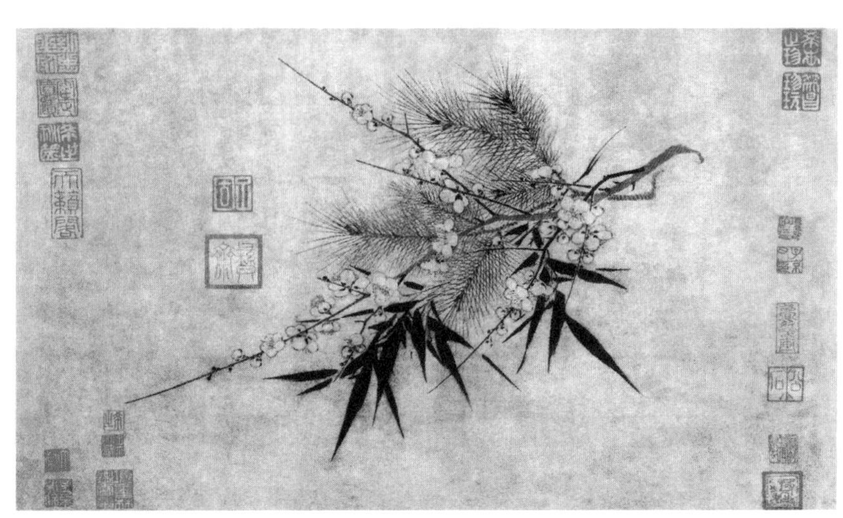

宋 赵孟坚 《岁寒三友图》

不改物的形。北宋到南宋的院体，是这一描绘方式。而扬无咎的画派，强调用笔墨来描写物情，对物形就较多地作有机的概括。它的艺术主旨，正是后来的士大夫画所推崇之点。当时继承他的有徐禹功、汤叔雅、赵孟坚等。上海博物馆所藏赵孟坚的《岁寒三友图》，他一生追求扬无咎的画格，从这一图可以看出它的渊源关系。

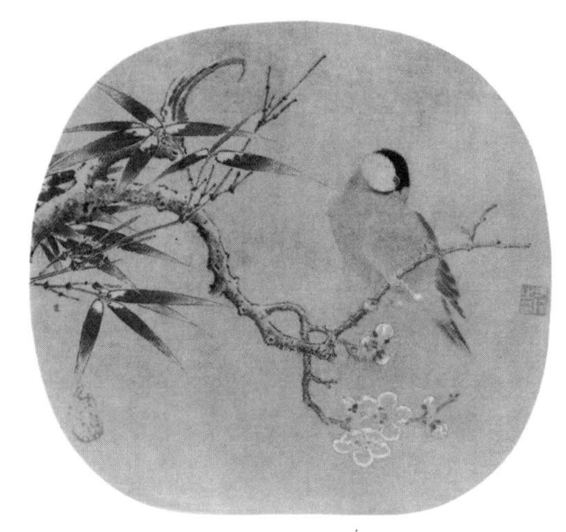

宋 林椿 《梅竹寒禽》 图页

赵孟坚所经常描写的是兰、竹、松、梅与水仙。这些作品，传世都有，而以水仙为多，这一画派的主要之点在于笔法的修养和气清格高的笔墨表现，以书画为同源。书画同源，在唐代就已提出这个论点，这在画一方面，正是指的笔法。赵孟頫有诗云："石如飞白木如籀，写竹还于八法通。若也有人能解此，方知书画本来同。"然而所谓"千古不易"

的笔法，也有它时代的演变、个性的异同。从晋唐以来直到南宋，从民间到士大夫，从人物山水到花鸟，其中笔墨的演变，是丰富而繁杂的。而到扬无咎这一派，所崇尚的既不是工整又不是全然的豪放，在当时是一种新的情意。总之，这一派以笔墨的修养居于首要地位。扬无咎传世的梅花有三图，都显示了笔墨个性与描写特色。他以不同的笔法来对待梅的干、枝与花：以苍老的笔表现干，圆润的笔表现枝，秀劲的笔表现花。因而他不强调笔的修养，就无从来确立自己的画派。赵孟坚的画笔，也无不是这一主旨，这一表现方式。他擅于描写水仙，那就比他所写的松针更需要劲挺如钢丝的描笔。这是最见笔的修炼功夫的表现。是他描写水仙的主要之点。

见于《南画大成》而后有京口顾观题的赵孟坚《水仙图卷》，是明代大鉴藏家项子京的旧藏，传世的名迹。然而从这一画派的艺术旨趣和赵孟坚的艺术风貌来辨析这卷《水仙图卷》，证明它是伪本。它的细弱无力的描笔，可以想见执笔临笺徬徨失措的情态，是与赵孟坚的笔墨习性完全不相容的。笔墨无灵，至多也只能是从真本所翻出而已。

赵孟坚还有两卷《水仙图》，一卷写两株，一卷写三株，而题着同一首诗："步袜无尘澹净妆，翩翩翠袖恼诗肠。水仙只咽三清露，金玉肌肤骨节芗。"那两株的一卷款是"子固"，三株的一卷款是"彝斋"，而印着相同的三印，也都为项子京所藏。这两卷的笔墨习性，描绘的情态完全一样，它所用的劲挺的描笔，与所表达的水仙咽露的情意，比见于后有京口顾观题的那卷《水仙图》的艺术表现，孰高孰低呢？与赵孟坚的笔墨习性，孰是孰非呢？说是赵孟坚会有如京口顾观题的那卷"水仙出现"，是不堪想象的。

南宋花鸟画在当时，院体的声势虽盛，而南宋以后，已不为士大夫的青眼所顾，后来居上的却是扬无咎的流派了。

以上所论及的仅就上海博物馆的一部分藏画而有所伸引，自然，这不是全面的。

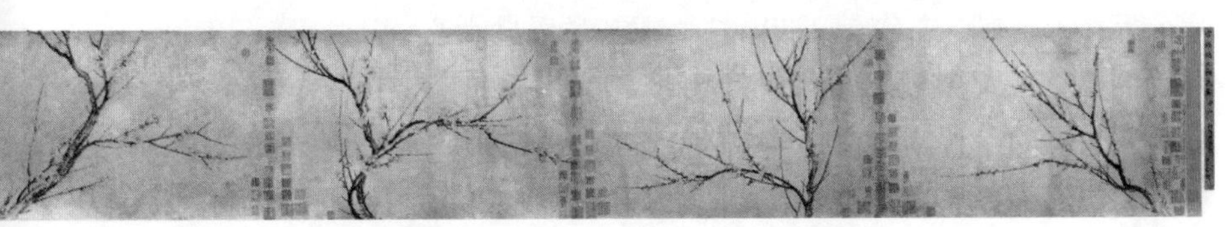

扬无咎　《四梅图卷》

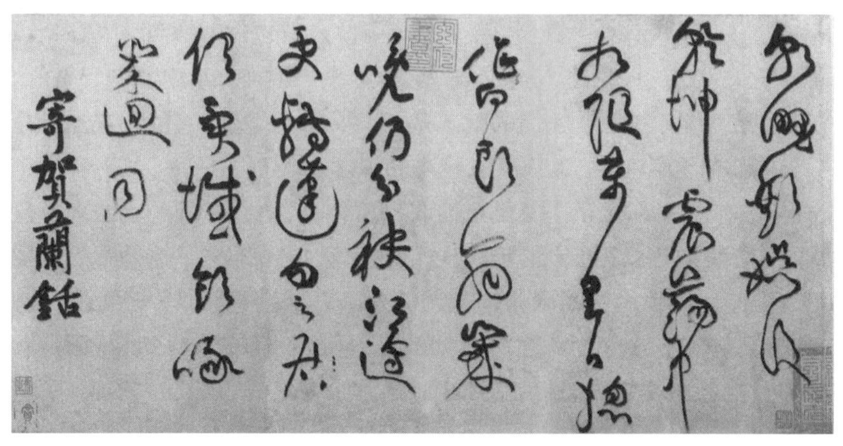

黄庭坚 《杜甫寄贺兰铦诗》

北行所见书画琐记

1962年4月，从北京出发，经天津、哈尔滨、长春、沈阳、旅大，跨越四省，往返半年，所见书画万余轴，随手笔录，不复诠次，其中名迹巨制及新奇之品，非片言数行所能尽者，不在此论列。兹记其琐屑者以备他日检考之助而已。此行为张珩、刘九庵同志及予三人。

邵高山水一轴，作于明天启丁卯，款书“芬陀居士邵高”。又为范质公写山水一册，亦作于丁卯。按邵高之名仅见于《无声诗史》：“邵高，字弥高，吴县人，长于山水。”其他画史俱载邵弥，字僧弥，长洲人。邵高、邵弥实即一人。两画纪年俱为丁卯，丁卯为明天启七年，明年即为崇祯，盖邵弥原名高，崇祯以后改名弥。其署名邵弥者，可知画为崇祯以后笔，邵弥以画中九友著称于画史，邵高之名遂湮没无闻。

马麟《疏影横斜图》卷，款在左端作“马麟”两小字，有沈周、祝允明题。明安国收藏，为北方收藏家方药雨旧物，韩慎先生曾见告，此卷当年在北方极有名，方药雨对此卷颇沾沾自喜，诩为一宝。1929年曾出国参加中日展览会，发表于展览会图录《唐宋元明清画册》。然马麟款是伪添，卷后祝题诗首句为“马君手挽东皇力”，末云“尚古今之和靖也”。而马君之“马”字，实为刻去原字后填，细审其刻处，尚有“林”字痕迹可寻，因恍然于“尚古今之和靖”之意，盖此卷为林尚古所作。以其图为水影月香之景，而又姓林，故云“今之和靖”，足知林尚古实祝允明同时人，然此卷画笔雄健有势，大有南宋人情味，亦明画中之上乘，弥足深爱，可惜其名字画史竟无所载，容当再考。

宋高宗赵构书团扇一页，行书七绝，有“德寿”葫芦印，殊精好。赵构行、草书传世尚有，惟书团扇为少见。曾记赵构尚有书团扇一页，为听帆楼旧物，今已流出国外。

傅莲苏行草书轴一，书势极似傅青主，惟较薄弱而狂野过当。按莲苏为傅眉子，青主之孙。世传莲苏每为青主代笔，因思世传青主书条极多，颇有拙劣者，而又非出于后来伪造，此类青主书殆即出于莲苏之手。然青主自云：“代吾书者，实多出侄仁。”可知其一门都作青主体。

好古道人墨梅一卷，款下钤“中书舍人之章”、“宗蕴”二印，笔墨明洁，殊有情致。墨梅自宋扬补之而后，为赵孟坚，逮元为王冕，此图又出于王。又明黄养正等书孝经序册，有一页署款为“中书舍人永嘉胡宗蕴书”。册后有陆友仁等题，分别纪年为永乐、宣德，则好古道人即胡宗蕴，永乐时永嘉人。

王铎行草书大条幅，后自书云：“绢苦不七八尺，不足以发兴奈何。”王铎草书往往一笔连下七八字不断，如此则绢长始有用武之地，便是发兴处。

《芦乡杂画》一卷，计若干段，在一幅纸上连画。第一段为董其昌作青绿山水，上题“芦乡秋霁”，旁有陈眉公题云“曾语玄宰，何不题曰芦乡，玄宰称快，又为之作一大幅，故并此得两幅”云云。后有陈廉、吴振山水各一段。陈、吴笔殊不多见，世传此二人俱为董其昌捉刀，屡见于前人叙说，观此画笔，乃与董笔性格悬殊，传言虽多，岂尽可信；

又后为蓝瑛山水，作于癸丑，骨体大似华亭派，按癸丑为明万历四十一年，其时蓝瑛尚不满三十，乃知其早年，亦在董其昌之藩篱中。

吕健花鸟一卷，吕号六阳，为吕纪曾孙，画细碎而气格小，与吕纪情意已了无关涉处。按吕纪是四明人，而吕健作扬州人，大约后迁居于扬，尝往来吴门，为水淹死。

郭勋自书与明嘉靖朱厚熜唱和诗一卷，尚是原装，每书嘉靖一诗后自书一和诗，卷颇长，约有数十首。嘉靖皇帝能诗，似尚未见，然其诗之坏，真大堪发笑，世每讥乾隆弘历诗，以视朱厚熜之作，不啻天壤，郭勋曾自撰开国通俗纪传名《英烈传》，令内官之职平话者，日唱演于朱厚熜前。又明末新安所刻《水浒传》善本，亦郭勋家所传。

沈灏人物一册，自题“仿李伯时为蒙翁社师”。册共十页，其中六页，全取陈老莲《隐居十六观册》为稿本，而自称仿李公麟，古人欺人，往往如此。陈老莲《隐居十六观册》，即写赠沈灏者，作于辛卯，为清顺治八年，其时老莲五十四，惜沈灏生卒尚无考，此册虽无纪年，然必作于顺治八年之后。

魏居敬《兰亭修禊图》一卷，款在左端下角“丙午上元吴郡魏居敬写”。三印：“居敬”、“仙严”、“梦笔斋”，风貌颇似仇十洲而树法带文征明笔意，按丙午为明万历三十四年。又有黄宸《兰亭修禊图》一卷，亦作此体。黄亦明万历时吴门人，魏、黄之作，俱与世所传苏州片子者极相似，苏州片子中如唐李思训，宋赵伯驹、刘松年，下至仇十洲等画卷，当有魏、黄辈之笔在内，既掩其姓名，而苏州片子又不为当时所重，遂致湮没无闻。使其多自书款，则仇十洲而后，作青绿细笔山水，如魏、黄笔，又何人可与之抗衡。

李寅仿赵松雪山水一轴，款在右上角“丙辰十一月，拟松雪道人意”。画笔颇细，如山石水口，全似蓝田叔。丙辰为康熙十五年。又山水一轴，自题亦仿赵松雪，作于己卯，画派与袁江极相近，己卯为康熙三十八年，视前者后二十三年，盖李寅画派出于蓝瑛，而袁江出于李寅。扬州画舫，除萧晨画宗仇十洲而外，其他则大都出于蓝瑛。尚有袁江山水一轴，其画笔亦极似蓝瑛，足见当时江浙之间，蓝瑛画派影响之大。

张四教画华新罗像一轴，嘴瘪，颊高耸，尖下如猴状，盖新罗之晚年。款在右上端“乾隆丁亥七月，扬州张四教追仿，计不见先生已十二年矣”。左边张四教又一长题，大意说四教父与新罗交好，其时四教年尚小。后识新罗，新罗极许四教有绘画天才，并指点其画。末云“距先生之殁已逾一纪”云云。按乾隆丁亥为乾隆三十二年，其时距新罗之卒已十二年，则新罗卒年当在乾隆二十一年丙子。又张珩同志见告，新罗《离垢集》手写稿本，其最后一首：“新罗小老七十五，枯坐雪窗烘冻笔，画成山鸟不知名，声色忽从空里出。”其书体至此亦已颓唐不堪，如新罗卒年为七十五，则以乾隆二十一年上推，新罗应生于康熙二十一年壬戌。

龚贤诸弟子集册一册，其中一叶山水，画笔与龚贤神似，款作“半亩龚柱”，下一印“础安”二字。龚柱画为仅见，此当是龚贤之子侄辈。

戴思望仿倪云林八景一册，款作小正书，似查士标，画则全出于浙江。世称新安派，实以浙江为主，浙江画得云林骨体，而刻意谨饬。当时如祝昌、姚宋、江注及戴，俱不出浙江藩篱，即查士标一生纵横笔墨，亦始终徘徊于浙江之门庭，特其笔势、山势，易浙江之谨饬而为柔缛之情，世人目查出于倪，其实神理之间，固非倪云林而为浙江之倪。即戴此册，自称“家藏有云林八景册，因仿之”。实亦浙江而已，何尝是倪。讳言本师，竟至于此。从查士标、祝昌、姚宋、江注及戴思望各家而言，惟查士标尚能自出新意，其余数子，直视浙江亦步亦趋。

法若真山水一册，对题，无款，有印，纸本尚新而破洞较多，又有若干法若真之印印在破洞上，颇疑法若真印何以自印在破洞上，且其部位俱为不宜加印处，深为可异，册后有法若真孙法光祖题云：“偕掖水满生手为装潢，谨书志之。”因恍然此册实被法光祖所装破，为掩盖破洞计，故将其祖父之印乱盖其上，不觉大笑，使法光祖无题，殊难索解。

华喦《秋林客话图》一轴，款署“南阳山中樵者岩”。又李鱓花果一轴，其左上端有华喦题，署款“竹间老人”此二号俱为仅见。

八大山人花果一卷，后书七绝诗及故事等，大字，极长，作于癸酉。又荷花泉石高头大卷，后书河上花歌，亦大字，作于丁丑。两卷俱精，而高头一卷尤为壮观。其署款之“八大山人”，前者八字作“×”形，后者作八字如两点形，癸酉为清康熙三十二年，八大六十八岁，丁丑为康熙三十六年，八大七十二岁，其署款之八字，从“×”形变为两点形，盖在七十岁前。尝见其七十岁之作，其八字已有作两点形者。

万邦治《秋树闲吟图》一轴，款作“石泉”二字。有一印“万邦治”三字。明院体画。又万邦正《寒溪钓雪图》一轴，款作“可山”二字，下一印“万邦正”三字，亦为明院体画，二人当是兄弟，盖俱为嘉靖以前画院中人。惜画史俱无记载，院体画不为后来士大夫所重，故多失记。如安正文、缪辅，当俱为宣德至天顺间画院作家，安工界画，缪善写鱼，亦俱无记载其名之处。

纪昀试帖诗手稿一卷，诗共十一首，其中有和御制诗，后附一启云：“请为托相好代书。”诗稿作小楷，稚拙之至，与平日所见者全不类，此定是真笔，纪昀实不能书，即数行馆阁小楷，亦须请人代笔。世所流传其条幅楹联之类，可知其概非出于本人之手，即此手稿，亦极少见。

五德油画山水四段一卷，纸本。一、山海关澄海楼；二、木兰城；三、金山；四、海宁石塘。无款，后成亲王题：“甲辰之春至江浙壮游，请御史五德画，五德擅泰西画法，时已七十余矣。”四段上各有图名，亦成亲王书，以纸本作油画，而山坡等处，又不尽用油彩，画颇新奇可喜，五德为满人，其画极少人知，当为中国从事油画之先驱。甲辰为乾隆四十九年，其时已七十余，当生于康熙末年，或出于郎世宁之门，然其画实视郎为清隽有味。

宋人《文姬归汉图》一卷，绢本，约尺许高，作人马，视卷差小无几，有小款一行“祗应司张瑀画”在后端。前后隔水有梁蕉林藏印，卷本身前端有“皇帝图书”、“宝玩之记”二印，后端款下有“万历之玺”一印，其前端二印亦万历印。此外复

《文姬归汉图》 局部

《文姬归汉图》 局部

有乾隆诸印及一题。《文姬归汉图》即乾隆所定名。张瑀无可考，按“祗应司”为金国内府机构，大致如清如意馆之类，容再考。此卷既非宋人画，其所图亦非文姬归汉，金人每好作明妃出塞，如金人宫素然有《明妃出塞图》，此卷实与宫素然卷同一题材，其人物分布形状，与宫素然卷亦颇同，特无布景。宋时图写文姬归汉，绝不作如此铺陈。

李鱓玉兰、牡丹两轴，李鱓经常署款作李鱓，但有时其鱓字不作“鱼”旁，而作“角”旁。按鱓音善，李鱓有一印，文曰“里善”，此盖取其姓名之谐音，而觯音支，与鱓纯属两事，因而或疑其若非先后易名，即有真伪之别。此玉兰、牡丹两幅，其尺寸纸墨，俱出一式，实相联。是屏条中之两幅，在此两幅中，其署款一作鱓、一作觯，虽未著年月，然既是屏幅，显属同时，可知其书相异之体者，并无时间之先后，亦非真伪之关键，按南京出土晋谢鲲墓志，其“鲲”字作“角”旁。又曹全碑，“抚育鳏寡”之“鳏”字作“角”旁。看来作觯者仍是鱓字，特将鱼字写成角字。然鱓、觯为两字，固不同于鲲、鳏之作角旁耳。

苏东坡书诗一卷（《故宫已佚书画目》物）。有黄琳、项子京、曾宾谷、张燕昌等藏印。按此卷已残，所书诗二，前一首诗题已失去，诗云：“结庐得法仲长统，因病求闲马长卿，此日壶中聊取失，它年谷口尚留名。”第二首，《过荐福用前韵》“唤客山中去，秋清属此晨，碧波涵日净，红叶陨霜新。世味老愈薄，交情久更亲，种莲开净社，兹事付吾人”。后梁山舟题四绝句，一、“唐朝秘书右军书，特数河南甲乙储，谁向百千年上见，只凭两日辨龙鱼。”二、“蜡纸相传玉局书，不须嫌说署名无，请看七十有四字，字字都如无价珠。”三、“妙迹难凭巧匠摹，神明意用总无余。若将偃笔求苏字，赝鼎何曾少墨猪。”四、“两诗不载东坡集，要补遗编纩夹余。墨汁淋漓墨痕聚，苏夫子后没人书。”“芑堂明经以宋人无款诗笺见示，余定以为坡老无疑，因口占四绝句跋之，俟世之具只眼者同赏，时乾隆壬寅二七秋禊之日，山舟同书。”按此卷所书，稽其骨体神理，与南宋范石湖笔如出一辙，而与东坡书势了不相涉，并世所传东坡、石湖书俱足为证。所书两诗不知何人诗，亦不见于石湖居士诗集中。

元刘秉谦双勾着色竹一轴，款两行“至正乙未春寿阳刘秉谦为克明宪椽作”。下三印：一、“秉谦”，朱文。二、“刘氏子益”，朱文。三、“冰雪相看”，白文。此图结体，较近李息斋，而细枝繁密，笔势健壮，神理之间，遂与息斋殊途。其下为坡石丛草，草亦作双勾，极精美。并世所见刘画，仅此一本，画史竟无传，其生平容当再考之。

文彭致项子京尺牍一卷，计数十通。函中所言，大都为项子京鉴定书画及介绍书画与项子京事。内一函云：“吴人汤淮，装潢有父风。”时汤去嘉兴，文彭特为介绍于项子京：“有中等生活，可委之装池。”按汤翰在嘉靖时为吴中名装手，宋徽宋《雪江归棹图》，当时即为汤所装。又尚有一装手名汤臣者，《清明上河图》之事，即为其所起，亦当时吴中名手。此汤淮装潢有父风，不知是汤翰，抑汤臣？

清许佑《杂花图》一卷，作于己巳六月，没骨设色，与邹一桂、钱维城、汪承霈等进呈花鸟画，即后来所称之臣字款画极相似。按许佑，字弼臣，常熟人，曾为内廷供奉。款作己巳，为乾隆十四年，其时许佑已七十八岁，颇意如邹一桂等进呈之花鸟画，风格一致，如出一人手，而与其非进呈之作殊不类，或竟取如意馆中人画而各自署名耳。

孙龙牡丹一页，画伪，其对页有明末闽人陈衎字磐生一题云“孙痴龙，与林良同荐人直，为宣庙所重”云云，又尝见孙龙花果一卷，无款，有三印：一、“孙隆图书”，朱文。二、“痴”，白文。三、“开国忠敏侯孙”，朱文。卷后有董氏一题云：“公讳龙，自号曰痴，工于绘事，宣宗章皇帝时洒宸翰，御管亲挥，公尝与之俱……己丑夏日跋于三山澹斋。”

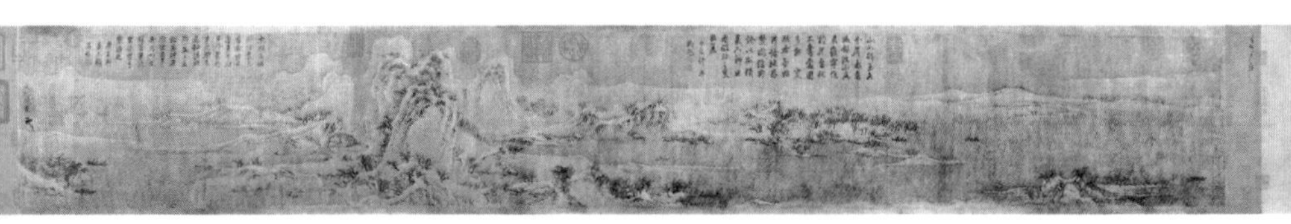

宋　赵佶《雪江归棹图》

下二印：一、“君实董氏振秀”。二、“士赵顿淀董氏印信”。按历来叙说对孙龙颇略。或有谬误。据此卷及两题，所言如一，已非孤证。足以补画史之略，正画史之失。一、按世所传孙隆、孙龙画，其风格绝无二致，可知隆、龙实即一人。二、证明孙龙是宣德时人。三、开国忠敏侯，明史作忠愍，当有误。又尚有一孙隆，号从吉，为新安知府，则独工画梅，师王冕，亦宣德时人，然世不见其画。

王守谦《群雁图》一卷，款署“癸酉春日，锦衣后人王守谦”。卷后陆世科一题，谓王字肖周，锦衣王谔之后，堇人。按癸酉为明崇祯六年。王守谦，画史亦无其名。

唐阎立本、褚遂良书画《孝经图》一卷，《故宫已佚书画目》物，重

宋　赵大亨　《薇省黄昏图》页

着色，同幅绢书共十八段，后孙退谷题，定为真本，其意甚坚。此卷不甚高，作人物不大，极精湛可喜，稽其画派，人物大似萧照《中兴祯应图》，盖亦南宋画院中人手笔，复检绪书，则其中匡字、慎字俱缺笔，尤可证其为南宋孝宗以后之笔。

宋赵大亨《薇省黄昏图》一页，款署“赵大亨画”四小字，在下端石上。石著石青色，已脱落，而款字墨色著绢素上，乃知是先书款而后著石青色者。在宋人画册中，此一形式为仅见。按米芾《画史》:“王诜尝以二画见送，题勾龙爽画，因重背入水，于左边石上有洪谷子荆浩笔，在合绿色抹石之下。非后人作也。”是此书款式，在五代时即有，又不知是荆浩所自创否？大致至宋此式渐废，故绝不为人所注意。史称赵大亨与卫松同侍赵伯驹、赵伯骕作画，因得见前代画迹必多，故其书款，犹用旧法。

蓝瑛《春阁听泉图》一轴，款在右上角“春阁听泉，仿李咸熙画法，蓝瑛”。款旁又自题一诗，末云“辛巳冬杪……山尘社兄出予二十年时画题记……”云云。辛巳为崇祯十四年，其时蓝瑛年五十六，二十年时则此画当为蓝瑛三十七岁时所作。稽其骨体已非《芦乡杂卷》中之情意，已具其后来形体，惟布置、笔意视后来为繁密谨饬。陈老莲之山水，颇从此出，即龚半千浓墨山水，与此图亦太有合处，即樊会公、高岑辈亦与之风格攸同。蓝瑛当明末开江浙一派，其影响所及，扬州之李寅一系，南京之金陵画派，江北、江南，此二流俱以蓝瑛为渊源。

马和之《鲁颂》、《周颂》、《唐风》三卷，俱明项子京旧藏。《唐风》有宋曾觌印，《周颂》有纪察司半印（《故宫已佚书画目》物）。按“纪

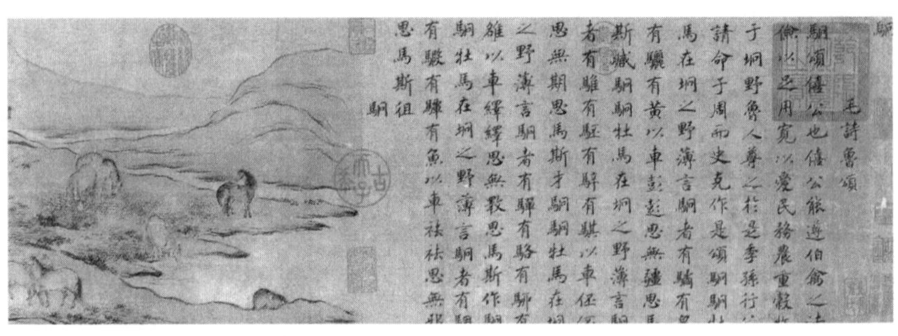

宋　马和之《鲁颂》局部

宋　马和之《唐风》局部

察司”为明初内府诸司之一，其全名应为“典礼纪察司”，盖职掌内府之书籍书画等。其在书画上盖印之办法，系与书画簿相联，故书画上所见之印仅为左半，右半则在书画簿上。今日所见元以前书画盖有此半印者，尚不太少，俱属一式无二。以论书画，流传之绪，又皆依此半印以证其曾入明初内府，偶阅明沈德符《万历野获编》有一条云：“严嵩、张居正被籍没后，其书画之属，凡严氏者有‘袁州府经历司’半印，张氏者有‘荆州府经历司’半印，盖当时用以籍记挂号者，隆庆初年出以充武官岁禄，遂流落人间”云云。因此颇有疑世所传之半印实非纪察司，而为袁州或荆州经历司。然此半印，大都为印之小半，仅露“司印”二字，即间得见印之正半，则“纪”与“经”字同为“系”旁，而“察”字之“宀”与“历”字之“厂”，在半印上看来，殊可混淆，其余笔划，亦极难辨，以印在骑缝上，每不易清晰，此一疑问，久悬难决，近见宋黄庭坚所书《寄贺兰铦诗》帖，前有半印，却为正半，且颇清晰，其“系”字下半字，则赫然为“察”字之左半，与历字绝无可相混处。不特此可为证，在元人《广寒宫图》右下角亦有此半印，则“纪察司印”四字俱全。纪察二字之能全见者仅此，以是证《野获编》之所记者，既与纪察司半印为两事，且亦绝未之见。

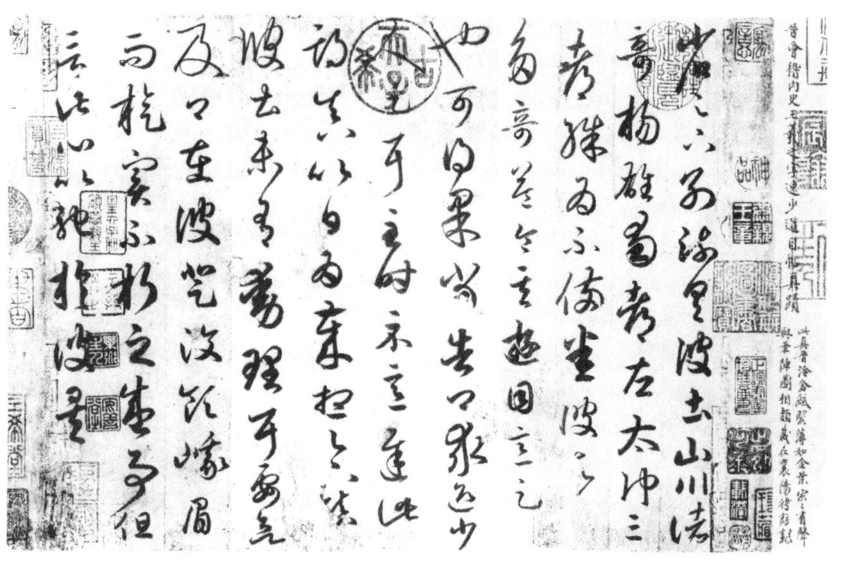

王羲之《游目帖》局部

论书画鉴别

历代书画之有伪作，已经有相当久远的历史了。从北宋米芾的《书史》、《画史》所记，在他前代的书法和绘画名家的作品，几乎都有伪作，而且数量相当大。如李成，伪造的作品竟多至三百本，他慨叹地要作无李论。这些记录，仅是米芾一人所见，事实上还不仅限于这个数字。这些伪作，对书画的真本说来，起了纷乱的局面。因而书画要通过鉴别来达到去伪存真。书画鉴别的历史是与书画作伪的历史相应地发展的。

一 传统的鉴别方法

书画作伪的繁兴，反映着历来从帝王以至有产阶层的爱好书画，收藏书画之风的盛行。这些收藏者为了对书画留下经过自己收藏的痕迹和欣赏者的寄情翰墨，往往在书画上印上自己的印章或加上题跋，或者再将书画的内容如尺寸、款识、印章、题跋等等详尽地作了记录，编成著录。这些书画从甲转到乙，从前代转到后代的递相流传，层出不穷地又在上面频添了多少印章或题跋以及著录书，使这些书画经历了多少年的沧桑，昭示了它的流传有绪。

流传有绪，是书画本身的光辉历史，而在作伪的情况之下，对收藏者、鉴赏者说来，也是对真伪具有证明作用的无上条件。的确，已经很久远了，在鉴别的范畴里，书画的真伪，基本上取决于著录、题跋、印章等等作为条件来保证书画本身的真实可信。而在这些条件之中，又认为最主要的是印章，不论书画的任何时代与形式，通过几方印章就能证实他的真伪，这是一条鉴别的捷径，它可以以简御繁，以小制大。

印章有两类，除了收藏印章之外，还有一种是书画作者自己的印章。通过这多种印章来作决定。鉴别的主要依据是作家的印章，作家的印章真，说明了书画的可靠性，它亲切地在为自己的书画服务。收藏印章真，通过了流传的保证来证实书画的可靠性，一重保证，两重保证，书画本身的真实性，就稳如泰山了。

鉴别印章的办法是核对，怎样来核对？先把已经被承认是真的印章作为范本，与即将受鉴别的印章，从它的尺寸、篆法、笔划的曲折、肥瘦、白文或朱文来进行核对，要与范本的那方丝毫不爽这就是真的，如有出入，这就是伪。但是，这种核对所持的态度也有不同，因而原则也不同：一种是当被鉴别的印章在一方以上，其中只有一方与范本相符，那么，其他的几方，虽然不符也被承认，理由是既然有一方相符了，其他几方虽不相符，也不会出于伪造；另一种是恰恰相反，一方符合，其他不符合，则那相符的一方，也判定是伪，理由是，那一方符合的，只不过是足以乱真的伪造而已。一是以多数服从少数，一是以少数服从多数，多少年来这一办法，信服了多少收藏家与鉴赏家。

题跋，虽然它也是依据之一，不过，凡是书画上并不都有，它不能如印章一样可以左右逢源地随时运用。题跋本身是书，而取以作证的在于它的文字内容，这些文字的内容，或者以诗歌来咏叹书画，或者以散文来评论书画，或者记述书画作者，或者评论前人的题跋的当否并对书画加以新的评价，它对鉴别也具有很大的说服力。

著录对于鉴别，虽是间接而不是直接的，然而，仍然起信任作用，而且对加强书画的地位，具有很大的威力，它足以引人入胜或者到迷信的地步。“某一件书画见于这一著录的”，是满意地称说不休的事。

还有一些证据也经常在鉴别时被运用的。如：别字：历来把写别字的问题看得很严重，书画作者等都不至于有此等错误，如书画上或题跋上，尤其是书画上的题款等等出现了这种情况，都被认为是作伪者所露出的马脚。

年月：书画上或题跋上所题的年月或与作者的年龄、生卒不符，或与事实有出入，也将被认为是作伪的佐证。

避讳：在封建帝王时代，临文要避讳，就是当写到与本朝皇帝的名字相同的字，都要少写一笔，这就叫避讳，通称为缺笔。在书画上面，看到缺笔的字，是避的哪代皇帝的讳，就可断定书画的创作时期，不能早于避讳的那代皇帝的时期，否则就是作伪的漏洞。这一问题，一向作为无可置辨的铁证。

题款：以书画的题款作为鉴别的主要依据，只要认为题款是真，可以推翻其他证据来论定真伪，这一方法，更多地运用在画的方面。

从印章、题跋、著录、别字、年月、避讳、款识，如上面所述的作为鉴别所依据的种种，它所产生的矛盾，不仅存在于书画的真伪之间，也同样存在于真本之内。

二　鉴别方法的论证

上面列举的这些办法，一般说来，不能不承认都有一定的作用，然而，这种鉴别方法的根本缺点，在于抛开了书画的本身，而完全以利用书画的外围为主，强使书画本身处于被动地位，始终没有意识到这种方法所运用的依据，仅仅是旁证，是片面的，是喧宾夺主，因而是非常危险的。因为以这些旁证来作为主要依据，与从书画本身内在依据这两者之间，有时是不一致的，矛盾在于书画本身与旁证的对立，因此，这个鉴别方法，不但不能解决矛盾，相反地会引起更严重的矛盾，而终于导致以真作伪以伪作真的后果。而且，当书画没有一切旁证的时候，失去了这些依据，又将如何来进行鉴别呢？

鉴别的原理，是唯物辩证的，既然鉴别的是书画，就不应抛开了书画本身为它的先决条件，而听任旁证来独立作战。不掌握书画的内部规律，反映书画的本质，这个鉴别的方法所产生的结果，是书画不可认识论。

这里主要的首先要分清主次，分清先后，这样才是客观的，合乎全面规律的。具体的事物，要作具体的分析。在鉴别的范畴里，不能否认这些旁证所能起的作用，但首先要认识到的是，它所能起作用的条件。事实上，旁证的威力，对书画本身的真伪，并不能首先起决定性作用，它与书画的关系，不是同一体，而是从属于书画，它只能对书画起帮衬的作用。而决不可能独立作战，而且有时它并不能起作用甚至起反作用。它只能在对书画本身作了具体分析之后，才能得出在它的特定范围内能否起作用与所起作用的程度。因此，书画本身，才是鉴别主要的，最亲切的根据，也只有使这个根据独立起来，才有可能利用一切旁证，否则，这些旁证纵然有可爱之处，却都是带

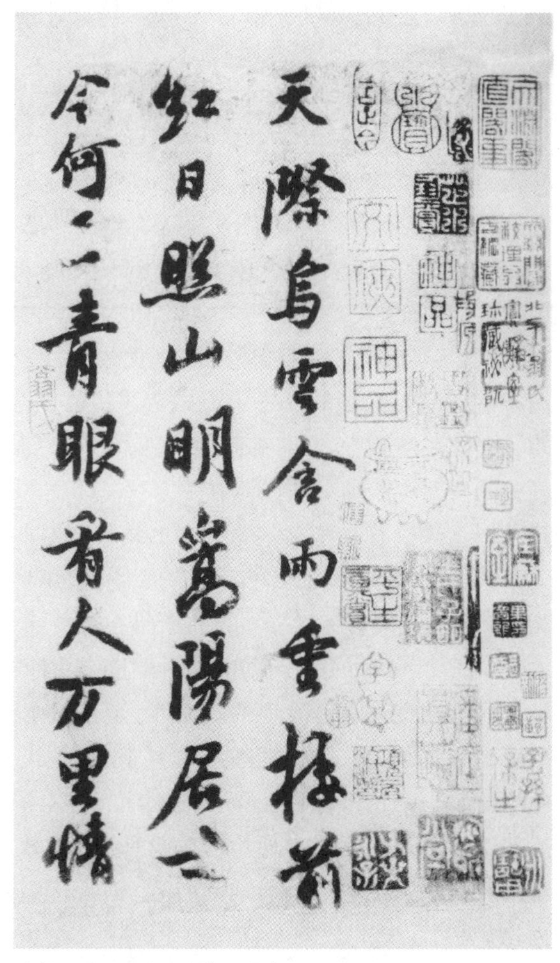
苏轼 《天际乌云帖》 局部

有尖刺的玫瑰。翁方纲所藏的苏东坡《天际乌云帖》，即使作了好多万字的考证，来辨明它的真实性，但是他所藏的《天际乌云帖》还是不真，原因在于他始终没有能触及主要的一面。

我们不妨再来辨析上述的那些旁证，究竟能起什么样的作用。

仍从印章说起，历代的书画作者、收藏者，他们所用的印章，并无规律可寻。因而无从知道他们一生所用于书画的印章，是只限于某样某式、某种文字某种篆法的哪几方，从而可以凭此为准的。北宋米芾曾说明过他以某几方的印章用于他所藏的某一等的书画上，但是，他又说还参用其他文字印的有百方。还有一类可以知道一种印文只有一方的如历代皇帝的印章（但南宋高宗的绍兴小印，却不止一方）以及明项子京的“天籁阁”等印。此外，同一印文，同一篆法，同一尺寸，同是白文或朱文而只有极为微细出入的印章，也是数见不鲜的。不但私人的名章，就连明黔宁王的印，同一印文的也不止一方。这种现象，从元到清，大都是如此。文徵明的那方印文半边大半边小的“文印徵明”印，大同小异的就不止一方，“衡山”朱文印，出入细微的又何止一方。朱耷的“八大山人”白文印，“何园”朱文印，似是而非的也不止一对，沈石田的“白石翁”、“启南”、“石田”等印，尤为纷乱，已到了不可究诘的地步。翁方纲考证赵孟頫的那方上面碰弯了边的“赵氏子昂”朱文印才是真的，赵孟頫活到69岁，书画的生涯，超过了他生命的一半以上，在这漫长的岁月中，却只准许他有一方这一印文的印章？而与此印文相同，尺寸、篆法仅有毫厘之差的，却也并不是不真的呀！

根据一系列的实例，元代以来，各家的印章，名号相同，朱、白文相同，篆法相同，仅在笔划的高低曲直有极细小的差距，已形成了普遍的现象。其所以如此，可能有两种原因，一种是出于作家们的要求，一种是印人在章法上所表现的习惯性。至于只承认某些印章是真，所依赖的证据是什么呢？是根据图章的本身，还是其它因素呢？篆刻本身，有它的流派与独特风格，这是认识篆刻的主要方面。但是，被用在书画上的印章，作者与收藏者却并不是专取哪一家或哪一派，而大多数印章，看来也无法认出它是出于某家刀笔。因此，从风格特征来作为辨认的依据，就失去了它的效用而感到漫无边际，而它的现象，又都是大同小异，混淆不清，尤其在近代，利用锌版、橡皮版的翻制，相反地可以做到毫厘不差。

印章须用印泥，印泥有厚薄，有干湿，这些都能使同一印章的形体发生变化，而在纸上或绢上，也要发生变化，而使用印章时按力的轻重，也会发生变化，又经过装裱，某种纸张有伸缩，也会发生变化。所能遇到的变化是如许之多，问题不仅在于烦琐而已。还有一个方法是从印泥新旧，纸绢的包浆（纸绢上的光泽）来作为辨认印章的依据。论旧、论包浆，当然显示了纸或绢的悠久历史，但是，孤立地通过这种方法来证明这种旧是五十年或一百年，那是三百年，这是可能的事吗？

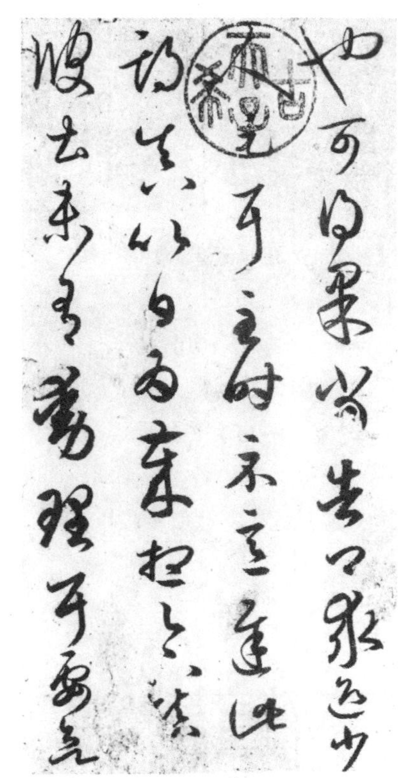

王羲之 《游目帖》 局部

但是印章确实有真伪之分，而印文相同，朱、白文相同，仅在尺寸或笔画有差异足以引起纠纷的那些印章当被证实是真的时候，所持的依据，已不可能完全是上述的那些依据，而是在书画本身证实是真之后，印章也连带被承认的。相反地是书画对印章起了保证作用。

当书画本身被证实是真的时候，印章对书画本身并不起作用。

当书画本身被证实是某作家的作品，而作品上并无题款，仅有某作家的印章，这时印章对书画才起了作用，它帮助书画说明了作者是谁。

当书画本身被证实是伪，而印章是真（真印章为作伪利用）的，这时印章就起了反作用。

其次是题跋：题跋属于文字方面的，它对书画的本身的作用，也不是绝对的而只能是相对的，也只能在书画本身经过分析之后，它的作用才能产生。

当书画本身被证实是伪的时候，而题跋承认它是真，如苏东坡的

《天际乌云帖》，晋王羲之的《游目帖》，唐吴道子的《送子天王图》等，这时题跋就起了反作用。

北宋武宗元的《朝元仙仗图》，南宋时的题跋承认它是吴道子的手笔，元赵孟頫辨证了吴道子与北宋武宗元的画派，认为不是吴而是武。当我们在已无从认识武宗元画派的情况下，而《朝元仙仗图》的时代性格被证实是北宋的时候，南宋人的题跋就起了反作用，而赵孟頫却帮助《朝元仙仗图》证实了作者是谁。

三是著录，如以某一件书画曾见于某一著录，就证实了书画的真伪，这种方法也是相对的而不可能是绝对的。

清顾复的《平生壮观》是一部著录书，它记著倪云林的《吴淞春水图》，他说董其昌与王樨登说它是倪画是错误的（画上有董和王的题跋），他认为是元张子政的手笔，当《吴淞春水图》本身被证实为倪的画笔时，《平生壮观》起了反作用；清吴升的《大观录》记载唐颜真卿的《刘中使帖》是黄绵纸本，当《刘中使帖》本身被证实是真，而是碧笺本的时候，《大观录》起了反作用。

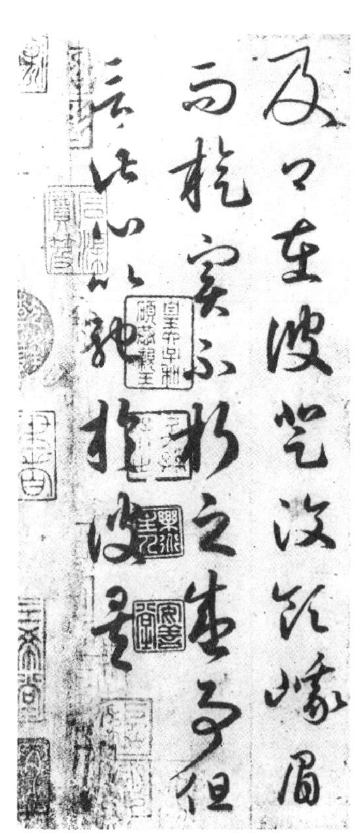

王羲之 《游目帖》 局部

四是别字，所能作为依据的能力更薄弱，清郑燮的“燮”字下面不从“又”而写了“火”字，李鱓的“鱓”字不作“魚”旁而写了“角”字，而明唐寅《桐山图》上的题字写了好几个别字，“燮”写作“爕”，已是郑燮落款的习惯，是当时的通俗体，“鱓”作“角”旁，是李鱓在落款时与作“魚”旁的鱓字同时互用的（也有一种说法认为李鱓在某一时期改了名，这不是事实）。因此，当书画本身被证实是真的时候，这些别字就都起了反作用。

五是年月，年月经常要起反作用，下面所举的几个例子，书画本身都是真迹，如八大山人《水仙卷》，上有石涛题诗并记云："八大山人即当年之雪个也，淋漓仙去，予观偶题"，纪年是丁丑，为康熙三十六年，八大山人72岁，并未死，这个年月就起了反作用。有一通恽南田的尺牍，有唐宇肩（唐半园之弟，与恽南田为三十年金兰之契）的题跋，说王石谷在唐氏半园与恽南田相识，是在辛酉年，辛酉为康熙二十年，这一纪年是错误的。恽南田与王石谷相识之始，至迟应在顺治十三年丙申，这时年月起了反作用。董其昌的《仿董北苑山水轴》上自己的题语，纪年是辛未而款是"七十六翁董玄宰"，辛未是明崇祯四年，董其昌应为77岁。这虽然是在纪事时的年月与自己的年龄，这时也能起反作用。

六是避讳，完全依靠避讳来断定朝代，也是不可能的，例如历见著录的"唐阎立本画褚遂良书《孝经图》"，清孙承泽奉为至宝，又为高士奇的"永存秘玩上上神品"。这一卷画的体貌与南宋萧照的《中兴祯应图》相近，连书体都证实它是南宋初期的作品。而褚书中也发现了"慎"字有缺笔，"慎"字是南宋孝宗的名字，这时，避讳起了作用，它帮助书与画说明了它的时代。又南宋高宗（赵构）草书《洛神赋》，其中的"曙"字缺笔，"曙"字是北宋英宗的讳，这时避讳对书的本身并不起作用，它并不能限止书的时代，因为，《洛神赋》中并没有与英宗以后钦宗以前列代皇帝的名字同一的字。

七是题款，一般称之为"看款"。注意力的集中点，在于以签名形式来决定全面，方法与核对印章相似，然而它接触了书的本身，显得要亲切一些，但是太狭隘了，局限性很大。书画上的签名样式，一般说来是比较固定的，这在感性上的认识是如此，但是所牵涉到其它的因素，使形式的变化仍然很大，绝不可能执一以绳的。例如八大山人的落款，总的说来，前后有两种形式，而就在这种形式之中，却还包含着好几种的变化，此其一。其次是款式有大小繁简之别，简单的小字如仇英的款以及宋人的款，简单的较大字，则每一作家都有，这些特别在画方面，更容易产生纰漏。简单，小字，范围小，容易伪造、摹仿、勾填，都能乱真，而近几十年来与印章一样利用到印刷术与伪造结合起来，真可以做到丝毫不爽，因此，让款孤立地来应付全局，也是非常危险的。还有一种是款真而画伪而又不是出于代笔（下面将提及），这就更是"看款"方法所能起的反作用了。

因此，这些旁证，对书画所能起什么样的作用，只能由书画本身来作出评价。

三　辨　伪

清乾隆时收藏家陆时化写过一篇《作伪日奇论》，他写道："书画作伪自昔有之，往往以真迹置前，千临百摹，以冀惑人，今则不用旧本临摹，不假十分著名之人（作者）而稍涉冷落，一以杜撰出之，反有自然之致，且无从以真迹刊本校对，题咏不一，杂以真草隶篆，使不触目，或纠合数人为之，故示其异。藏经纸、宣德纸，大书特书，纸之破碎处，听其缺裂，字以随之不全，前辈收藏家印记及名公名号图章，尚有流落人间者，乞假而印于隙处，金题玉躞，装池珍重。更有异者，熟人（著名的作家）而有本（真本）者，亦以杜撰出之，高江村销夏录详其绢楮之尺寸，图记之多寡，以绝市驵之巧计，今则悉照其尺寸而备绢楮，悉照其图记而篆姓名，仍不对真本而任意挥洒，销夏录之原物，作伪者不得而见，收买者亦未之见，且五花八门为之，惟冀观于著录而核其尺寸丝毫不爽耳。"

作伪原来的依据是书画本身，旋又抛开了书画本身而从书画的外圈来混淆书画本身，这正反映了这种鉴别方法的主要方面。也证明鉴别不通过书画本身的内部规律是不可能来完成它的任务的。

陆时化所叙说的是统体作伪，而作伪的情况还不止此，还有如以下的四类。

（一）　换款，利用现成的书画，擦去或挖去原来的题款或印章，而加上其他作家的款名。

（二）　添款，原来的书画无款，添上某一作家的名款。

以上两类，不外以后代的作品改为前代的作品，以小名家的作品改为大名家的作品。

（三）　半真半假。以一段真的题字，接上一段假画，或利用真款有余纸加上假画。这是利用书的一方面。画的一方面有以册页接长，接上一半伪画，使小册页变成整幅。

（四）　接款，原来有款未书年月，在款后加书年月。

统体作伪的，大体上可以用地区来分，从明清至近代，其水准较高的是苏州片子，其次是扬州和广东，而以河南、湖南、江西为最下。如果对书画本身能够认识，能够进行分析，这些各地区的伪品，都不是难于辨认的疑难杂症。

伪品，一般的水准，如各地区的，其伪作上所揭示的与作者真笔的艺术性格是大相悬殊的。还有一些年代较前或水准较高的，这一类摹仿的伪作，不管它在形式上可以起如何的乱真作用，但总是有变化，不可能与原作的性格获得自始至终的一致。世传王时敏临董其昌题的那册“小中见大”，都是临摹的宋元名作，形式准确，水准相当高，它并不是作伪。如果以此水准来作伪，以此来作为鉴别的考验，那么，还是能得出它的结论。因为，他的个性与时代性，对原作来说，已经变了，它含蕴着与原作所不可能一致的性格在内，尽管它在形式上与原作多么的一致，那么，当遇到时代较前的或者是同一时代的伪作，如沈石田、文徵明等都有他同时代的伪作，又将如何来辨别呢？这完全在于它的个性方面，它的时代虽同，而个性必然暴露着相异之点以及艺术水准的差别。

鉴别的标准，是书画本身的各种性格，是它的本质，而不是在某一作家的这一幅画或那一幅画。因此，它无所谓高与低，宽与严。一个作家，他可以产生水准高的作品，也会产生低劣的作品，这是必然的规律，问题不在于标准的高、低与宽、严，而在于书画本身的各种性格的认识。性格自始至终是贯串在优与劣的作品之中的，如以某一作品艺术高低为标准，不以它的各种性格来进行分析，这是没有把性格从不同的作品之中贯通起来，在鉴别的范畴中，真伪第一，优劣第二，在真伪尚未判定之前，批判优劣的阶段就还未到来，两者之间的程序，批判优劣，是在真伪判定之后，而不是判定之前，亦即认识优劣，不可能不在认识书画本身真伪之后。

鉴别，就是认识。鉴别从认识而来，认识是为鉴别服务的，鉴别运用认识，当认识深化的时候，鉴别的正确性才被证实了。

那么，如何来认识书画的真伪呢？真伪的关系，可以说伪是依附于真的。不能认识真，就失去了认识伪的依据。真认识了，然后才能认识伪，认识始于实践，先从实践真的开始。

四　书画本身的认识

人在一定的阶级地位中生活，各种思想无不打上阶级的烙印，艺术反映着阶级社会的思想体系，也无不显示了它的阶级性，打上了阶级烙印。

这里将不从艺术史来加以论列，而从古典书画的笔墨、个性、流派等方面来认识它的体貌与风格，是完全从鉴别的角度出发的。

笔墨。书与画是用笔和墨来表达的，是形成书与画的基本之点，是书与画重要的表达形式。

唐张彦远《历代名画记》论六法："夫象物必在于形似，形似须全其骨气，骨气形似，皆本于立意而归乎用笔，故工画者，多善书。"张彦远说的是书画的相同之点在于用笔。元赵孟頫诗："石如飞白木如籀，写竹还于八法通，若也有人能解此，方知书画本来同。"赵孟頫更形象地指出，画石用写字的飞白法，树木似籀文，而写竹也与写字的笔法相通，书画是同源的。书画同源有两种意义，一种是文字发源于象形，亦称"书画同体"，一种就是指的笔法，而所谓笔墨，就是笔法与墨法，笔墨这个名词起于五代荆浩，他曾经评论唐吴道子与项容的画笔，他说："吴道子有笔而无墨，项容有墨而无笔。"这讲的是笔墨配合的问题，要笔墨并重。

（一）书

1．用笔。就是笔法，什么是笔法？先从书来说，笔法的最早说法即所谓的"永字八法"。后来以"八法"二字来代表书，就是指的"永字八法"。但是，在这里谈"永字八法"将不是主要的。所谓笔法，是指当写字的时候，笔在纸上所画出的那些线条，在书法中称之为点画，字是通过点画而形成的。从点画而形成字的形式，称之为结体，即字是以点画组织而成，结体就是组织结构。点画不是静止而是变动的，它能起无穷的变化，变化是由于提按而产生。什么叫提按？就是从起笔到收笔，起笔是按而收笔是提。点画由于提按而产生变化——粗的、细的、又粗又细的，而结体通过提按的点画与组织的变化，使笔或长或短，或正或斜，或直或弯，形成了左顾右盼，回翔舞蹈多种多样的形式与姿态，这就叫笔法。

2．个性。书的点画、结体，不是静止的而是变动的。从这一种书体到那一种书体——如真、草、隶、篆，这一家的书到那一家的书，产生了千千万万变化不同的形体，每个书家通过点画与结体所形成他自己的特殊形体。其中就产生了它特殊的性格，这就是风格。

但是，一家书体有一种特殊形态而这种形态也不会固定不变。首先，在书体本身的历史行程中要变，这个历史行程，一般都把它分成几个时期——早期、中期、晚期，或者前期、后期，这基于作品流传的多寡，实践的限度，而认识是随着这个因素而定的。

字从瘦的变到粗的，或粗的变到瘦的，长的变到扁的，或扁的变到长的等，这是从它的形式方面看；从硬的变到软的，或软的变到硬的，扁的变到圆的，或圆的又变到扁的，稚弱的变到苍老，或苍老又变到稚弱等等，这是从它的质的方面看。

从形式上看，是认识的概念；从质的方面看，是认识的深化。

以上是字在历史行程中自然的变化，字还能从其他的因素发生变化，这是被使用的工具所促成的。如笔，笔锋是尖的或秃的时候，墨，干些或湿些、浓些或淡些的时候，纸或纸质不同的时候，绢、绫或绢、绫质地不同的时候。

字当书写的时候，精神的充满与否，也会使它发生变化。

在这些情况下，形式虽变，而性格是不变的，因为，工具只能变它的形式，而不能变它的性格。

当认识的时候，必须充分注意这些情况，而性格是主要的一面。

那么，在字的本身历史行程中既有各个时期的自然变化，那么，它的性格变不变呢？不一定，这要从具体的情况而定。

当一种书体在它自己的历史行程中，它的性格，或者变或者不变。而在一个书家所擅长的几种书体中，它的性格也是或者相同，或者不相同的。

例如，元倪云林的字，前后的性格是不变的，明祝枝山的书体有好多种，它的性格就相当复杂，徐渭的书体有多种而性格是一致的，清金农的早期与中、晚期是不同的。其中期以后的隶书与行书的性格相通。

3．时代性。在同一时代中，各个特殊形式的书体，都有它的来源与基础。即通过它的师承与彼此间的影响等等。由于这些关系，彼此的艺术表现，就有某些相通之点，因此，在各个的特殊性格之中，包含了共通性，这个共通性不为其他时代所有而为这一时代所特有，这便是时代风格，时代风格，正是从个别风格而来的。

认识的主要之点在于各个特殊书体的如此这般的性格和它所可能的变，各个时代的书体的如此这般的性格和它所可能的变，彼此之间的艺术关系与相异之点，这一时代与那一时代的艺术关系与相异之点。

认识了这些特征，就可以来举一个例：传世有名的王羲之《游目帖》，要不受任何旁证的迷惑，不管以前对它有过任何评论，而直接从它的本身来作出真伪的判别。

《游目帖》是不真的。当然，并世已经没有王羲之的真笔存在，有的也都是唐代勾填本。但是，《游目帖》不是唐勾填本，而是出于元人的手笔，理由何在？在于《游目帖》的笔势与形体，已具有赵孟頫的风格，这一判别正是基于《游目帖》的时代风格与个人风格这两重特征。

4．流派。一种特殊的书体的形成，都有它的来源，如这一家的作品，它的艺术风格，为别一家所承继，前者的艺术风格，就成为后者艺术风格的来源。这个来源，或者是同时代的，或者是前时代的。这一个艺术风格既从那一个艺术风格而来，而在形式上、性格上或多或少的保留了前一个风格的某些共同之点，这就是流派。

例如，祝枝山的草书，是从唐怀素草书而来，也兼受了宋黄山谷草书的影响。因此，祝枝山的草书是怀素与黄山谷的流派。

认识的主要点在于同一流派之中相同与相异的特征，事实上，一个形成了的特殊风格，它的常性容易捉摸，难于捉摸的是变，而它的常性是隐藏在变之中的。在同一流派之中，它的关系有明显的，有不明显的，一种是相同之处不明显，这就难于捉摸。如明王穉登之于文徵明，这里主要在于搜寻二者之间的相同之点。

再举一个例：唐张旭草书《古诗四帖》，在鉴别上是一个麻烦的问题，因为张旭的真笔，此帖是仅有的，但是，帖的本身，张旭自己并未书款，说它是张旭是根据董其昌的鉴定，因此，要分析董其昌的鉴定是否足以信赖。

试图直接从帖的本身来辨认，觉得应该承认董其昌的鉴定，但是不倚靠他所作出鉴定的论据，因为董其昌曾见过张旭所书的《烟条诗》、《宛陵诗》，他说与此帖的笔法相同。这二诗现在已经见不到了，连刻石拓本，也不知道是否尚有流传？因而董其昌所依赖的根据，到现在就无从来作为根据了。

以论这一卷草书《古诗四帖》的笔势，是一种特殊的形体，从晋代到唐代的书体中，都没有见过，但是，从它的时代性来看，确为唐人的格调，在没有其他证据之前，所能认识到的第一步只能到此而止。

据历来的叙说，颜真卿的书体是接受张旭的笔法，从唐怀素的《自序》和《藏真帖》都曾谈到颜与张旭的书法关系。因此，我们特别注意到颜真卿所书的《刘中使帖》。《刘中使帖》与这一卷草书《古诗四帖》的后面一段尤其特殊的流露着两者的共通性，更从两者的笔势和性格的关系来看，显示着《刘中使帖》的笔法，是从草书《古诗四帖》的笔法所形成，而不是草书《古诗四帖》的笔法从《刘中使帖》而来，这是很明显的，因为两者成熟的阶段相同，而成熟的先后性质是有区别的。此外，据北宋的大书家黄山谷说，五代杨凝式的书体，与张旭、颜真卿，颇仿佛。现在流传杨凝式的墨迹如《神仙起居法》、《夏热帖》，它的形式与笔势，也与这一卷草书《古诗四帖》相近，一切说明草书《古诗四帖》是这一种书体的先导者，因而可以承认董其昌的鉴定是可信的。

认识的依据，正是两者的流派关系，两者之间的特殊性和共同性的贯通。

（二）画

画与书一样，有笔、个性、时代性、流派等方面，书与画的形体虽完全有别，但二者的原理是一致的，完全相通的，甚至有些情况也完全相同。

1．笔墨。画运用笔的形式、方法与书相同，而要比书复杂而更多变化，它的基本之点在于配合对象。因而用笔，是从对象出发，从对象产生。对象，正是笔的依据和根源，用来摄取对象的形与神所产生的笔的态与势，情与意，就产生了笔自己的精神骨血，这就叫“笔法”。

纯粹是水墨的画，主要是墨的表现，如何浓淡变化地来反映对象，使对象在这单一的色彩之下有生动的神态，这就叫“墨法”。

墨的发挥，必须运用笔，才能使墨起无穷的变幻，所谓“墨分五彩”，墨与笔的关系是最密切的。

笔表现在人物画上，以线条为主。线条，即明人所起的各种“描法”。所谓“描法”，是指线条的形式，如唐吴道子画人物的线条，名之谓“兰叶描”或“柳叶描”。北宋李公麟的线条，名“行云流水描”，这一名称，来源于元汤垕，汤垕说李公麟的笔“如行云流水有起倒”，是指的运笔流利并抑扬顿挫地有转折起伏，而北宋米芾称吴道子的笔“磊落挥霍如莼菜条圆润”。“磊落挥霍”、“圆润”、“行云流水”都是从笔的性格方面而定，这些形象性的说法，是前人的理解，而我们还是要从实践中来认识这些线条的形式与性格的。

唐代人物画的描笔，开元、天宝以前，乃至上推到晋汉，它的形式是，线条不论长短，基本上都一样粗细，而转折是圆的。尽管个性不同、流派不同，而这个形式不变。这可以从汉墓壁画、敦煌壁画、顾恺之《女史箴图》和阎立本《历代帝王图》来辨认。开元、天宝以后，虽然形式依旧，而渐次地在起笔时有尖钉头出现，而转折也频添了方的形式。这可以从唐人的《纨扇仕女》、孙位《高逸图）来辨认。乃至北宋武宗元、李公麟都是如此。描笔从没有尖钉头到有尖钉头，转折从圆到方，以至粗的细的，光的毛的，粗细混合的，光毛混合的，软的硬的，流衍到南宋梁楷的“减笔”与“泼墨”。宋元明清以来，产生了无数形体，无数流派，笔势变了，引起了性格的变化。

“皴”，是山水画中笔的主要部分，是表现山与石的脉络和高低凹凸，是各种粗或细，长或短，光和毛等等的线条所组成，这就叫“皴”，皴有“皴法”。如何运用各种线条来描写山的质地，这就叫“皴法”，如北宋董源的山水称“麻皮皴”，南宋李唐的山水称“斧劈皴”等等，这

阎立本 《历代帝王图》 局部

些名称，都是根据皴笔的形象而起的。

山与石，须要以皴的方式来表现，而水和树木等等都是山水画的组成部分，就不能统一运用“皴”。这里，笔需要采取不同的方式来描写这些不同的对象，因而，在山水画之中，笔显示了它的特殊复杂性。

山水画有两种：一种是着色，一种是水墨，水墨就是有深淡变化的纯一黑色，而着色的还有两种：“青绿”（矿物质色）与“浅绛”（赭色与植物质的青绿色）。“青绿”的皴少，而“浅绛”与水墨的皴多，它的形式是多样的。

花鸟画，有“双勾”与“写意”，有水墨与着色。两派的形成，显示了笔的突变，“双勾”是以细的线条为主，如两宋、元以及明代的院体。而“写意”，所谓浓涂大抹，是以粗大的笔为主的，如明清的沈石田、八大山人等，还有一派名没骨法，是工细着色而不用双勾，如恽南田的画派。

笔有性格，而着色是烘晕而成，没有笔的迹象存在，是没有性格可寻的，因而，在鉴别上不起作用。固然，如蓝瑛的仿张僧繇没骨山水，着色就有一定的特点，但它仍不能不结合笔来辨认。

2．个性。不论人物、山水、花鸟等画科，它的风格如何，是出于笔的主使，为笔所产生，因而，个人风格的认识，是以笔的性格为基础的。

例如，沈石田的山水与文徵明的山水不同，不同之点是从两者的体貌来辨认。体貌是从那些山、水、树木等等形式来辨认，而这些形式，要从笔来辨认，特殊的笔所表现的特殊的形象，两者的综合，才是风格的认识。

个人风格，它的前后期是一种体貌的，其间形式，笔墨虽有变，而性格是不变的。如元倪云林的山水，明陈洪绶的人物，清恽南田的花卉。

前后期有多种体貌，形式变，笔墨变而性格也变了。如明沈石田的山水是。但也有性格变了而它的常性却隐藏在变之中，如明唐寅的山水，元赵孟𫖯的《百尺梧桐轩图》等就是。

但是，性格虽有前后期之分，有变不变之别，然而真伪的混淆是不可能的。

例如，传世有名的宋赵子固《白描水仙图》共有五本，体貌都相同，然而性格是截然不同的，是否有前后期之分呢？

这五本之中，一本为两株水仙，一本是三株，其余三本则为繁密的长卷。假如运用从笔的性格来分析的方法，就立刻能够证明前者两本合乎赵子固的性格，而后者三本，是赵子固所不可能有的。这里，就不是前后期变化的问题，而是这两种不同性格的相容与不相容的问题。

3．时代性。在某一时代的共通性格中，也包含着它前代的个别性格或共通性格，因而，这一时代的作品，被误认为那一时代的，这一情况，在与宋画与明代院体之间，最容易发生，应当说，问题在于没有从时代风格的特征来辨认。

那么，时代风格特征是什么呢？

被误认的原因，主要在于形式方面，在于两者的形式有共同性，但是所谓风格，不论个人的或者时代的，都产生于形式，它不能脱离了形式而独立存在。因此，脱离了形式来论风格是不可能的。

然而，形式可以独有，也可以为多数所共有。不仅在同一时代，还可以从前代到后代，因而，形式的范围是比较宽广的。

仍以明代院体与南宋绘画而论，两者形式是相同的。但相同之中，总有它的相异之点，这就是特征，但是这个特征，还不能起独立作用。因为形式，在个人或同一时代的，也都可能有变。所以单独利用形式的相异，仍然是不可靠。而且，如其形式相同，又将怎么办呢？因此，形式的相同与否，就不是主要的，而主要的首先在于笔，特征是笔的性格，笔所形成的形式，形式所产生的风格，三者是分不开的，三者的综合，是个性，也是时代性。

4．流派。形式出于传授而有明显的相同性，形成为流派，流派的形式有同时代的关系，也有前后代的关系，这方面的认识对鉴别所起的作用在于：

（1）说明某些作品的时代。

（2）说明某些作品的时期。

（3）但有时也能对个性起混淆作用。

例如甲：南宋院体山水，元代之南宋院体派或明代院体。又蓝瑛的继承者很多，从这一画派可以看出都是清初的作品。

例如乙：陈道复的山水为文徵明一派，而属于文徵明细笔一派的是早期。

例如丙：北宋郭熙与王诜的山水，都是李成一派，由于郭与王的形式相同，历史著录的郭熙《溪山秋霁图》，其实不是郭熙而是王诜的画笔，正是流派把个性混淆了。

还有两个问题：董其昌的代笔和浙派。

赵左、沈士充之于董其昌，两者之间的形式，有时几乎难于分别。如沈士充的《仿宋元十四家笔意卷》。赵、沈画笔，源出于董其昌，因而是一个流派。据历代的叙说，董其昌当时的捉刀者，历历可数的无虑有十数人，而赵、沈也是其中的一员，经久以来，董其昌的代笔与真笔时常混淆不清，因而问题的中心，似乎已不在董其昌的真伪而在于代笔。

董其昌的画派，大致说来在60岁前后是一种体貌，70岁前后又是一种体貌，经常看作是代笔的，大体是属于前者一个时期的体貌而不是属于后者的时期的。从赵、沈的体貌来看，与董其昌的类似之处，正是属于前一个时期，而沈士充的《仿宋元十四家笔意卷》，也是属于董的前一个时期的体貌。赵、沈的画派与董其昌之间，至此分道扬镳。赵、沈的作品中，是停留在董其昌60岁前后这一时期的形式上的，在赵、沈的作品中，绝未见过与董其昌60岁以后的体貌有类似之处。这是明证。当然，说是为董其昌代笔的并不止赵、沈二人。但是，要数赵、沈与董的画笔最接近。

再则，所谓代笔，还要依靠真笔来说明这一问题。事实上，当时宗尚董其昌的，不仅在董的画，更在董的书，可以乱真董的书比乱真董的画更多，所谓董的代笔，可以分为两部分，一部分根本是当时的伪造，把它看作代笔了。但一部分确实是董的真笔。形式可以混淆，性格本身是不能混淆的，至于代笔，不是绝对没有，有也是绝少的。

清张庚《国朝画征录》：“画之有浙派，始自戴进，至蓝瑛为极。”张庚所记并不是出于他的创说，而是当时的传统的说法。因此，“浙派”就是戴进与蓝瑛由来已久而至今还完全被应用。有时又加上吴伟。

这可以来分析一下。以浙江而论，戴进、蓝瑛都是浙江人，而吴伟不是。以画派而论，戴进、吴伟，确属一派。而蓝瑛就完全门户不伦了。因而，以戴、蓝为浙派，作为“浙”则可，作为“派”是说不过去的，此其一。

董其昌说："戴进为武林人，已有浙派之目。"可见推戴进为浙派之牛耳，远在董其昌之前就已经成立。再来分析戴进的画笔，这一画派远自南宋李唐所创始，后宗此派的有元孙君泽、张观等，可见并非出于戴进所自创，这些同一流派的宋元作家的所在地域，在南宋为临安，在元为杭州，张观是流寓嘉兴。都是浙江，戴进如何能执浙派之牛耳？此其二。

如以明代的浙江画学而论，有王谔、夏芷、谢环等。其中除谢环外，也都与戴进同派，蓝瑛可以列入浙派而这些作家却不被承认是没有道理的。此其三。

从南宋到明代院体，连戴进在内，论流派是一而二，二而一，那么，单从明代来说，院体是浙派呢，还是浙派是院体呢？明代的院体，是要早于戴进的，以论院体的声势，除画院中人外，宗此派的，还有周臣。而杜堇、郭诩、徐端本乃至唐寅，也占了院体一半。

至于蓝瑛，在明代末期，他的形式是独立的，风格是前所未有的，当时他的影响也相当大，在浙江，宗尚他的画派而尚有画迹可见的，尚能列举十数家，陈洪绶就是其中最著称的一家；在扬州，除萧晨外，如王云、颜峄，乃至袁江等，都受到蓝瑛一定的影响；在南京，金陵八家的龚贤、樊圻、吴宏、高岑、邹喆等的画迹中，都显示了与蓝瑛的密切关系，如其要指出浙派，那么，应该是蓝瑛。

因此，如从传统所说的浙派，来寻觅此中的相同之处，渊源关系，真是"缘木求鱼"了。

渊源，是先、后、甲、乙之间所受的影响，有流派的关系，而并不一定形成流派，有时甚至相反地是截然不同的两个流派，而其中却隐藏着渊源关系。

例如：八大山人的山水之于董其昌的山水，这两者的体貌，看来是风马牛，但是，董其昌对八大山人，却是渊源很深。八大山人是从董其昌的画派发展而来的。这可以从作品中寻出二者之间关系的例证。

渊源也是有明显的，有不明显的，石涛之于倪云林，是明显的，王石谷以元人的笔墨写北宋人的形体，这也是明显的。

黄子久、倪云林的笔墨，以稀疏为主，是出于赵孟頫从李成所扩展的简括形式，这是不明显的，恽南田之于王武，石涛之于沈周，陈洪绶之于文徵明，也是不明显的。

自然，渊源明显的，容易辨认，而不明显的难于辨认。然而，这些渊源关系，对鉴别也是不容忽视的。

对书画本身的各方面认识了，各式各样的旁证认识了。那么，当见到某一时代某一作家的作品的时候，与我们所认识的各方面符合了，这一作品，就是真笔；不符，就是出于伪造，显然，它在真笔之中是不可能有的。

五　最后的话

书画作伪，已是千年的历史了，珷玞鱼目，随处都是。从传统的鉴别方法，对变幻多端的作伪，是值得商榷的。

鉴别，并不排除任何旁证。但它必须在书画本身判定之后才起作用。其所以是如此，在于二者的关系，不是同一体，因而旁证的可信性，必须由作为主体的书画本身来对它作出决定。鉴别是最终目的，是为书画的真伪服务，为有旁证的书画服务，也为无旁证的书画服务，这就是所以对书画本身要有独立认识的必要。

最切实的办法是，认识从一家开始，而后从一家的流派渊源等关系方面渐次地扩展。一家认识了，开始与书画结下了亲密的关系，其他就比较容易过关了。

我们经常对鉴别，还不能不发生错误，第一在于学习唯物辩证法不够，对书画本身的认识不够，这是主要的。

认识不够也有由于客观因素，如受到资料消灭的限制对某些实物已无法认识，或缺乏有系统性的资料，使认识不能有系统性的发展。

历史、文学、书画理论等等，对书画鉴别也有密切的关系。

宋　米友仁《云山墨戏图》局部

水墨画

一　欣赏问题

水墨画，是祖国传统绘画所特有的形式，运用了单一的色彩来对真实的形象进行描绘，是特殊的创造。自从它的产生，曾引起了历来学者们的特殊爱好，曾引起了历来广大人民的特殊欣赏。因此，它的历史虽较着色画为近，是着色画的分枝，却与着色画并驾齐驱，甚至形成了后来居上的情势。

由于它变幻了多种多样的形态，产生了千变万化的流派，时代的久远，作家的纷纭，因而对这些古典艺术的欣赏，也是千头万绪的。

历久以来，看惯了明、清画派的，不觉得宋、元的好在哪里；而研究宋、元的，又蔑视了明、清。或者爱好“四王”的，憎嫌着朱耷、原济等如此放肆，不堪入目。而酷好豪放的，又觉得工细的柔弱渺小，缺乏气魄，甚至喜欢纸本的，一见到黑旧绢本，就情趣索然，昏昏欲睡。这些似乎只是从个人的憎爱，主观的兴趣出发，而不是客观地从认识它的本身出发的。

水墨画是写实的，有它的艺术特性，它的成长，是有它的演变与发展过程。由于它有这些过程，就有了它的源流，而这些源流，经过了思想和创造，产生了各种不同的派别。而所谓艺术特性，是讲什么?什么是它的原则与要点?而这些原则与要点，在历代的传统的绘画中，演变的流派中，它们的思想性与创造性，又是怎样的异同?

由于它所含有的这些因素，所以，欣赏虽说是从主观的爱好出发，因而不能不配合了客观的事实与条件。

至少的说，对于形象的认识与理解是必要的，譬如，认识了梅花的形态，是如此这般的，那么，试来欣赏一下描绘的梅花，它是怎样来表现的呢?至少，如其把梅花的干子画得像藤罗的干子，梅花的瓣子，画得像桃花的瓣子，这样的描绘，对不对呢?就必然是从认识与理解真的梅花出发，事实证明，千百年来，梅花的形状，是并无变迁的。这样，欣赏就有了根据，从而再涉及它的艺术加工。十余年前，曾与一位画家同在重庆南岸良风垭的松林中散步。这位画家突然指着前面一株松树说：“你看，你看。”他有点激动。我茫然地请问他。原因是他曾经画过一幅山水，当中有一棵长松，从根起分出了两梗主干，有人对他提出了批评，说松树根本没有这种生法，因而不可能有这种形态。于是他指着一棵松树：“这不是从根起分出两梗主干的吗?”我为他解释：“这没有什么希奇。黄山上的松，有些形态，是离奇得不可思议的，而这些形态，在明代就是如此。试从黄山画派中，可以见到当时对这些松树的奇形怪状，都曾进行过描绘。而棕榈树，总是毫无变化的只有一梗主干的吧?可是在青城山上，却有从根起分为两梗主干的棕榈树，这是事实。”自然，这些都是起码的、浅薄的例子。显然它的艺术性，不单单是以相像为满足，以真实的再现为满足，假如就是这样，它的艺术性，就不至于有多大的高下，而欣赏也就不会成什么问题。

然而欣赏的根源，是可以找寻的。一幅作品，第一触到你眼里的是它的总体，这第一步的欣赏，有的吸引了你，有的觉得平平把它放过去了。一些欣赏家们往往是采取这样的方式来总结一幅作品的美或丑。这样，虽说是欣赏的第一步，却成了欣赏的终点。这就显得很不够而且要误事。因为，一下子引起注意的，不一定是好画。它可能只是某一点上突然的、一霎那的能吸引人。使你的眼睛突然的起了一种错觉。而平平引不起注意的，也不一定不好。它虽不能从表面上来吸引住人，而却有它的耐人寻味的美。

但是，总体也就是结构。欣赏的范畴里，绝对包含这一点。而且是重要的一点。而结构的好坏，却不是一眼所能解决，因为它正是多少细节所组成。

那么，何以某一些作品，一下子就能吸引人的兴趣，刺激人的情感；而某一些作品，一下子又令人兴趣索然，感到它的无味呢？

一些情况是这样的。有些人对于墨彩的淋漓，笔势的泼辣，赞美它有奔放的豪情，所以每当见到这一类的画派，首先就神志飞扬，看作神妙直到秋毫颠。但是淋漓不等于泛滥粗糙，而泼辣也不等于暴跳丑怪。可是，有时往往在这方面混淆起来了。又有些人对于墨韵的洁净，笔势的精细，喜欢它雍容文雅的气度。所以每当见到这一类的画派，首先就神恬意适，认作是古典的至高画派。但是洁净不等于生意索然，而精细也不等于纤弱无力。可是，往往在这方面混淆起来了。

因此，假如说只是凭天才的、独自的眼光，乃就形成喜爱这一样或憎嫌那一样。这里不是限制你的喜欢，这样的爱憎，显然是不可靠，是虚无主义的。因为，通过欣赏，就得使这一欣赏有所依据，知其然和它的所以然，这样才能使这一欣赏站得住脚。解决了这一点，欣赏就完全是自由的。

欣赏的条件，是通过形象描写的神情，一切笔、墨的技法，通过结构，因为一幅好作品是具备了这些条件的，而它的总合，它的归宿，是风骨与气韵。南朝齐谢赫的六法，第一条就是“气韵生动”，其次是“骨法用笔”，是绘画的原则，绘画的终点。也是欣赏的原则，欣赏的终点。

然而气韵，又是怎么回事呢？要来解释它，可以相信有的是千言万语和旁征曲引。但归根到底，总是抽象的。譬如说，董源、巨然、郭熙、王诜，他们的画笔，都是气韵生动的，这就必须要实物来证明，这就必然要通过实践。

今天能见得到的实物，一千年以前的还有。一千年以来的画派与种类，真是丰富而繁杂，欣赏的负担就相当重。但也不是可怕的，欣赏的诀窍，就在实践中。

理解所谓笔法、墨法、各种不同的技法，理解所谓结构，理解时代性的变化，理解历来作者的宗尚与他们艺术创作的表达意图，他们的传统性与创造性。或者可以说，这是欣赏的主旨。

二　水墨画的确立

着色画的演变　水墨画，既是着色画的分枝，着色画就正是它的起源，正是从着色画所流衍而独立出来的。它虽在着色的形式方面有变，而写实的原则却依旧相同，是着色画的进步。因此，这里先大概的来说一下水墨画形成以前的着色画。

在南朝齐谢赫所著《古画品录》，曾提出绘画有“六法”，其中一条是“应物象形”，一条是“随类赋彩”，即是说要依据真实来塑造形象，要依照对象的色彩来着颜色。说明了古代绘画是着色的，写实的。此外，他还提到用笔，说明如何运用笔，才能使描绘的形象，除了形态与颜色相同外，更富于创造性与艺术性。因为是随类赋彩，他没有提到墨，自然，墨也是颜色的一种，云鬓蓬松的头发，在着色画里，就必须要墨来描绘的。

据历来的叙说，到晋代，绘画的一切条件，才开始具备，而顾恺之的人物画，当时谢安推崇它：“自苍生以来所未有。”

南朝梁张僧繇，他的山水画后来所称为“没骨法”的，在当时是着色山水画中新创的风貌了。

从魏晋到南北朝的山水画，大体上只是作为人物画的配景。所画的山，只是一系列的并排着，具有总的轮廓而已。在山顶上排比着一些比例不相称的树，也是具形而已。这些山，有时会没有人大，或者连树也比它大。在敦煌石窟从北魏到隋的壁画，就都是这样的描绘方式。虽然据叙说，东晋顾恺之，南朝宋宗炳与王微都已讨论以山水为描绘专题的方式。

同时的花卉鸟兽画，也都有了专门的作家，直到唐朝，在蓬勃的发展着。

从谢赫的"六法"，说明古代绘画是写实的，着色的。这一形式，到隋唐之间，一直在日新月异的发展，加倍的功力，投入工整刻划的、精细浓厚的着色中去，描绘山石的形状，如镂冰斫雪一样的巧，而树木，照样一丝不遗的描绘，也表达不尽对象所有的颜色，又只限于梧桐杨柳等为题材。越是要显得精巧，却越暴露了它的笨拙。对写实方面，这些技法也仍然不够配合。这在唐张彦远《历代名画记》，就会说明它的这些弱点，在当时是影响了艺术性的提高的。

由于历久的着色画的统一范畴之中，它的创造性被限制在一个角落里，阻碍了描绘的发展与艺术性的提高，因此，固有形式，就不能被满足了。古典的现实主义的形式与精神，自然地走到了另一个区域里。

在唐玄宗李隆基时期，名画家李思训与吴道子，同时在大同殿壁描绘嘉陵江山水，李思训整整画了几个月，而吴道子在一天里写成了三百余里的景色，他们两人的完成时期，竟相差这样的长久。而吴道子为了这堵壁画，曾亲自到嘉陵江上体验了真景。这就说明并非出于臆造，而是有真实根据的。但何以在时间上有如此大的差别?固然，下笔的快慢，不可能求得它的相同，然而也还是不可能有这样大的差别的。这里显然又昭示了另一方面的原因，就是画法上的根本区别所造成的时间上的差别。因为，李思训是著名工细着色画的名家，他显然尽情地发挥了色彩辉煌、工细无遗的才情，用几个月工夫来完成这样的一堵壁画，是不足为怪的。吴道子有纵横的才气，锋利的笔势，下笔是敏捷的，据历来的叙说，山水画从他开始正式变了格，也就是说，已经不专在雕镂精细浓涂艳抹的着色描绘上面用工夫。由于他的下笔的敏捷，加上技法变了，自然就缩短了他的完成时间。又如唐末作家荆浩，曾经说吴的画，"有笔而无墨"，也正足以说明他已经用墨来进行描绘了。同时历代所著称的王维破墨山水，正是从他的变格所形成。以浓艳着色为主的历来画派，至此已不可能一帆风顺的发展下去，而引起了一些波折，从吴道子到王维，水墨画自然地在兴起。从着色画转变到水墨画，既有它一定的因素，可以说在当时绘画艺术上的一个大发展。因为这单一的色彩，却对现实主义的描绘，表现了特殊的功能。

笔墨　水墨画在中唐确立起来了，但是它的肇始，却不是唐代，在南朝梁元帝萧绎所著的《山水松石格》，就已谈到用墨来作画，他首先提出的是“笔精墨妙”。他主张用墨来替代一切颜色。他的办法是：“高墨犹绿，下墨犹赪。”这在着色方面，起了巨大的革命。因之随之引起一切技法上的变革与发展。

但是萧绎的水墨画法，似乎并没有即时被引起注意。从南朝、陈以及隋到唐初期，着色画继续在发展着。杨契丹与展子虔，阎立德与阎立本，李思训与李昭道，都是当时画坛上旗鼓称雄的着色画健将。在这样的情势下，吴道子起来开了新局面，显然，他对萧绎的笔墨论，起了呼应作用，或者是不谋而合的。

墨的被运用，开始在“山水松石”，因此，使山水画的创造性、艺术性，大大的提高了起来。

运用墨，必须依靠笔来传达，笔与墨配合了，起了重大的作用，在这单一的色彩之下，它表现了阴阳面与凹凸面，深与浅和远与近，更表现了寒与暖，晦与明的光景；它不但表现了云雨的迷离和烟雾的空蒙，而且表现了对象的形与影；它既能表现实质，又能表现虚空。墨把笔解放出来了，它让笔自由地、个性地发展着。因此，在技法上增加了繁复性与广大性，对描绘对象，加强它深刻的表现力，它做了当时着色画所不能做的事。所以王维“山水诀”就曾提出：“画道之中，以水墨最为上。”

在北宋，米芾推崇了平淡天真的董源画派，对李成、范宽也不免有微辞。他说李成“多巧、少真意”，而范宽“深暗如暮夜晦暝、土石不分”。这是他对笔墨彩描绘真实的批评。苏轼的意见更说明了又一面，他在诗里这样的写道，“作画以形似，见与儿童邻”。这两句诗，曾引起了历来的误解，曾把它派了大用场，作了护身符。

绘画不要讲形似，几乎是不可思议的。谢赫的“六法”，分明根据事实所提出的是“应物象形”。岂有绘画发展史，水墨画发展史推进到北宋，却变得“牛鬼蛇神”起来，连绘画的基本之点的形似都不要了？不要形似的解释，就是画山不要像山，画树不要像树，画人不要像人，画像了就不成其为绘画。我想苏轼应该不至于这样想法的，始料不及此的。

这两句诗，只是特别强调了“形似”以外的即通过“形所产生的神情，只是反对专以“形”似了为满足，为到达了绘画的终点。因此，他特别指出，以形似为满足的是和儿童一样的见解。这我们并不是有意来替苏轼作辩护。不过，如他这样的说法，这样的语气，是不够明确，容易被误解的。

唐张彦远《历代名画记 · 论画六法》：“夫象物必在于形似，形似须全其骨气，骨气形似，皆本于立意而归乎用笔。”事实上，米芾与苏轼，他们的观点与张彦远的议论是完全一致的。他们把笔、墨提到最重要的地位。除形似之外，所应具备的是生动的“神情”，单讲“形似”，不能成立。而“神情”必须寄托在笔、墨的条件上，“皮之不存，毛将焉附”。因为，笔墨不精妙，仍然可以做到“形似”。而必须笔精墨妙了才能使形象有生动的“神情”。

但是，笔法并没有固定的形式，要配合到描绘的对象，笔的运用，就很复杂而需要变化。需要粗的，细的，阔的，狭的，横的，竖的，劲挺的与柔和的各种不同的变化。从个别的到总体的，所谓一切的技法，来适应各种不同的形态。因此，这些笔势，就不能说这一种对和那一种不对，这一种好和那一种不好，它只要能配合所描绘的形象，使它有神情，有精妙的艺术气氛。

因此，所谓笔法，是从对象出发，从对象产生。对象，正是描绘的依据和根源。而来摄取对象的形与神，所产生的笔的态与势，情与意，这就是笔法。但是，这里也仍然有一个原则，凡是可以形成一种线条的，不管它是弯是直，是粗是瘦，是长是短，甚至是点子；不管它配合的是山水、人物，或花鸟，笔锋就都是“圆”而“中”的。是挺健而不是痴弱的。这在先进的、典型的用笔里，是随处可以找寻得出它的形迹的。

而墨法，也没有固定的步骤，它没有哪里一定要浓，而哪里一定要淡，也没有哪里要浓到什么程度与淡到什么程度。真实的景，是许多形象、许多颜色所交织而成。而所谓墨法，它就要配合这许多形象、许多颜色，把它分别开来，组合起来，不能让这些形象，这些颜色混乱了，模糊了。更不能使明确的为模糊，而模糊的为明确。就以山水来说吧，前面说过，没有一定要哪里浓或淡，但有一点是固定的，最近的山与最远的山就显然要一定的浓与淡来区别出来。显然，从眼前看去，远的山比近的山一定要淡而模糊的。而事实上，山林之中，除了远、近之外，还有更繁复的区别之点。譬如树，就有老的，嫩的，红的，绿的，前前后后，左左右右的交织着。这里的用墨，它的浓、淡，就不可能和表达远或近的山一样简单。甚至一些山石，它的阴阳面，它的交接点，以及石和泥沙的分野，云雾的掩映，光的明暗，这些也仍然不可能与表达远或近的山那样单纯的。因此，它也可以后面的比前面的浓。但是，它不可能使阴面比阳面淡，这样是无法描绘的。

墨法既然是这样的千变万化，无可捉摸，但也还是有它的原则的。墨必须水的调合，才能产生它的“彩”，它的“气”和它的“韵”。墨的浓、淡，是水与墨的多少调节问题。但是不管多少与浓淡，它所表现在画面上的，就必须显得明洁、滋润。而不可显得脏，显得暗，显得松散凝滞而无神。它可以浓，甚至到焦。但不可显得枯，显得涩，显得火辣辣的。这在先进的、典型的用墨里，是随处可以找寻得出它的迹象的。

从李成、董源、范宽，这些水墨山水画里，从他们所流衍的画派里，尽管它如何的变幻多端，巧妙无穷，与这个原则，是不离其宗的。米氏的墨戏和李唐的画派，与李成等的风格，虽然大相悬殊，门户各别，乃至元、明、清的代表画派，与这个原则，也仍然是不离其宗的。

无穷的流派，无尽的风貌，它的形象性和艺术性，在各个作家的眼里，脑子里，手里，所以无穷无尽。多少年来，无穷的说法，无尽的论证，这样的用笔，那样的用墨，牵涉到绘画中来，配合到形象中去，所以无穷无尽。事实上，它的原则，它的规律，只是这一个。因为，这个原则，这个规律，是适合了现实主义，适合了它的艺术性的。

萧绎的《山水松石格》，曾经提出“破墨”的说法，唐人把它来作为专门名词，称为“破墨山水”。意思是要把当时的着色画区别开来，特别来说明这一种山水是“破墨”的画法。

“破墨”——破字的意思，是指笔运用墨来进行描绘的过程。因为，墨既然是单一的色彩，而它所负担的任务，是多样而错综繁复，所以必须把它分散开来，浓的、淡的，较浓的与较淡的，更浓的与更淡的，破成了多种多样的色调，形成了“五彩”，不止一次的，累叠的来配合“笔”所描写对象的需要，这就叫“破墨”。也说明“墨”与“笔”的不可分割，正是萧绎所提出的“笔精墨妙”。

运用这些“墨”的是“笔”，使“墨”去描写对象上起了无穷变幻的是“笔”，但是笔与墨，不能很好的配合，使它的艺术性的描绘，遭到了挫折，这即是所谓“有笔无墨”与“有墨无笔”。

所谓有笔无墨与有墨无笔，是怎样的说法呢？

当笔在描绘对象，而墨不能恰如其分的来配合笔的运用，使笔显得过于露骨而不自然，如有斧凿的痕迹，不能对描绘的对象，灵感地有恰如其分的表现，这就叫“有笔无墨”。当笔在描绘对象，而墨不能恰如其分的来配合笔的运用，使笔含糊不清，掩没了笔的本身的作用，只是让笔做了墨的工具，也仍然不能对描绘的对象，有亲切的表现，这就叫“有墨无笔”。这在北宋韩拙《山水纯全集》，是有详细的分析的。

有笔无墨和有墨无笔，都是不对的，必须笔与墨配合得当，才能有很好的艺术描绘。

同时有一种墨法，称为“泼墨”。据历来的叙说，唐代王墨的山水画法，先把墨任意泼在绢上，然后就将泼成的形势，来布置加工。这一画法，并没有盛行，而“泼墨”的名字，却一直被援用了下来。凡是用墨特别多而用笔豪放的，称为“泼墨”。

绢与纸对绘画的影响　同样被关联着的是绢与纸，正是笔与墨所寄托的生命线。绢与纸的条件不能很好的配合，就妨害了笔与墨的表现，笔与墨、绢与纸是相依为命的。要共同来完成它的艺术描绘的。

但是，绢与纸所决定笔与墨的艺术描绘，虽然相同，然而造成它在气氛上、情调上的区别，除了绢与纸质料上的优劣之外，也还是有它的不同之点。

唐、宋以前画，连着色的在内，一般都是用的绢。它的风调的形成，绢是有一定的贡献的。

绢，是丝织品，是透明而光泽的体质。这种体质，对于水墨画，更能掌握它的规律，发挥它的特性，特别的发挥了笔势的纵横生动，墨彩的五色纷披，提高了对形象描写的亲切性与艺术性。

唐初以前，都是用的“生绢”。据米芾《画史》，他所见到的张僧繇、阎立本等所用的绢都是如此，到吴道子、周昉、韩幹等开始把绢用热水制成半熟，加上一种粉，把它捶得光滑如“银板”，这就是所谓“熟绢”。南唐的绢很粗，而徐熙有时用的几乎像布。巨然用的双丝粗绢，董源用的却反要细一些。北宋郭熙、王诜用的也都是较细的。南宋的绢，同样有粗的，有细的，还有极稀极薄的，以后大都也是如此。

绢是手工制品。在很早就已有了一定的水准，它的粗和细，只是由于原料和加工的精粗问题，不可能来全面的加以时代的区别的。

后来的熟绢，不是“捶如银板”的办法，而是用胶和矾。

北宋李公麟，他的画是用纸的，但临摹古画，一定用绢。因为，古代的画都是用的绢，所以非用绢来临摹不可。为什么一定要这样呢?因为，绢画用纸来临摹，不可能求得它的一致性，绢与纸性质不同，就不可能使笔与色彩获得一致的情味的。

宋以后的画，连着色的在内，一般都是用的纸，它的风调，被纸导引到另一种境界中。

纸是植物制品(也有用丝制的，如茧纸)，同样是透明光泽，但与绢绝对不同了。因为它不是织成的，而是凝合体，性质不同了。

绢和纸，虽然同样的作出了辉煌的贡献，但纸却使描绘产生了又一种气氛，又一种风调，它使笔、墨的表现，与绢上的形成了一定的分野。专门用纸的元代水墨画与元以前用绢的，就显著地可以辨认出来。元代的倪瓒，是专门画水墨的。以他那种“惜墨如金”，干笔皴擦的画格，如在绢上，就显得有点形隔势禁，不可能得心应手。他也有绢本画，通过他一人在纸与绢上的画笔之中，这一种情况，正可以理解得出。这正是纸与绢在本质上的不同之点，使得笔墨起了情调上的变迁，因而它帮助了流派的变迁的。

但是纸，也有两种性质，一种是不吸水的，水墨只停留在纸面上而不透过纸背面去。元代以前的纸，大都是如此。一种是吸水的，水墨要透过纸背的。透过纸背的墨色，一定会化开。因此，笔在纸上的运用方式，又起了变化。元以前的画派，不可能在这种纸上表现。而明清的白阳、青藤、石涛、八大的画派，水墨不透过纸背的纸，也不可能来适合他们的表现，这样的纸就使他们无用武之地。

水墨不透过纸背的纸，一般称它为“熟纸”，是经过了胶与矾的加工制品，因为它本来能使水墨透过纸背的，由于胶与矾的凝结性，把纸的毛细孔堵没了。但元以前的纸，一般的由于纸本身的纤维紧密，就无须再由胶矾的加制，而能不让水墨透过背面去，事实上，这一种纸，要比由胶矾加制的好，更适宜笔墨的发挥的。

水墨透过纸背的纸，一般称它为生纸，明清以来，一般的都是这种性质的纸。它适合了明、清一部分画派的要求，支持了如白阳、青藤、石涛、八大等画派的发展。

宋以前用绢的画派，无从在纸上来表现，宋以后用纸的画派，也无法使绢来尽它的义务。

用熟纸的画派，不可能让生纸担任，而用生纸的画派，也同样无法让熟纸来完成。

诗与画的关系 随着六朝文学的颓风，到唐代一切以革新的面目出现，尤其在诗的方面。水墨画既从当时的着色画里独立了出来，它的重要的关联是与诗的关系，是与诗的艺术性的关系。如唐王维的诗与画，北宋诗人苏轼就称道他“诗中有画”、“画中有诗”。

因此，完全一致的说法，画，不论它是着色与水墨，是富于诗意的，又简直称它为“无声之诗”。

但诗是以文字来描绘人与事物，而画是以笔与色彩来直接描绘的，这显然是有区别的。然而富于形象性和艺术性的诗，是反映现实的人生的图画。虽与画的形式不同，而它所被赋予的描绘的特性，却是完全相同的。水墨画，由于从当时的着色画独立出来，它有着丰富的艺术表现力，和气质上的特殊生动性，使内容与形式更密切了起来。这一种风格，就与当时诗的艺术性，有了更高的协调，更亲切的关系。

既然称为诗，就一定有诗的境界，通过它所表现出来的人与事物，是活生生的情与景的融合。以一种特殊组织的文字所描绘出来的形象，形成了诗的境界，这样，倘使你闭上眼睛，在脑子里转动一下，这些从情与景所融合起来的，通过一种特殊组织的文字所描绘出来的形象，让你清楚地如同亲眼见到了一样，在你的脑子里浮现出这样的一幅图画，让你情感地觉得，是诗呢?还是图画呢?可以说，是诗，也不是诗，不是图画，却正是图画。可以说，这样的诗，是富于画意的。

同样的，画通过了情与景所交织起来的人与事物，通过了水墨的特性所描绘出来的形象，形成了它的境界，让你从这个境界里，亲眼见到这些形象，更从这些形象里体会到了它的情是如此这般的。从形象所表达出来的如此这般的情，以及水墨所表达出来的如此这般的气质，就与诗的艺术情感，有了绝大的共同点。诗是用文字来描绘形象的情景，而画是通过形象来显示情，形式虽不同，而描绘的原则则一，艺术性则一，这样只要你偶一凝神，就会情感地觉得，是画呢?还是诗呢?可以说，是画，也不是画，不是诗，却正是诗。可以说，这样的画是富于诗意的。正是所谓的“无声之诗”。

从唐代起，水墨画形成了它的高度艺术性，即通过意匠和笔墨，形成一种高妙的体格，对真实来进行描绘的。它的艺术手法沟通与结合了诗的情意。因此，“富于诗意”，成了绘画的高度艺术性。如唐《雪诗图》的故事，据宋郭若虚《图画见闻志》:“唐郑谷有雪诗云，乱飘僧舍茶烟湿，密洒歌楼酒力微，江上晚来堪画处，渔人披得一簑归。时人多传诵，段赞善善画，因采其诗意景物图写之，曲尽潇洒之思。”又如：“李益长于歌诗，有《征人歌》，《早行篇》。好事者尽图写为屏幛，如‘回乐峰前沙似雪，受降城外月如霜’之句是也。”

这一风尚，一直到宋，诗与画的联系更紧密了起来，经常以一首诗或一句诗来作为绘画的对象。描写的主题，要把诗的意境与情味，容纳到画的意境和情味中；把诗所描绘的内容，通过绘画的描绘，把它刻划与发挥出来。如宋徽宗赵佶的画院，即以“乱山让古寺”、“野水无人渡，孤舟尽日横”等等的诗句来作为考试绘画的题目。是通过对诗的体会来表现画的精巧构造的考验。而另一方面，更扩展到“题画诗”，在一幅画上，题上诗句，再通过文字的抒写，来补充和增强画境的情意，二者相互倚重，相互映发，画与诗的艺术性，融化为一体。

三　山　水

吴道子与王维　从萧绎的《山水松石格》到吴道子的山水变格，水墨画开始在长成。这一变格，在当时有很高的评价。他除在大同殿的《嘉陵江山水》外，又曾在佛寺画过《怪石崩滩》。据唐张彦远《历代名画记》称说它“若可扪酌”。说明他的描绘是如何的接近真实与生动呀!

同时的王维，遵循了吴道子的画派，占领了水墨画的领域，成为水墨山水画的鼻祖。吴道子在大同殿壁的《嘉陵江山水》，他又曾在绢上把它另画成一卷，名为“小簇”。可以看出他对吴道子的画笔，是经过了研究和学习的。所以朱景玄《唐朝名画录》说他的“山水松石，纵似吴生，而风致标格特出”。他的画派的形成，完全是从吴道子而来的。

吴道子的笔迹，已看不见，王维的也同样没有流传，据历来的叙说，他工于平远的景色，盘郁的山谷，飞动的云水，重在于水墨的渲涮，完全改变了当时一般着色画派的刻划勾斫之迹的。

唐末到宋初的北方派系和江南派系 唐末的代表作家是荆浩，他在笔与墨上所用的工夫，更加深入了。他是专门写山水的，笔迹现在也已没有流传。他对水墨画的意见是如此，他认为吴道子的山水，“有笔而无墨”。项容的山水，“有墨而无笔”。他要吸收他们的优良之点，来创立自己独立的风格。

荆浩的画笔，既已没有流传，据北宋米芾《画史》，说他“善写云中山顶，四面峻厚”。同时把北宋初期范宽的画笔与他的来加以分析。米芾曾经在丹徒僧房见到一轴范宽少年时写的山水，说范宽的风貌是从荆浩出来的：“却以常法较之，山顶好作密林，自此趋枯老。水际作突兀大石，自此趋劲硬。信荆之弟子也。”

范宽的画，现在见到的，确也是山顶多作密林，水边突兀大石这一类的境界，荆浩的形体，既是这样一类，那么，范宽的点子皴法，是不是从荆浩的画派所出，就无从推想了。

从五代到北宋初期，时间虽不长，而水墨山水画，逐渐的走向成熟与发扬的阶段，而就在这短短时期内的作家，都成为后来的典范，领导了水墨山水画的蓬勃发展。历史上这一时期并称的代表作家是，关仝、李成、范宽、董源。

关仝的画派是出于荆浩的，早年刻意力学，晚年笔力已经超过了荆浩。他的石体坚而凝厚，杂树非常茂密，木叶间用墨揾，笔势劲利。而米芾《画史》，说他的“石木出于毕宏，有枝无干”，又说：“工关河之势，峰峦少秀气”，除米芾而外，历来的叙说，从未对他有过这样的说法。然而他在当时的声望之高，后学的崇仰，把它看作典型的创作，认为他之于荆浩，是青出于蓝了。可惜他的作品，现在已没有流传，而在这些叙说中，只有米芾的说法，比较带有分析性的。

李成的画派，是从荆浩、关仝而来。但据米芾的分析，他并没有一笔像荆浩，只有树叶与关仝相像。它富于奇巧的结构，山峦好似云动，烟林平远，连山带水的千里景色，特别秀润的墨法，如烟如雾的变幻多姿，显现了一种异样的情调，特殊的风貌。他的画笔，历来流传极少，而冒充的却很多，据米芾所说："李成真见两本，伪见三百本。"在北宋已是这样，因此他要作"无李论"了。

范宽的笔力最为老健，擅于写正面折落的山势。黑沉沉的墨韵，特有的"点子皴"，刻骨地表达了山的质的一面。它的气势的雄峻，一种真实的感觉，好像那些群峰列岫，真的压在面前一般。如《雪山图》，就最能显出他的"点子皴"的卓越性。据历来的叙说，他先学李成，后来又学荆浩，最后，他豁然地说："与其师人，不若师造化。"于是迁居终南山、太华山，它的新生命，是这样创始的。

董源画派，没有险峻的山峦，奇巧的装点，平稳的山势，高下连绵，映带无尽，林麓洲渚，山村渔舍，是一片江南景色。米芾《画史》，称说他"平淡天真多，唐无此品，在毕宏上，近世神品，格高无与比也"。

他的画笔，一般都是短条子皴，有时作弯曲形，山头聚着一些小卵石，笔势一般都是圆的。但也间杂有方的，而有时又杂着干而毛的。在山上平铺地满布着小墨点子。山脚下，浓、淡的水墨拖成了多少横的条子，有时也用屈曲的笔势。再杂以小墨点子组成了一片有树林的平滩。它的境界，是平淡的，真实的，有一种浑朴的真趣。

现在，从钱塘江到富春江，两岸几百里的山色，乃至从湖南到广东的一路光景，试来引证画派，那就与他的画笔，同一气象，同一体制，面对着这些山，如在读着无数的董源画本，米芾说他的风格"唐无此品"，这是很对的，他所采取的题材，通过这些题材所采取的技法，他的剪裁，他的处理方式，他的整个风貌，是唐以前所未有的新创。千载而下，不得不使人佩服他的才情和高深的观察与体验，米芾称说它平淡天真，一片江南景，是非常确切足以征信的。

从五代末到宋初，这四家的画派，笼罩了整个的画坛，李成的画派，风靡了齐、鲁，范宽的画派，影响着关、陕，而董源的画派，领导了江南。由于当时社会的推崇，后学的崇仰，引起了地域性的偏好、宗派的分枝。因此，爱好范宽的，忽略了李成的风神，宗尚李成的，漠视了范宽的气势，而宗师王维的，又缺乏了关仝的风骨。北方画派的声势比江南大，董源平淡天真的江南景色，不可能为北方所接受。在北宋后期，一般号称王维的雪景山水，大都是江南的画笔。这在米芾《画史》上，曾提出了这个问题，而历来号称董源的《群峰霁雪图》、《溪山雪霁图》等，正是宗师董源的江南画派。这些画笔，现在还能见得到的。

以上都说明水墨山水画的蓬勃发展，在写实的前提之下，吸收先进的流派，有了这些门户。各宗所学，各尚所好，范围愈来愈广，愈来愈繁了。

在北方，李成较范宽的画派更为盛行。显然，李成秀润的笔墨，灵动的峰峦，明灭的烟景，它的情调，它的美感，比范宽浓厚的墨韵，突兀的气势所表现的骨体，更要受到一般学者的爱好。同时范宽技法的谨严，格调的老健，所配合他所体验的真实境界，与李成绝然不同之点是：范宽的主旨，在于表现山的质。因此，它显得重，显得峻，显得雄峻。李成的主旨，在表现山的态。因此，它显得淡冶，显得明净，显得灵秀而多姿。这也证明灵秀使人容易爱好，容易感染。而雄奇峻险，就不得不使人知难而却步。据米芾的看法，认为范宽的画品，在李成之上，而北宋一代，也没有人能超出范宽之右的。

李成的继起与代表作家是郭熙、王诜等。

郭熙，当作画的时候，首先要窗明几净，左右焚起香来，洗干净了手，使他精神安适，思想集中。然后准备了好墨，好笔，聚精会神的使一幅图，从经营起，加了再修，修了再润，一次二次的加工到再三次。使得图中的山林泉石，村舍桥梁，曲折地、精妙地到了尽善尽美的境地。从他现在所流传的作品看来，它的浑厚的笔势，明洁的水墨所映现的情景，是可以想见当他在描绘的时候，神完意足一笔不苟的神态，是可以想见他所体验的真实境界，通过他的笔墨和艺术创造，融洽地导致了统一。

王诜同时是收藏家和鉴赏家，他同样欣赏着李成和范宽的画派，他把李成和范宽，比作“一文一武”。这个“文”、“武”，并没有包含褒贬的意思在内，而他的画笔，却趋向于“文”的一路。如米芾《画史》“王诜学李成皴法以金碌为之，似古今观音宝陀山状作小景，亦墨作平远，皆李成法也。”也可以想见他所认为“武”的路子，是有点畏缩之感的。

他与郭熙，虽然同是李成的信徒，李成的继承者，而在精神与笔墨方面，描绘的形态方面，仍然有本质上的区别。但是，在元明以来，却也有人把他的画笔，认作是郭熙的。如《渔村小雪图》，正是王诜水墨画派的范例。而历见著录久被公认是郭熙的《溪山秋霁图》，试与《渔村小雪图》来较量它们的笔墨、形态与习性，显然它不是郭熙，而是王诜的画笔。

那么，怎样来解说他们的画派呢？

王诜与郭熙，既然同是宗法李成，出发点相同。那么，试从最起点来说，郭熙的用笔，一般的看来，是秃而较大的，粗壮而圆浑的，富有中锋的含蓄性，因此是浑厚雄壮的形态。可是，并不是说，郭熙绝对不用尖笔，而他所用尖笔所表现的，也仍然在圆浑一面。王诜的用笔，一般的看来，是尖而较小的，圆劲而秀润的，富有尖锋的暴露性，因此是清隽峭拔的形体。在总体上看来，就觉得郭熙表现的山势厚重，而王诜的劲秀。这在外表上说不算错，但不能说郭熙的画不劲秀，而王诜的画不厚重。因为，在风骨上，王诜未尝不厚重而郭熙未尝不劲秀，只是他们所外露的体貌，不在此而在彼罢了。

董源的继起的代表作家是巨然、刘道士。

以董源为首的江南山水画派，在宋初是不被北方所重视，直到米芾才特别加以推重，认为“唐无此品”，才唤起了普遍对他的注意。自然，巨然的画派，也增强了对董源的认识的。据历来的叙说，他的画笔“祖述董源”。但是，试把他的和董源的画笔来对照，在形式上几乎没有一点共同之处，巨然的构图，比较是朴质的。山的主峰，经常布置在正中，也不作奇峭的形式，山头装点着一些不甚小的卵石，即所谓“矾头”。树木的主干，都作蜷曲形，水边长着被风压平了的蒲草。山的阴阳凹凸的形态，都是长条子的皴笔所交织而成，不再用分出山的凹凸的一些主要分界线。而那些卵石，却不用皴笔，而只用水墨烘晕，显得非常光润而明洁。这些内在的，技法上的一切，可以看出都是从董源而来，是董源技法的流衍与扩充。而他的焦墨破笔，簇簇落落的苔点，那是他的独创了。他的许多技法，虽说是从董源的发展而来，但在风格上，已完全两样。他的情调，是拙朴浑成而内含清俊，不同于董源的风格了。

与巨然并称的刘道士，也是从董源的画派而来，最奇怪的是米芾的说法，他说：“刘道士与巨然同师，巨然画则僧在主位，刘画则道士在主位，以此为别。”元汤垕《画鉴》，也有同样的记载。这似乎不容易使人了解，虽然两人的画笔，同出于一个流派，间或有相同是可能的，总不可能弄到专要倚靠和尚道士才能分别得出吧！可惜他的画，已没有流传了。

燕文贵　宋真宗赵恒时期，号称“燕家景”的燕文贵画派，据叙说，他“初师河东郝惠”，后来也“不专师法，自成一家而景物万变”。因此，当时画院称它为“燕家景”。

河东郝惠的画笔，是怎样的风貌，现在已无法考知，而他既已自成一家，一切是绝去依傍的新创了。

从他流传的一些画笔看来，它的特征是：对于山的轮廓线，用笔方曲而特别粗壮。墨色也很浓。而树法较草率。一些树枝大都是下垂的姿势。水边经常有很多的水阁之类的建筑物。

山的描绘，一般是用短而小如钉头的皴笔，有时兼用着“擦”笔，偶尔也有稀少的条子皴。而有些山石的皴笔，又只是破而毛的长点子。

从山的形体与短小如钉头的皴笔，特别显出，它，却接近范宽的形体相当浓厚。诚然，它的取景和结构，与范宽是不相关涉的。而那些破而毛的长点子皴笔，又是从短小如钉头的皴笔所简化，从工整的化为草率的，因而又变易了它的情态。而这种情态，和范宽相去也很远的。在元代的王蒙，也有这样一种形体。那么，王蒙又是受到他的影响了。

宋　赵令穰《湖庄消夏图》　局部

因此，由于对他风格的认识而联想到，历见著录久被公认是他画的《秋山萧寺图》，正是一个实际问题。这一卷与燕文贵，是怎样的关系或有无关系?是值得加以再认识的。

赵令穰　在宋哲宗赵煦时期，赵令穰以善于描写汀渚间的景色著称。他是宋王朝的宗室，足迹不出京洛间，写景的范围，局限于五百里内，因而有人笑他的画笔："此必朝陵一番回。"

然而，在当时成为后学典范的李成、范宽与董源等的画派，在于他，却一概没有感染到。据叙说，他在少年时，刻意学画，是以唐李思训、王维、韦偃与毕宏为模范。而雪景更是与王维相似的。

因而试数一数与他并世的画手，确没有和他的格调有仿佛之处，在当时，他是一种新异的风貌。

他的笔势，曲曲直直，是简括而草率的形体，朴拙而疏宕的情意。描绘村舍，都用单线勾出，陂陀的平面，也不用描勾，而是一笔抹过。李唐的画法，与他很相近。虽然李唐的用笔比他刻削，而在这些方式上，很可能是从他而来的。

他写景，在于溪上的平林村落，水际的风蒲飞凫。不是烟雨的江乡，便是萧疏的水国。这样的光景，充满了澹荡清空的诗情墨意。

米氏墨戏　在北宋山水画的流派之中，异军突起的是米芾，创立了前所未有的风貌。接着他的儿子米友仁又继起发扬，形成了独立的格调。他纯以水墨的烘染和横点子的排比作为表现的形式，主要在表现云里烟里的景象，专以"云山"、"潇湘白云"等为题材，自谓描写雨霁烟

宋　米友仁《云山墨戏图》局部

宋　米友仁　《远岫晴云图》　局部

收，千变万化的潇湘，来表达它的神奇之趣，他的画派是最适合的，也非古今画家者流的画派。因此，他的这种写实方式，就要创造一些笔与墨的特殊情意、特殊技法来象征云里雨里的特殊景色。这一画派，他自称它为“墨戏”。平时非常珍爱自己的画笔，不肯轻易赠送人家，甚至弄到赌神罚咒。当时有人送他一首诗：“解作无根树，能描懵懂云，如今供御也，不肯与闲人。”

在明代的董其昌，曾有一种看法，认为米氏的云山，其源也是出于董源。他说，董源画的远树，只用一些点子来表达，近看几乎不像树，远看却是一片丛林。他认为米氏的“落茄”(指米画的横点子)，正是从董源的这一画法而来，我们不反对董其昌的这种看法，也许有这种因素在内。但说是米氏通过真景的体验，是他们对真景作如此概括的方式，似乎要亲切些。

由于这一画派，新奇独特，前所未有，受到当时的普遍赞赏。但是，虽然他的声望甚高，由于在题材方面，有绝大的限制性，因此，不可能被发展起来。在南宋一百四五十年间，后起的画派中，它的流风余韵，就绝未曾起影响的作用。

江参　与米友仁同时的江南江参，画派与董源、巨然，步趋一致，系无旁出。是董、巨的集大成。写湖天平远，对云川景色，寄以热情的描绘。当时的诗人文士，对他有崇高的鉴赏。

他的画笔，墨气明润，表达山峦，皴笔兼杂晕染，墨多而笔少，是董、巨以外的了。而取景比较琐细，气格比较狭小，已开元人的风貌。北宋末期江南画派，他是殿军了。

李唐派系　同时卓越的作家李唐，开创了又一种新的风貌。在当时北方的李成画派，江南的董源画派正蓬勃地发展着。异军突起的米氏墨戏，又善于空濛的景色。而李唐对写实的描绘方式，作出了全面不同的变革。北宋以前一般的描绘方式，在一张画幅上，首先要让出若干“天地”——即画幅的上下端，然后构图，所描绘的景色，要在让出“天地”的空间之内。因此，它的境界，虽是由远到近，但它映现在眼前的，即使是它的最近处，也已经很远，因为，它首先有画幅上下空间的距离，如郭熙《林泉高致》：“凡经营下笔，必合天地，何谓天地?谓如一尺半幅之上，上留天之位，下留地之位，中间方立意定景。”根据北宋的画笔看来，也有不留地的，即从纸的下端一直起的构图方式。但总之，它所描写的是远境，是全貌，而李唐的结构，在画幅上采取了顶天立地的方式，是近景的一角，只是眼前所接触到的一部分。

他的笔，刚劲而犀利，气魄非常雄壮。粗大而夹杂着偏锋。所刷出的山石，传神地表达了瘦硬而有棱角的凹凸面，强烈地显示了立体的感觉，浓重的水墨，配合了这种笔势，爽利明朗而有刺激性。

北宋以前的画法，笔和墨都是多少层的积累，而李唐的画派，一般的看来，笔与墨只经过一道，有时在某些部分略略的加一次烘染而已。

他的画派，如前面所说的，是“大斧劈皴”一派，如陂陀的画法，很接近赵令穰。而他还有一种短条子皴的，它的骨体又很像出于范宽的。

这一画派，既完全出于新创，与历来的截然有别，因而不能被当时一般人所欣赏，所接受，他对着自己的纵横老笔，不免有落寞之感了。他写下了这样一首诗：“雪里烟村雨里滩，看之如易作之难，早知不入时人眼，多买胭脂画牡丹。”

然而，当时一般的画派，随着北宋王朝的结束，突然没落了下去。当南宋王朝在临安建立，他已是八十老翁，他的画派，突然被推重起来，流风弥漫着整个南宋国境，他成了南方的大宗师。凡是山水画作家，几乎没有不宗尚他的流派，到现在，还能看见不少没有题款的这派画，几乎无一不是南宋人的手笔，他的流风，笼罩了南宋一代。

当时继承李唐而最有代表性的作家是马远、夏珪。

马远的画派，李唐是他的不二法门。这里要说明的，李唐画派，它的面目，它的技法，如上面所说的不单是一种，而马远所宗尚的只是他的“大斧劈皴”一派。

他在结构方面，更开拓了清空的一面，经常表现的，只是一座山与

元　赵孟頫《鹊华秋色图》

一重滩，因而有“马一角”的称号。他的形体，既与李唐如出一辙，而较李唐的笔势显得凝练而偏于温和一面，树本弯曲有势叶子是一球球的长松，双勾劲挺叶子是尖尖的丛竹，形成了特有的体貌。

这样，他与李唐的画笔，有了一定的距离而独立了开来，把这一画派，流衍而扩展开来，在这一形式上更使它独立起来了。

夏珪的画笔，同出于李唐一系，与马远更接近。他的画笔有两种形体，一种偏于清劲，笔势爽利而细劲，有时掺杂着直条子的皴笔。他吸收了李唐清刚爽利的一面，强调了李唐尖细的一面，因而显得爽利有余，形成了清癯的风格，而另一种形体，那就与马远的骨体，区别显得不大了。

赵孟頫到元四家　当李唐画派盛极一时，南宋一代，系无旁出，北宋以前的各种流派，几已全部绝迹了。由于这样一种情势，似乎已经发展到了顶点，它开始遭遇到了逆风，赵孟頫的画派，起来阻挡了这一主流。提倡唐和北宋的画格，标榜了李、郭和董、巨，确认这些画派的艺术性才是正宗的。

试从他的画笔来看，在他的水墨画范围之内，由于他强烈地追求北宋以前的情感，特别追求了李成和董源，虽然他独立了自己的风貌，而他的渊源流派，就显著地可以辨认出来。

元　高克恭《米家山水图》

因此，他的体制，是从李成与董源的流派，显示出精湛的笔墨与纸本上略带干而毛的形体。还有一种，笔墨较干，有时还略带飞白，在通体的画面上，几乎只勾出山林的轮廓，偶尔有极少的皴笔，更没有水墨的烘染，让它暴露在眼前的，纯粹是毫无假借的一笔一划，毛的光的老练而有情趣的笔势。这一风格，是从李成的体貌所扩展与简单化，是他新拓的水墨画境地。

他生长在南宋末期，正当李唐画派盛极之际。但在他开始从事绘画起，从未受到世俗的熏染，自许他的画笔与近世少异，称陈琳的画鸭，“近世画手，皆不及也”。都证明他很不满意于南宋的风格，企图上追唐和北宋的画派，来重整画坛的风气。他对自己的画笔是这样说的，也是他对绘画的看法：“仆自幼小学书之余，时时戏弄小笔，然于山水独不能工，盖自唐以来，如王右丞(王维)、大小李将军(李思训、李昭道)、郑广文诸公奇绝之迹，不能一二见，至五代荆、关、董、范辈出，皆与近世笔意辽绝，仆所作者，虽未能与古人比，然视近世画手，则自谓少异耳。”

因此，正当元朝初期，经过了南宋一百四五十年来中断的北宋画派，由于他的登高一呼，又重新死灰复燃，使元朝一代，起了存亡续绝的作用。在当时，几乎以他的宗尚为宗尚，他成了大宗师，成了主流。

他的儿子赵雍，完全步着他的后尘，学生黄公望，依附了董、巨一系，他的再传弟子盛懋，虽也同出于董、巨，而更接近了他的形体。外孙王蒙，变化最多，也仍然是从这个大门里走出来的。和他同时的高克恭，起初迷恋着米氏墨戏，而最后也信奉了董源。曹知白、唐棣等追随了李成与郭熙。倪瓒的面目较特殊，也还是董、巨的蜕变。最特异的是吴镇，他身在董、巨的门庭，却与马、夏横刮的皴笔交接起来。当时的马、夏余风，尚有张观、张远等在那里抱残守缺，但大势所趋，已经无能为力了。

米氏墨戏，在元初与李、董的画派，同被画坛所崇仰。当时的高克恭，继承了这一派，声名甚盛，与赵孟頫不相上下，一般的谈论画派时，经常把他们两人联系在一起，并称为“房山”(高克恭)“鸥波”(赵孟頫)。由于他的被崇仰，接着米氏的作品，更成了鉴赏家们搜罗珍藏的对象，甚至被人把他的画挖去了题款来充作米友仁的画笔，这样一来，他的画

黄公望 《为张伯雨画仙山》 局部

笔就更少见，更为人所想望了。

既然他的画笔，可以充作米友仁的画笔，使鉴赏家们深信而不疑，这就说明确与米友仁的难于区别了。试从他的作品来看，可以说从结构上、笔墨上所形成的风貌，诚然与米友仁的“波澜莫二”。不过，他是他，终究不是米友仁。他们相隔百余年，一个是通过自己体验的产品，一个是通过橅拟的产品，出发点不同了，再相像，总不可能做到毫发无遗憾的，只是一般的看来，它是足以乱真的了。

他的用笔，他的用墨，亦步亦趋地追随着米家山水，这样的笔墨所组合的云山烟树，就欠缺了笔势烂漫，自然流露的意象。气局就显得小，显得刻划而有修饰的痕迹，足以让人回味到当他在挥洒的时候，他的情感所寄，不在于云山而在于米友仁。

但是，当他到了晚年，逐渐的改变了爱好，似乎有些厌倦于这一流派。他吸取了董源的情意，扩展了米家的树法，把董与米结合了起来，比他的云山旧派，就比较有了自己的风貌。

四家之一的黄公望是赵孟頫的学生，是董源、巨然的嫡系，据叙说，他寓居富春时，经常带着纸笔对景物写生，后来在常熟，也去体察虞山四时朝暮阴暗的气象，结合到他的画笔中去，试从他所采取的如“富春”、“天池石壁”等为题材，可以相信前面对他的叙说是有根据的。

反对南宋，讲求取法乎上的元代画派，对于北宋和北宋以前的笔墨与艺术性，经过了高深精密的研究，而比较脱略的是对真实的形象了。

从黄公望的画笔看来，虽然他对于“富春”、“虞山”有过观察与体验，却是减轻了对描绘对象的深刻性，而着意于笔墨的创造。使画里的山林，只是不太多的长的、短的、尖的、秃的、清楚的、毫不混杂的线条的组合，用一点淡水墨来烘染，有时连烘染也没有，就这样把它的笔墨全部抬举了出来。因此，这些山林，虽然有它自己的风貌，而多少让人感到的是偏于笔墨的情趣为多，而对真实情状的描绘为不足，是偏于简括方面的艺术加工。

这一画派，与赵孟頫从李成所扩展出来的简括描绘方式，是渊源有自的。

他虽然从事山水创作，与“富春”和“虞山”的感情之深，也仍然以表现笔墨为主。对于真实的境界，只不过吸取一点意思，而不主张多事刻划，作丰富的艺术加工，为大自然的壮丽润色。只是借山林的胜地，来表达他的胸襟，以稀疏的笔墨清趣，来作为胸襟高雅的象征。以此为满足，以此为至高无上的艺术性了。

以声名煊赫，历见著录的《富春山居图》而论，对于山的内容描绘是相当抽象的，试从富春江上，泛舟上溯，两岸的山色，很难寻得与他画笔的体制有契合之点，既然富春是他的旧识，这就说明他铸造自己的风貌，是不在此而在彼，是有意向这样一种意境中去，对艺术描绘，是这样一种企图了。

元　吴镇　《渔父图》

盛懋的风调，十分接近赵孟頫的董、巨一派，他对董、巨的格调，出于赵孟頫的精神为多。山的条子皴以及树干的笔势等，也都是赵的面目。他的结构，通常爱写江边的景色，岸坡上的一棵枝叶顺生的大树，几乎是他的标志。

吴镇，是有古怪脾气的，个性之强，从他的画笔，也可以看得出来。第一，他所有流传的作品中，几乎全是槎枒老辣的秃笔，而苍秀的尖笔的真是例外了。一般是吸取董、巨的技法，山的皴笔是长线条，有时排比得平直一些，简少一些，有一种不修边幅的风调。

喜欢写江上渔父的情景，有直幅与横卷。回想当年，是他最有感情的题材。他的作品，现在流传的并不多，而在这不多之中，《渔父图》就占了较大的数目的。

他还有一种如马远、夏珪的横刮的皴笔，而它的情调是董、巨与马、夏的混一，偏重于温润一面，没有刚劲如刀削的情味。元朝的画派中，只有他组合了极端不同的技法，容纳了南宋的骨体的。

曹知白是郭熙一派，而董、巨又是他另一种面目，有一种用干笔皴擦情味平淡的，是他后期的作品了。它的董、巨的面貌不太强，而郭熙的也不如唐棣、朱德润那样突出，尤其是唐棣，树法几乎成了公式一般，步趋郭熙，几乎带点油腔了，而朱德润的郭熙面貌，一般的带有赵孟頫的笔调是极浓的。

王蒙的画派，善变而多样化，从他有修养的笔墨，对真实的描写是热情的。如《岱宗密雪图》。虽然早已毁灭，而据叙说，对泰山经过长久的体验，作真实的描写与艺术加工，是他特殊的创制。

他的笔势，是如此的多样化，蜷曲如蚯蚓的皴笔，是强调了董源的一端，绞缠着的线条和繁密的小点子，又是其中的一端而结合了巨然的。许多破而毛的点子，则又是吸收了燕文贵的一端。焦墨的粗线条，又是从李、郭而来。这些对写实奏效的技法，都在他网罗之列，联合在它的阵容里，独立而扩展了起来，都形成为一体，使它的情景，这样的有变化而丰富了起来。因而它的整洁修饰的和乱头粗服的多种风格，正是由于学识和才情的融合而后形成的。

经常我们看到，下面一个平坡，坡上三五棵杂树，偶然有一个亭子，对面远远的一层两层的平平的山，就是倪瓒的风貌。他的画几乎大同小异的都是这样一种结构。

他的用笔极简，有时一梗树干，只是一笔下来，至多再补充一笔，树枝也是稀疏的，略略点上一些树叶子，山石是条子皴，或长或短的，转弯的地方，有时一直方折下去，总之也很稀少的，用墨方面，淡淡的，干干的，笔锋擦在纸上，有时墨色并没有盖没笔锋下面的纸质。山石上不多地加上一些稀疏的小横点子，在通体看来，都是淡淡的，明洁的。

这些淡淡的笔，却显得它的厚重，而情意温清，没有纤弱与单薄的感觉，笔和墨真是吝啬得舍不得多用一点，然而它已经完全足够，恰到好处。这一种表现，确是很独特，很不容易。因为，我们知道，当下笔的时候，就会觉到用稀少的笔来描绘并不比繁复的容易，因为它不容易掌握形象的体质。淡淡的墨也不比浓厚的容易，因为它不容易使形象突出。而他就以稀少的笔和淡淡的墨有精神地笼罩住整个的画面，不让你有松懈和模糊的感觉。因此，它有一种清气照人，使人爽朗，使人清醒的情味，这一种形体，也仍然由于赵孟頫的风气而来。是其优点的一面。

在当时就有一种风尚：他的画，“江东之家，以有无为清俗”。他，一生以清高自励，也被人所公认，因而他的画派，也以清高的情态来表现。荒江之野，寂寞之滨，正是他的题材，他的风格。令人兴起一种特殊的欣赏，甚至以没有而自惭庸俗，在当时是多么的获得了广大人们的爱好与崇仰！

这里不拟来谈他的社会背景，总之，在异族统治下的元朝，他的水墨画派，已趋于这样一种风尚。而到他已经是极端，直到明、清，他的流风，始终起着作用，始终被人所崇仰。董其昌在家里曾悬挂了董源和黄公望、倪瓒的画，而他的朋友们却只欣赏黄、倪，不向董源看一眼。虽然黄和倪正是董源所从出，而歌颂者却不归董而归黄、倪了。

倪瓒 《容膝斋图》 局部

明代画派与四大家

明代沿接着元人的风尚，一些宗尚董、巨、李、郭的，在当时画坛上声势甚盛，如徐贲、赵原、马琬等，都是从元到明，根本都是元人的格调，王绂已经有了变动，但接近王蒙与倪瓒的风貌依然极浓，刘珏与姚绶，又偏于吴镇一边。到沈周虽然也是同一条路子，却已正式形成了明代的风貌，树立了新局面。他是新兴的大家，开了当时的风气，如文徵明、唐寅等这些代表作家，无不出于他的门下。在明代末期人看来，也推他为“本朝第一”。

但是，明代追随着元代的画派，更从元代的画派中翻筋斗，变手法，从通过元代的画派，再来讲求北宋。在当时的写实作风，虽不能说已经绝迹，而由创造性的不够高强，似乎又隔了一层。所讲求的笔墨，逐渐地路子越来越窄，堕入于粗浅与庸俗之中，这样的翻下去，看来就有今不如古之叹了。

同时，在醉心元四家的风气之下，其中却也有不少的作家，抛弃了元人的路子，追求马、夏豪放的笔墨，戴进与吴伟，正是这一派的代表作家，在画坛上起了影响作用，与沈、文画派为对垒，但他们在这一画派中所产生的新风貌，同样没有收到很好的成果。马、夏流派，从元到明，已经成为末流，到了没落的阶段。

明　沈周《苔石图》局部

沈周的画派，是以董、巨为祖师，而以元四大家为法。他的老师是杜瓊，杜瓊的画笔，比较接近王蒙。沈周的面目，有时是很像杜的。而还有一种树法，用笔比较壮健整饬以及柳丝的形态，那是从北宋高克明出来的。

他特别爱好吴镇与王蒙。有时学倪，他的风格，偏于雄健老硬，而一般见到的，大都粗毛倔强，笔墨荒芜，情意是很浅的。如明詹景凤，对他就有过这样的批评："有平平不见奇致者，有潦草失故步者。"他把元四家的细致的、经意的笔墨，再变为草莽的，漫不经心的，就显得那样粗浅而没有风趣，那样的不文静而没有含蓄。与元四家所追求的笔墨情调，已流入于另一种境地。由于他的笔调，盛气凌压，情势粗暴，因而对于倪瓒的画派，特别不能协调，每当他作倪的画派时，他的同学总要说他"又过火"了。

但是，他的画笔之中，也有很凝练而厚重，气局非常宏敞的。而雄健老硬，正是他的特有风格。只是他的画流传还不少，一般的笔墨，都草率而粗糙。因此，见到他的较为细致的，就特别被重视起来，曾引起后来一种看法，认为他的画笔，要以细的为高，因而称之为"细沈"。是说明以稀为贵了。事实上，他对于吴镇和王蒙的造诣特别深。对这两家画派，有他的独到之处；而于吴，更为莫逆于心，得到了极大的启发，是有他的创造性的，问题并不在于粗笔和细笔上。

此外，他还有一种面目，一种长而直的条子皴笔，所描写的笨重而简单的山峰；短而胖的竖点子极有规律的排比在山头上；一般把他冒充董源的，也是他的手笔。这一种画派，可以看出，他企图在董、巨中间来发现一个新格调而没有能成功。

文徵明是沈周的学生，对于先进流派的宗尚，也不出于沈周的范围。他的画名不在沈下，他的画笔，现在所见到的也不比沈少。

他的笔调，清刚而瘦削，有时不免公式化。一般的墨色淡而平，粗而枯，气局拘索而少生气，有一种木强的情态。

明　文徵明《真赏斋图卷》

他也对于元代的吴镇与王蒙，特别爱好。而于两者之间，学王不如学吴，他学王，笔势冗杂而庸碌，没有苍茫浑厚的意趣。而脱化吴的画派，虽不如吴的雄厚朴茂，而清劲流畅的情味是极浓的。

由于他着色细致的画笔多，而粗豪的就被重视起来，所以后来的看法，以他的粗笔为高，称之为“粗文”，其实是不一定的。

沈与文的出发点既同，而文更是从沈所出，然而意态情味，却已各立门户，有极大的分野。沈的画，它的极点是粗野干枯，而文是木强少味，他们对于泉水和山脚的水口等，一般的都极随便而马虎，只是几条柔弱的线条简陋地组在一处，便算了事，既不讲形，自然没有了神，更失去了水的情意。关于这点，元人就已经有不讲究的地方，他们再扩而充之，更向简略的方面走，是后来一般画派中对这方面庸俗简陋的开端。

明　唐寅　《高山奇树图》

唐寅与文徵明的友谊最深，来往很密，在画的作风上，却完全两路。首先他们两人的个性不同，文是拘谨刻板，规行矩步。而唐是奔放豪迈，才气横溢，所表现在画派上的也正是这样。唐从郭熙与李唐的画派，加以融会贯串，他用一种细长的线条来写山，是他的新创。山势是方折的，这种细长的线条，是用尖锋所形成，很流动而有风姿，烘染的墨彩，特别明洁而滋润。但他也有用粗笔的，笔势沉着而飞动，接近郭熙的一路，此外还有纯粹出于李唐的“大斧劈皴”，接近马远与夏珪。这一种所采用的笔势，则特别刚劲，更富于清挺雄健的意味。

论他的风格，没有沈、文的那些弱点，他特别富于一种风情，特别被人们所欣赏，特别能引起人们的愉快。如清代的王翚、恽寿平，经常采取他清秀的画格的。

明　仇英《柳下眠琴图》

在当时有一位老画师周臣，纯出于李唐派系，据历来的叙说，他曾经教过唐寅，唐的画派是出于周臣的。但从唐的早年画笔看来，似乎不是从周的画笔开始的，然而有一些唐的画，题字是唐而画却出于周，这就是说周替唐代笔的。既然周可以代唐，说明他们的面貌，有时不免有相同之处。真是弟子不必不如师了。事实上，周与唐寅，是显属有别的，只是同一个路子罢了。

以南宋大青绿画派著称的仇英。他的水墨画，却极奔放，笔势之大，墨彩之鲜明，是沈、文、唐三家所没有的。从他一贯的工细画笔看来，几乎不能相信他可能有这样壮武的笔力。至他的风貌，也出于李唐的派系而较为温和一些而已。据历来的叙说，他也以周臣为师，是“青出于蓝”了。

历来对于明代的画派，举这四家为代表，称为“沈、文、唐、仇”。环顾明代三百年中除了最初期的一些作家，与末期的董其昌而外，以功力的深厚，卓然独立起了影响作用的，也确实是这四家。

董其昌　明代末期在绘画史上起重大影响的作家董其昌，同时对于鉴别古代绘画的眼力也很高。崇拜元四家，醉心北宋，他特别爱好黄公望，更迷恋着董源与巨然，推许自己的画笔，“古雅秀润，在文徵

明　董其昌　《栖霞寺诗意图》

明之上”。他熟练于先进的技法，变幻了先进的形体，明润整洁，比沈、文显得更有手段。但在气局方面，却显得狭小，而笔势也不够雄放，缺乏真景的体验，限制了他的意境，尽管在他的理论中，有许多以“天地为师”的见解，而他所抛尽心力的笔墨，却耗费在描头画脚，搔首弄姿。但是正因其如此，在粗野的沈周，木强的文徵明之后，更接近宋元技法的形式，便觉面目一新，被当时的艺术家、欣赏家们所推戴。

由于他对古代绘画的见多识广、标奇立异，创造了一系列的奇特的议论，他把禅家的宗派说法，搬到绘画上来，分古代绘画为两大系统——“南宗”、“北宗”。从唐王维起以及张躁、荆浩、关仝、郭忠恕、董源、巨然、米芾、米友仁到元四家，称为“南宗”。从唐李思训、李昭道起以及赵幹、赵伯驹、赵伯骕到马远、夏珪，称为“北宗”。而他自己所赞颂的是“南宗”，说“北宗”“非吾曹所当(一作易)学”。假使说，他只是把古代绘画来分别类型，那么不论他对不对，总还不失为整理的方法。而他首以禅家的宗派，引经据典地来文饰他的说法，把这一系列的作家形成了对垒，好像河水不犯井水一样。既没有顾到时代的沿革与绘画的发展，对于每一个作家的个人过程与关系，也置之度外。赵孟頫曾经说董源的大青绿山水，是“放泼底李思训”，而《宣和画谱》也称董源的着色山水学的李思训，而他却使董源与李思训，一个在“南”，一个在“北”，武断地硬派他们毫无渊源。而赵幹分明是江南的派系，与董源相近，又把他列于“北宗”。并又把自己所分的“南”、“北”宗，区别开来，确定了“南”高而“北”下。

但是，当他的议论发表之后，首先推翻这种说法的却是他自己。在他的画上，不止一幅的他自己题着“仿夏珪笔”。非所当学的“北宗”，看来又为“吾曹所当学”了。文人喜欢舞弄文笔，只是舞弄而已，连他自己也没有认为在代表自己的宗旨。

然而，他自己所推翻了的论点，却传播了开来，起了重大作用，无形中领导了清代的所谓正统画派。一直到现在，最爱研究与整理中国绘画的日本，仍以“南宗”、“北宗’为依据。

四王恽吴　清初的画风，整个笼罩了画坛的是王时敏、王鉴、王翚、王原祁、恽寿平与吴历。其中以王时敏、王鉴为首。王时敏与董其昌的关系最深，对绘画的理论、门户，信服地追随了董其昌，董的“南”、“北”

宗的论据，深深的烙在他们的心头，无可非议地贱“北”贵“南”的情绪，蓬勃地在笔墨上发抒起来。因此列于北派的“大斧劈皴”，明代戴进、吴伟等所宗尚的，在当时的吴人看来，认为“不入赏鉴”之列。在这种情势之下，王翚得到了王时敏与王鉴的鼓励和揄扬，声名倾动了南北。恽寿平一见王翚的画笔，自叹自己的不及他。王原祁是王时敏的孙子，祖父的好尚，却被孙子奉为经典。而吴历也在“南宗”的派系中鞠躬尽瘁。这里无意而且不应该来批评他们对先进流派的爱好和所遵循的路线，而只是想说他们对绘画的看法，看作包小脚一样，哪个脚越包得小就越美。他们只是以摹仿为主要之点，在形式上越像古代的哪一家就越好，就认为绘画的能事已尽，绘画的最高艺术性已掌握在自己的手中。他们成了古代绘画的俘虏，忠实的囚徒。吸收优良的传统是对的，而无意在这个传统

清　王翚　秋山红树图

中，发扬光大，再开辟一条光明的大道，只是以传播与延续先进流派为尽了最大的责任。如王时敏一生以求得与黄公望相像为高，而对他的孙子王原祁叹服地认为能与黄公望“形神俱似”。在当时，王鉴从北宋与元代的这一家到那一家的形式上兜圈子，王翚从先进各家的流派洗了几个澡，最后所形成的是板刻无味，陷于公式化，毫无一丝生气。

事实上，没有对真实的高深体验，没有创造力、生命力，不能把描绘为真实服务，就连对古典的现实主义的作品，也不可能升堂入室地来认识它们的精神与旨趣，连摹拟也只能在形式上徘徊瞻望而已。因此，王时敏之于黄公望，轻弱而细碎。王原祁像是个呆子。王鉴好比是一位庸碌的富家子弟。恽寿平早年才调清俊，后来变得枯索。吴历意在厚重，而不够生动。而王翚在中年以后，已是“江郎才尽”，写不出一句好文章来。论功力，他们都是“三折肱”，好身手，却投置在死圈子里。清初的画派，董其昌发源在先，他们变本加厉的结果，对现实主义的描写，在他们的作品之中，已经“来是空言去绝踪”了。

龚贤　同时在四王、恽、吴所笼罩的画坛上，同样宗尚董、巨与元四家的龚贤，当时号称的“金陵八家”，即以他为首。他的画派，既与四王、恽、吴截然不同，并与金陵的其他画派也不同。据历来的叙说，他爱仿吴镇的笔意，但从他的画笔里，却不容易寻找出他的渊源，而他自己称说他的画是“前无古人”的。在他的形体上，无从肯定他吸收的是哪一家先进的技法，因为，他没有与哪一家有相同的地方。我们相信他没有被先进技法所驱使，而超然独立起来，自己开辟了一个天地。这在他的作品之中，从笔墨到结构，鲜明地显示了出来。他善于运用墨彩，一层层的山与树，是一层层墨的组合，用墨之多，黑压压地湿淋淋地显得明亮光洁，而层次繁复而深远，苍茫而有气魄。由于他的这种用墨，这种描绘的方式，起一种刺激性，使得画里的山林，有一种精神振发的感觉。

有一句老话：“宁为鸡首，毋为牛后。”他的风格，不可能压倒了先进的辉煌典范，如他自己所称说的“前无古人”。然而，以他的创造性来说，和他同时的画坛健将来比，诚然有所不同，因此，说他是“鸡首”而不是“牛后”，也不致于过当的。

道济　同时，特别要指出的是道济，他的画笔，多少年以来，几乎

清　龚贤《木叶丹黄图》

成了鉴赏家、收藏家和作家所渴望与追求的对象。欣赏"四王、恽、吴"的也逐渐地转变了爱好的方向，甚至当见到或获得了它的时候，又起了"何姗姗其来迟"之感。他使人崇仰与想望到了这样的地步！

在当时的画坛主将是"四王、恽、吴"。龚贤等的"金陵八家"，偏于一角，声势微弱，而他所显示的革新精神和创造个性，在"四王、恽、吴"的复古精神之下，真是天翻地覆的震动了画坛，使王原祁也叹服地承认他自己与王翚都有所不及，推他为"大江以南第一"。

他爱写安徽的"黄山"。黄山的峭与奇，在所有名山之中是格外显得突出的。在当时，是新颖的写实题材。他在画幅上经常用的一方印章是"搜尽奇峰打草稿"。说明他的画派，是忠实现实重视生活实践，度越了一切流派，一切规模与因袭的固有风貌，有力地反映现实的新的创造。

他面貌的繁多，构图的新奇，笔的雄健与墨的酣畅，在一幅纸的四角到中心，新颖的变幻和灵动的剪裁，丰富繁复，也足以说明他真实的反映现实和融合自己思想的特性。他的结构，与一些从古纸堆中，把这一山与那一山搬搬场的手法，是完全没有共同点的。

但是，他的描绘，能使对象生动地有精妙的感觉，是他的意境，也是他的笔与墨有修养的配合。他不可能舍弃了先进技法的优良成果，而在虚无空幻之中所能立得住脚的。我们经常可以见到他的画，有"法元人笔意"等等的题句，很明显他仍然是从先进的法则中来，而是能从先进的法则中出。不是死守与硬搬，而只是融会贯通地来运用到他自己的意境中去。满足他描绘的自己的意图。因此，他对前代画派的看法，他几次谈到元代的倪瓒，他说："倪瓒有《秋林图》。余今写画，亦复有此淋漓、高下各自性情，今海内笔墨，去古远矣。"又说："倪瓒有一段空灵清润之气，泠泠逼人。后世徒摹其枯索寒俭处，此画之所以无远神也。"也仍然是说，吸收先进的技法，不是专从皮毛上用工夫，是要求得先进技法的精神风貌之所在。是要求得与先进的不同，来印证与先进的相通之处，来创造自己的风格。

我们知道，山的形状，是固定不变的，而角度不同，可以使它变更；风雨阴晴，更可以使它变更；而结合到艺术创造，仍然要使它变更。我们知道，文学创作，以"臆造"为它的艺术性，而绘画的艺术性，也正是如此。道济对这方面，尤其有灵动、变化的艺术特征，这种特征，就在于他高深的观察，他的艺术的虚构。

他的笔、墨，在他的意图上，并不在于追求一笔一划工整细致的形态，而在于他的气概与风神。所以面貌特别多，特别灵动，因此，他的笔墨，如粗的、细的、光洁的、破烂的、干的、湿的、浓的、淡的、明净的、泼辣的，无不兼收并蓄，配合到形象中去。而对于纵放而有气势的一面，作了更有力的表现。使得阴晴云雨的山川景物，这样的引人入胜。而它的纵放，却与鲁莽不同，它的有气势，也与粗野不同。它在淋漓酣畅之中，仍然有一种静穆的气氛，从蕴蓄中发出光芒。

结论 我们现在所能见得到的古代水墨山水画，如前面所简单叙述的，在北方的以范宽为最早，江南的以董源为最早。荆浩、关仝与李成，已没有确切地证实是他们的真笔存在。吴道子与王维自然更是没有了。由于他们的作品已遭毁灭，或者可能还有未被发现的，我们除去在历来的叙说中来推想一些可能的大概而外，在它们形态上，可以说是毫无认识。因此，根据一些看得见的原作来辨认它们的流派与宗尚，是比较要切实些的。

根据这些看得见的原作，我们知道北宋以前的山水画，它构造的形式，是全面的、整个的山水描写。为了要描写全貌，对个体的形象就要缩得更小，包含的内容更繁杂而丰富。古典的现实主义绘画，是从这样一个形式发展的。它的一棵树、一条水和一块石到一座山，是根据了真实从个体到综合，通过了意匠的经营，而笔墨负担了这个总任务。因此，笔墨所形成的一些不同的技法，是依据了不同的形象所形成。而南宋的山水画，李唐而后如马远、夏珪等，他们的结构，是采取了山林的一部分、一角。他们对形象的描写，显得较大而包含的内容也较简单。对于山石的各种不同的形体，也只是单纯地采取其中的一种，所以在笔墨上，也只用一种技法——不论一块石到一座山。

南北的一些大山和小山，经过了若干万年风雨寒暑的侵凌，使它的质与形，变成了种种不同的姿态。再加上泥土与草木和气节的更换，使它的形态与色彩，又起了许多变化。北宋的山水画，它包含了这些方面的描写，所以显得繁杂、丰富而多变，南宋的山水画，转变了方向，对描绘的对象，显得简略、空旷而单纯。虽然在写实方式方面有新的发展，而它的风貌也出于新创，但显得浅易而不够多样化。在描绘的技法上说来，是不如北宋的。

元代舍弃了南宋一百四五十年的画派，从北宋的风貌中演变出来。泥古的心情远远超过了对真实的关怀。虽然如黄公望对富春和虞山有真实的体验，王蒙对泰山也作过实地的描写，而一般通过他们的笔墨的，却很少从真实的境界出来，从真实的境界里来产生新的笔墨，而偏重于从北宋的先进技法中来寻找自己的生命。因此，在他们的作品中，我们可以找寻出从这一个流派或那一个流派而来，而从哪一个真实境界的描绘却不够深刻。连赵孟頫也是如此。倪瓒几乎永远是一个形态，已不是鸿裁巨制，是消极的风格。他们的意图，只在乎表现那些百读不厌的笔墨，而有意识地把真实的形象处于配角的地位，把形象来配合他主观所要表现的笔墨。这可以说是除了他作品的优点之外的缺点了。

这一个风气，这一种趋势，一直影响了明、清两代，他们认为元代是承受北宋的传统正宗。而这个传统正宗，却只是接受了技法上的传统，而忽视了传统的技法乃是从而且必须从现实中来，对绘画的主旨逐渐的遗落了。因此，明、清两代的画派，在总的说来，大都是剥皮主义，他们的新风貌，只是从剥皮中产生，他们并不是不知道真实，而是对真实的看法，与对传统技法的看法，是承继了元代的旨趣而变本加厉。这样一来，他们就无法超过元代，更谈不上北宋。事实上，他们只想能求得与元代相近，也决不想作出任何大胆的企图。这样的做法，要求得与元代相近，也就不可能了。在这样的情势下，明代的“四大家”与董其昌，领导了当时的画坛，清初的“六大家”，起了承先启后的作用，以绘画的历史而论，这样的萎靡地拖延了五六百年。可是其中的道济等，他们却没有接受与传染当时声势甚盛的形式主义。他们同样的吸收了先进的技法，而在革新的一面，作出了巨大的贡献，使我们不得不对他们加以特别的重视。而以古典现实主义来说，对他们在当时环境中的独立精神，比对他们的创作，应当更加以赞扬的。

四　人　物

吴道子画派与武宗元、李公麟　水墨人物画，照历来所称，就是“白描”，是单以墨线条来描绘而不再加颜色。

唐朱景玄《唐朝名画录》："景玄每观吴生画，不以装背为妙，但施笔绝踪，皆磊落逸势，又数处图壁，只以墨踪为之，近代莫能加其彩绘。"这就是说吴道子有数处壁画，都是"白描"的。

如朱景玄《唐朝名画录》："吴道子画兴善寺中门内神'圆光'时……立笔挥扫，势若风旋。"宋苏轼"吴道子王维画"诗，有两句形容吴的画笔："当其下手风雨快，笔所未到气已吞。"而宋郭若虚《图画见闻志·论曹吴体法》："吴之笔，其势圜转，而衣服飘举……故后辈称之曰吴带当风。"根据这些叙说可以知道，他下笔非常迅疾，所描绘的线条，特别的灵动与圜转，所形成的衣服形态，也特别显示着飘动的一面，有一种轻飘飘的好像在风前被吹动着的感觉。所谓"吴带当风"，正是专门来形容他的这一特征的。但是，他的画笔，到底是怎样的一种形态呢?据宋米芾《画史》："行笔磊落挥霍如蓴菜条。"元汤垕《画鉴》："早年行笔差细。"而后来相传又有称他的用笔为"兰叶描"的。明汪珂玉《珊瑚网·古今描法》："柳叶描。似吴道子观音笔。"我们试来辨析这两种说法，所谓"蓴菜条"，应该是指的蓴菜的瘦干子，是拿它来形容线条的圆润而粗细一致的形体的。而"兰叶描"或"柳叶描"，又应该是指线条有阔狭如兰叶或柳叶的形式。我们试把蓴菜的瘦干子同兰叶或柳叶来比，显然是两种不同的形态。那么，他是不是有两种不同形态的线条呢?他的画笔，既已没有流传，我们试图用其他画笔来推论它。

据历来的叙说，中唐时的梁令瓒，是学吴的画派的，现在流传着他的《五星二十八宿神形图》。北宋武宗元是学吴的，现在流传着他的《朝元仙仗图》。北宋李公麟也是学吴的，现在流传着他的《五马图》。从他们的画笔看来，线条形态都不一致，自然，这些线条，又有了他们自己的风格在内。

梁令瓒的用笔，细劲而圆转，从头到底粗细一律。据夏文彦《图绘宝鉴》，说是李公麟说的，梁令瓒的《五星二十八宿神形图》"甚似吴生"。

李公麟《五马图》。他的用笔，粗细也是上下一律的。据米芾《画史》："李常师吴生，终不能去其气。"汤垕《画鉴》："李公麟宋画人物第一，专师吴生。"

武宗元的《朝元仙仗图》，他的用笔较粗壮，用墨多而粗细比较不一律，这是不是所谓的"兰叶描"或"柳叶描"呢?

论风貌，我们不能忽略了时代性，梁令瓒与吴道子是同一时代，而且同一时期，梁唯一流传下来的画笔，李公麟又说它“甚似吴生”，我们是不是应该多相信一点梁的画笔呢？

在北宋，武宗元以学吴道子画派驰名当代，到李公麟的画派兴起，武在画坛上的声势，似乎被李所掩盖。而他的画笔，却被人认作是吴道子了。如前面所提到的《朝元仙仗图》，在南宋，就一直被人当作吴道子画笔的，直到元代赵孟頫才认为“不敢以为吴笔”。几百年来，承认了赵的看法而被肯定了下来，此外尚有历来被认作是吴道子画的《送子天王图卷》，却又是从武的画派所出，其程度远较武为低下。可见南宋以后，认为吴道子的画，都是这种面目了，因为，它们的描法，都好像兰叶或柳叶的形态。

宋刘道醇《圣朝名画评》评武宗元的画：“学吴生笔，得其闲丽之态，可谓窥其奥矣，而品第不至于高益，得无意乎?夫若千乘万骑，出彼入此，气貌风韵，不有相类，则益得之矣，武虽可以齐肩接迹，无甚愧之色，必求定论，故有优劣。”这是说他的结构，对铺陈物象方面的艺术造诣，还嫌有所不足。而米芾《画史》说：“……画人面耳边地阔，口、鼻、眼相近，武宗元亦然。以吴生画，其手多异，然本非用意，各执一物，理自不同，宗元乃为过海天王二十余身，各各高呈似其手各作一样，一披之犹一群打令鬼神，不觉大笑，俗以为工也。”这又是说他运用吴道子的表现技法的硬搬与不得当。而黄庭坚在题他的《五如来像》称他的“笔力遒古，可追吴生，便觉石恪辈相去远甚不足可观”，在当时以吴道子为“百代画圣”的流风之下，如石恪的粗放的画派，来比“可追吴生”的武宗元，那自然是“相去远甚”了。

据汤垕《画鉴》，李公麟的用笔“如行云流水有起倒”。说出了他从起笔到落笔，是流利地、抑扬顿挫地有转折起伏的。从中唐前后的画派来看，他的用笔转折，大都是圆的，从起笔到落笔，是顺势而下的，可以形成如米芾所说的“磊落挥霍”。而他的用笔，却用了方的转折，如《五马图》中的人像，表现衣褶等的笔势，显然已不是对吴道子“亦步亦趋”了，所谓“有起倒”，也从这里可以明确地看出来，而这一形态，却为唐以前所未有，也是武宗元所没有的，在写实方面，是一种新的创格了。同时他的爱好“白描”，把高度的艺术性寄托到“白描’上。他更喜欢在纸上创作，因而在笔势上产生了一些“飞白”和“毛”的形态，一方面自然是由于他的创造性，一方面在工具上——如绢与纸的性格不同，也促成了他的这一种情调，因而演变了笔墨的形态。

石恪与梁楷　从唐末到宋初的人物画家以及武宗元与李公麟等，他们画派的演变，大都是不离其宗地从唐的形态而成，其中如蜀的贯休，虽然比较怪异，但他的用笔，仍然很规矩，不是什么特殊的变革，而石恪，却与所有的流派大不相同，他的风格，几乎变得异乎寻常了。据刘道醇《圣朝名画评》：“……多为古僻人物，诡形殊状，以蔑辱豪右，西州人患之。”说明他的画派，是有意造成这一种形态，来讽刺当时的贵族地主阶级，这一画派的性质就与现在的“漫画”仿佛相同。也如李唐画伯夷叔齐，来讽刺当时一些卖国求荣投降金人的奴才们有同样的深意的。据历来的叙说，他起初学张南本。张是画火专家，与唐末的孙位齐名，作品现在已没有流传。根据一般的来推想，张的画派似乎不会与他这一画派有多少相同之处，从而可以推想他的“诡形殊状”的风格，是出于他的独创，使人物画突然地划出了另一个天地。以这样的一种风格，所表现的形象，来“蔑辱豪右”，他的暴露性一定很强，刺激性一定很大，所以“西州人”非患之不可了。

宋　石恪《二祖调心图》局部

虽然黄庭坚说他的画笔"不足可观",在当时的社会上却很被重视。因为在当时从唐代一直下来的系统,讲求精工的风尚,他的这种专表现古僻人物,见所未见的格调,是足以让人感到新奇可喜的。

南宋的水墨人物画,梁楷最突出,白描的风格,清刚而老辣,喜欢写一些佛教题材的画,笔调很方挺。据历来的叙说,他学的贾师古,贾的白描人物是学的李公麟,贾的画已经看不见了。依据这些叙说,那么,他的风格,也已出于独创。因为,我们从他较早的作品来分析,似乎与李公麟毫无关涉,而是南宋一般较粗放的面目。以他的白描来看,又已经完全变易了这一种形体,而有一种极生、极清的情味,用笔简括而气势飞动。当时称它为"减笔",说明他对于描绘是偏重在简略一面的。

但是他虽是"减笔",他的描绘却强调了形象的生动性,对形象各个部分的主要之点,都曲折地表达了他的神情,他的笔虽减而表达内容却是扼要的。

此外,他还有一种泼墨画法,放弃了历来以线条为描绘的主要方式,而用粗阔的笔势和有浓淡的水墨,不多几笔的刷出了衣服折叠的形态,真是一种奇特的表现。因为这种画法,不适宜于慢而需要依靠一种气势,既不可能事先打稿子,而下笔的时候更不容许有所迟疑,它奔放而有法度,阔略而传神,真所谓"意在笔先,笔周意内"了。

他的这种得心应手的技法,这种大胆的变格,形成了特殊的艺术性。在画派之中是最突出的,史无前例的。

赵孟頫 元代的赵孟頫追求唐、宋的风格,推崇白描,从北宋的流风余韵,上追唐人的体制,企图与北宋并驾齐驱。他的用笔,是一种温和而清腴骨肉停匀的形态,乍看似乎文弱,没有壮健外强的气势,实则

元 张渥 《九歌图》 局部

精力内敛而外露凝静，是他对唐人笔法的修养，构成他自己的情态，因而显得非常高古。

元代初期的人物画，如钱选、任仁发，在南宋之后，都是新兴的格调。而白描尤应推他为大手笔，竭力追寻艺术的高级性，因而推求技法以愈古为愈高，如有时画的发髻等，就采取了晋人的形态与技法。

元代的画派，白描的风气最盛，以赵孟頫为首，如王振鹏、张渥、卫九鼎等，都是白描画的杰出作家。自然，如南宋豪放的与工细的从气质到形态，与这一派的风格，是根本不相容的。元人追求笔墨的静美，使得形象方面，已产生了新的情调了。

颜辉 颜辉的画笔，历来对他的叙说是很少的。在元人画派之中，他是特异的风格。据叙说，他善写道释人物，“笔法奇绝，有八面生意”。

应该怎样来体会这“八面生意”呢?试从他的画笔上来辨认，确是一种特殊的形式。它强调了形象的动态和神情，不单是采用白描的方式，而是着重在与墨的结合。凡是描勾的形态与服饰、任何一部分，都加上了水墨的烘晕，衬托得阴阳凹凸，特别明显，因而整个的形象特别生动，有鲜明的立体感觉。

由于统体经过了水墨的烘晕，黑沉沉地又产生了一种特殊的、阴森森的神情，这种描绘方式，是有“八面生意”的。

这种画法，在他以前，似乎没有见过，从梁楷泼墨放荡的变格，又使水墨作出了细致描绘。通过了描勾，再加上水墨的烘晕，是又从着色的画法翻演而来，依据着色画，凡是从人体到服饰所须加上的各种彩色，一律用墨来代替了。

明代画派——吴伟到陈洪绶 明代的画派，大体宗尚南宋的风格为盛。豪放的与精细的描绘，大致从李唐、马远、刘松年、梁楷等的画派中演变而来。当时是画状元的吴伟，正是南宋豪放风格的代表。论他的描绘，豪爽明快，有飞跃的气势，导致了神情的流动，加强了它的形象性，较之南宋的画派，又有了新的发展。这一风格，在当时的作者，都奉为典范，而风气所开，流入于狂怪而油滑的境界，形成了格调的卑下与公式化，是南宋画派的末流了。

郭诩的画笔，一样是走南宋的路子，而情调比较凝静，对于情态的表达，他的艺术性相当高。而有一种细笔描勾的，更表现了深刻的神情，

明　陈洪绶　《仕女图》

是又接受了元人的白描画派的。

但是，在他的意境中，有一种脱略于形象之外，随意涂抹，来造成荒率的情味，冷僻的风格。正如明代有一些人在文学方面，有一种特好，他们故意制作一些怪怪奇奇难于理解的诗文，来表示他们奇特的胸襟，与他这种画派是非常相近的。

明清以来，历久不衰被人所乐道的是唐寅的“美人”。由于历来一些流通在民间的传说，使他更神化了。事实上，他并没有超出南宋的藩篱，而是明眸粉颊南宋院体的后身。

但是，他这种清丽的风格，自己是独立了起来的。衣褶的描绘，一般的都是较粗放而有抑扬顿挫的笔势，而从这里所流衍的新风貌，又产生了一种小眉、小眼、尖削下巴，刻意在描绘弱不禁风的情态。这种形态的表达，显示了风格的弱小与庸俗，在明代以前，是绝无先例的。

是不是当时的社会风

尚如此呢?在仇英的工丽画笔之中，也同样描绘过这种形态。唐与仇，是当时画坛的泰斗，后学的典范。这一种风貌，一直导引了后几百年的画派，向这方面的发展。

仇英，是摹古专家，对于南宋的工细各派，有高深的造诣，但也有一些是写实的。

他的画艳丽而工细，需要耗费的精力与时间是很大的，因此，他的作品，应该不会多，但白描的却更少。

和他的着色的一样，白描的也是南宋的风格，兼备着细笔与粗放的描法，其细笔的，修饰是非常整洁，形成了形象的挺健气。格，粗放的，较之一般南宋的画笔仍属于整饬的一面，至于面部的描绘，有时很接近马和之的。

此外还有一种极圆润的描法，完全是元人纸本白描的情调。

元人的纸本白描，与其他的是不相混淆的独立的风格，为元人所反对的南宋画派，如吴伟等，就都是它的继承者。元与南宋的画派，是不相融合的；从这些继承者的画派看来，也是不相往来的，而以南宋画派著称的仇英，却藩篱自撤，门户大开，从而有了独立的表现。正如唐寅的山水画格，也不是单纯地仅从南宋而来。在他的情感上，有这样广博的爱好，多种的融会，他的艺术才情，在明朝一代，是非常突出的。

明代末期的人物画大家是陈洪绶，相传他幼小时便在壁上画过数尺高的关羽像。他的画格，有点奇物而古怪。我们所见到的有两种不同的画笔，一种是较粗壮而方的，他四十岁以前，这种笔势比较多；一种是细而圆劲的，是四十以后的形体了。

最让人注意的，是他所描绘的形态。头部一般都比较大，与身体的比例极不相称。一些动态的表现，也显得迂怪而过分。

从而想到，魏、隋时的画笔，善于夸张，是一种放纵过分的形态。中间隔了这样悠久的年代，又见到了他的迂怪夸张的格调。

这里不是说可能他继承了魏、隋之间的画派。根据他的一生，他并未见到过这一时期的画笔的。

因此，特别感到，他对于一些形象所须强调的动态与神情，在他的脑子里又是怎样的一种幻觉啊!

他的描绘方式，千载而后，与魏、隋的偶然地这样若合符节。虽然魏、隋的风格是在于放纵，他在于迂拙，而表现怪诞，则是完全相同的。这只可以说他们对绘画的艺术性与形象性偶然地有一种共同的特殊理解，而在表现形态方面，有一种共同的特殊偏爱。

他的这种迂怪的个性表现，是不足为训的。

据历来的叙说，他学过南宋石刻李公麟《七十二弟子像》，经过十天的闭门苦学，他的朋友们称道他已经摹得很像了，他很高兴。又经过了十天的摹写，人家却惊奇地觉得反而不像李公麟了，而他更高兴。因为，他通过了李的技法，已经在创造自己的形态了，试从他的画笔看来，的确找寻不出与李有相似之处，只有在描绘衣褶的某些部分，可以看出是从李的形式所扩展的。此外，他还可能从蜀贯休的画派而来。

因此，试把欣赏的角度，单单的放在他的笔、墨一面，也足以见到他所从实践而来的却不是随人俯仰的产物，在明代三百年中，它是新创的独立不倚的格调。

结论　我们觉得水墨的人物画，除了吴道子的只用“墨踪”而外，其他比吴更前的例子就无所闻见了。但是不是从吴所创始，也还是不可能肯定的。在敦煌莫高窟，有几堵画壁，是没有加颜色的，此外还有如粉本之类的画卷，但已都是晚唐的了。

白描的画派，到宋初才开始普遍盛行起来，如武宗元、李公麟的白描画，今天我们都还能见得到。

到唐代，绘画同文学一样，一切都到了新的、成熟的阶段。唐初的人物画，代表作家是阎氏兄弟。到开元以后，吴道子的画派，风靡了整个画坛，后起的作家，无不以他为宗师。据米芾《画史》：“唐人以吴集大成而为格式，故多似。”可见他的影响之广大，几乎都以采取他的方式为高了。这样一位划时代的大宗师，一直的震撼了、领导了后几世纪的画派，到今天却不再能见到他有一笔的流传，仅仅只能从历来的叙说与师承他的画派之中来推求与想望，是不胜遗憾的。

从一般的唐人画笔和它的时代性的角度来看，特别是仕女画，不论唐初是崇尚瘦削的而中唐以后讲求了肥壮的形态，它的画派却都是恢弘博大，显得气度高华，我们从敦煌莫高窟数以百计的初、中唐画壁来看，尤其是中唐，它的那种得心应手、游刃有余的技法，那种绝没有一点矜才使气与“耍神通”的风度，真足以使人神往！

唐人对于形象的描绘，对于面部、四肢与肌肉的表现，以及服饰等等，尤其有一些难于传达的形态，都扼要地生动而传神，有一种亲切的气氛，足以见到他们独到的观察力，独到的概括性。

到宋，一部分深入地再往细微的方面走，一部分一反旧习转到了豪放的一路。不论它们是承继了唐代的余绪与创造了新的生命，唐代的恢弘博大的风格，已日趋衰谢了。因此，米芾说武宗元的过海天王，好似一群打令鬼神。而李公麟“行云流水有起倒”的行笔，也不免显得矜才使气，有点“耍神通”。

从细微的方面看，北宋较唐代有更深入的地方，但也有反不及唐代的。写实的范围，如动态的表现，较唐代要狭窄些。尤其在气格上显得小。南宋从旧有的老路上，似乎已无法再走，翻然改图的转变到豪纵阔略的方向。论它的风格，清刚爽利，体态流动富于外强性。流风传播到明代，吴伟是继承的嫡派，开了新面目，而张路等又接受了吴伟的遗产，一贯地往粗鄙的路上狂奔。由于当时他们的声势之大，影响之大，真如洪水狂澜。南宋的画派，就这样的结束了。

以赵孟頫为首的元代画派，几乎看不见对当时的现实生活有过描写。现在还能见到的元人肖像等，也只是画一些当时的所谓“野服”。描写的主旨，已与传统的使命脱了节。他们只在有选择的摹拟前代的衣冠人物，搬演前代的生活起居为描绘的主旨，避开了现实生活的注意，拒绝对眼前的事物落下笔迹。如当时有民族气节的钱选，所写的人物画，也都是以历史为题材。人物画的复古风气，就这样的宣扬了开来，盛兴了起来，把现实的生活似乎就此可以遗忘了，簸弃了。因此，虽然如赵孟頫，终于做了异族统治下的元朝官吏，而在绘画方面来说，由于当时的一种潜在的不甘心为统治阶级服务的意志，而他既落下了水，就不得不在这方面来逃避现实，不再敢于在画笔上有所表现。这一种作风，影响了后起的作家，又起了清高消极的作用了。

明代大部分是南宋画派的势力，李在和杜堇，工整的风格，他两人最相近。唐寅与仇英较后出，他们所写的仕女，开始了一种小眉小眼的作风。这种作风，整个的影响了清代，如改琦、费丹旭这一流代表作家，努力在这一方向发展，好像妇女非这样不足为美，而绘画的艺术性也非此不足为高。清代二百几十年的画派之中，已如水流花谢，春事都休！

五　花竹禽兽

唐代的开始　传统的绘画，开始人物为主体，其他一切都是配合人物的。后来逐渐的分门别类的独立了开来。而水墨的花竹禽兽，也在唐代开始兴起，据所知，如唐张彦远《历代名画记》：武则天时期的殷仲容，长于写花鸟，“妙得其真，或用水墨，如兼五采”。而吴道子创始用墨来写竹。在北宋黄庭坚的“道臻师画墨竹序”里，曾经述说墨竹的源起，他说：“墨竹始于近世，不知其所师承，初吴道子作画，运笔作卷，不加丹青，已极形似，故世之精识博物之士，多藏吴生墨本。”而一般的叙说，又说墨竹创始于李隆基(唐玄宗)，而为大诗人白居易所赞扬的墨竹专家萧悦，就是李隆基的嫡传。

以上列举的作家，仅仅只能依据叙述，因为他们的作品，已经没有流传，无从知道是怎样的一种体貌。但从这些叙述中可以辨认的是，殷仲容的画派，不单单是用墨笔来勾出花鸟的形象，而且用水墨来加以晕染。由于他运用水墨的变化，如同用了多种彩色一般。而吴道子的墨竹，就只是双勾白描的，如黄庭坚所说，他只是用墨笔勾勒，不再加任何彩色，使竹的形象，已充分的表达了出来，所以一些“精识博物之士”，认为这一种画格有高度的艺术性而特别被重视了。这正与他的人物画，“只以墨踪为之”，是同一个办法。而李隆基与萧悦的墨竹是一种怎么样的方式，历来的叙说对这些都没有可供追寻的线索。

徐熙落墨　唐朝的末期，绘画之盛，流风及于四川的蜀和江南的南唐。在当时花鸟画的代表作家，蜀是黄筌、黄居宷父子。南唐是徐熙、徐崇嗣祖孙。在历史上徐与黄是并称的。水墨的花鸟画，在南唐很繁盛而蜀比较冷落。黄氏讲求用色，号称写生。而徐熙讲求用墨，名为“落墨”。因而当时有句俗话：“黄家富贵，徐熙野逸。”但黄筌也并不是绝对不用水墨。据《益州名画录》的叙说，他曾经学过唐末孙位的“墨竹”，如所写的《竹图》、《寒龟曝背图》，据叙说就都是水墨的。只是不以此为主。而徐熙，完全以水墨为主，着色仅仅是来配合水墨而已。如苏轼题他的杏花诗：“却因梅雨丹青暗，洗出徐熙落墨花。”正是指他这一画派的。

徐熙的画笔，至今已没有流传，所谓“落墨”，究竟是怎么一回事呢？我们知道，从来绘画，都要先用墨笔，只有他的孙子徐崇嗣的“没骨法”，才绝对不用墨，而何以单单他的画派要称之谓“落墨”？

据《宣和画谱》：“……且今之画花者，往往以色晕淡而成，独熙落墨以写其枝、叶、蕊、萼，然后傅色。故骨气风神，为古今之绝笔。议者或以谓黄筌、赵昌为熙之后先，殆未知熙者。盖筌之画，则神而不妙，昌之画，则妙而不神，兼二者一洗而空之，其为熙欤！”

《宣和画谱》的说法，只是讲着色的过程，事实上仍是要先用墨来勾出花的轮廓，然后着色的。而他也是先用墨笔写枝、叶、蕊、萼，然后加颜色，那么，他的墨是如何的落法，而色又是如何加法的呢？与一般的不同之点又在哪里呢？

据宋李廌《画品》所记徐熙的《鹤竹图》：“……蘩生竹篆，根、竿、节、叶，皆用浓墨粗笔，其间节比，略以青绿点拂，而其梢萧然有拂云之气。”

照李廌的叙说，他先用浓墨粗笔，画出了整个的竹，然后在一些相比连的地方，略略的加一点青绿的颜色。这就简单明了了，所谓“落墨”，不是先勾轮廓而只是粗笔，然后在墨上略加一点颜色。原来如此，也并无多大的深奥神妙之处呀！

宋沈括《梦溪笔谈》：“徐熙以墨笔为之，殊草草，略施丹粉而已。”也与李廌的说法仿佛相近的。

但是，据米芾《画史》的叙说，除极端赞扬他写生的生动而外，他说：“黄筌画，不足收，易摹。徐熙画，不可摹。”

根据李廌的叙说，他的画法，比一般的似乎反而要简单得多，是很容易“如法炮制”的，怎么米芾反而说它“不可摹”呢？如其说米芾是指它的“风格”而言，那么，纵使如《宣和画谱》所说，黄筌画“神而不妙”，而那点“神”，又岂是容易做到的？怎么米芾反而说它“易摹”呢？

试图推论与分析这些叙说，《宣和画谱》，不够清楚，李廌《画品》与沈括《梦溪笔谈》，虽然都说出了画法，但还嫌笼统而欠周详。米芾《画史》，作出了他的结论，却没有表明原因。

试把这几种叙说合拢起来看，所谓“落墨”，大致应该是这样的。

所谓“落墨”，是把枝、叶、蕊、萼的阴、阳、凹、凸，先用墨笔连勾带染的全部把它描绘了出来，然后在某些部分，略略的加一点颜色，这一画法，是有勾线条的地方，有不勾线条只用粗笔的地方，有用浓墨的地方，有用淡墨的地方，有工细的地方，有粗放的地方，有着色的地方，有不着色的地方。一切是配合真实的加工，所以宋诗人梅尧臣题他画的诗：“徐熙下笔能逼真。”又：“年深粉剥见墨踪，描写功夫始惊俗。”可见他对真实的体验，大部分的描绘，都表现在“落墨”，不但在“形”方面，而且在“神态”方面，也都是以墨来奠定的。而“傅色”，却只处于辅助地位。至于哪些该勾，该不勾，该浓，该淡，该工细，该粗放，该着色，该不着色的地方，换言之，在一幅画之中，同时有勾线条的，有不勾线条只用粗笔的，有浓墨的，有淡墨的，有工细的，有粗放的，有着色的，有不着色的地方，只是随着实际需要而变化，绝没有固定的规律，由于它的没有常规，不可捉摸，形态的特殊，性格的特殊，自然就“不可摹”了。这种风格，是独创的，“神”而“妙”的。所以特别用“落墨”来表明他的与众不同的画派。

李煜铁钩锁与唐希雅金错刀　李煜(南唐后主)，是历史上著名的大词人，花鸟画能手。又善于书法，创造了一种体势，谓之“金错刀”。可惜现在已没有他的笔迹流传了。据米芾说，他的画格是清丽可爱的。而他自己特别得意的是双勾竹，据宋黄庭坚《谢黄斌老送墨竹》诗的自注：“世传江南李主作竹，自根至梢，极小者一一勾勒成，谓之铁钩锁，自云惟柳公权有此笔法。”而当时的唐希雅，也是南唐花鸟画名家，他又发明了用李煜的“金错刀”法来写竹。因此，“金错刀”后来成为一个典故，凡是写墨竹，就美其名曰“金错刀”。又把书法的“金错刀”，做了墨竹的代名词。

李煜以唐柳公权写字的笔法画竹，是通过双勾的方式。他以李煜的“金错刀”法画竹，又是怎样的方式呢？

据《宣和画谱》：“……李煜‘金错书’(即金错刀)，有一笔三过之法，虽若甚瘦，而风神有余。”

由于李煜的“金错书”与唐希雅的画笔，都已没有流传，根据《宣和画谱》，我们知道这种笔势是很瘦的。而他通过这种瘦的笔势来写竹，是不是采取双勾的方式呢？

宋刘道醇《圣朝名画评》："伪唐李煜好金索书(即金错刀)，希雅常学之，乘兴纵奇，因其战掣之势以写竹树，盖取幸于一时也。"

宋米芾《画史》："唐希雅作林竹，韵清楚，但不合多作禽鸟。又作棘林间战笔小竹，非善。是效其主李重光耳。"

《宣和画谱》的"一笔三过"，即《圣朝名画评》的"战掣之势"，亦即米芾所谓的"战笔"。由于他的"乘兴纵奇"，"盖取幸于一时"，也只是在棘林间的小竹，偶尔表现一下"金错刀"，而遇到成林竹，就绝对不用此法了。

他是当时的花鸟画名家，《圣朝名画评》说，只有他与徐熙，可称"江南绝笔"，格调之高，显得在李煜之上。据叙说他学过李煜的"金索书"，却没有听说他学过李煜的"铁钩锁"。可见写竹他自有风貌。而"金错刀"只是"乘兴纵奇"。如米芾所说，却画得并不好。自然，这种瘦的"战笔"，就以"撇出"的方式来表达竹，也是不甚妥善，如其来作双勾，那就是极端工整的描绘方式，而"一笔三过"，势非造成竹的形象的乖张不可。米芾曾经叙说周文矩画仕女，"衣纹作战笔，此盖布文也"。衣纹本来弯曲，用战笔是对的，竹枝是直的，在当时讲求写生，就不可能用这种笔势来配合对竹的描绘，也足以说明他只是随手游戏，并没有求工的心理，更不可能专心诚意的在双勾画派上来吃力费工夫，企图用这一种笔法来作为正式创作的依据。

文同墨竹　北宋的墨竹高手是文同，在当时声名甚大，如苏轼、米芾等，看作是超妙的艺术描绘，也正是苏轼墨竹的渊源所自。

由于他备受崇仰，当时请求他画竹之多，使他应接不暇。他把这些画绢投掷地上，恨恨的骂道："吾将以为袜。"这样崇高的艺能，却变了他的大麻烦了。

米芾曾解说他画的竹叶："以墨深为面，淡为背，自与可始也。"

应该体会，在于强调墨的深、淡，来显示竹叶的正反面，在当时，在撇出的形式之下是新创了。因为，以墨的深、淡为描绘对象的手法，正是水墨画的原则，而文同自己，也应该不仅仅在竹叶方面来运用它的深淡的。

就这样，它的形体，成了典型。元代的竹派，正是以他为模范。如李衎一生写竹，到处求师问道，后来看到了他的画笔，惊奇地叹为"不异杲日升空”。没有任何的描绘方式，使李衎更满意的了。从他那时起，到元代的盛兴，流风绵延不绝，以学他为正宗，他成了鼻祖。墨竹画派，一切的演变，都是这一体系的流衍。吴镇曾叙列宋元之间学他这派的作家，名“文湖州竹派”。

李公麟马 唐代的韩幹，以画“鞍马”著称，它的继承者在北宋是李公麟。李公麟对马的写实性，曾有过神怪的叙说，我们不管这些叙说，多少带着附会与夸张，从他的画笔看来，对于马的观察，确是很深刻的。

他对于马的头与蹄、骨与肉方面，通过他的“行云流水”的笔势，显得描绘非常妥贴。与唐人的“鞍马”，又起了一种不同的情调。

以马的体格而言，马的品种而言，唐与宋的“相马”原则是共同的。他与唐人同出于写实，而他的白描气格，笔墨的情感已变易了它的风貌。在总体上，对于马的精力，所谓“神骏”的一面，比较唐代稍逊。因为，它与唐代发旺的情意不同了。

文同 《墨竹图》 局部

赵佶 以工细双勾花鸟画著称的宋徽宗赵佶，领导着他的画院，从事写生的研究，作出了很大的贡献。关于这一类的叙说，如“孔雀上墩”、“正午月季花”之类是很不少的。而他自己对花、竹、鸟、兽之类的写生，名为《宣和睿览册》的，就累积至千册，真是大规模的创作了。这千册的花鸟画，现在也都已失传，不知其中有多少是水墨的?以他现在流传下来的画笔计算，却还不算少。

在这些作品之中，他的笔势，有拙大的，纤秀的。而墨法，有浓重的、轻清的，他的拙大的笔势，一般用于老树陂石，有郭熙的情意，而墨法也相近。北宋画院的花鸟画传统，以黄筌为标准。据叙说，黄筌的用笔，以“新细”为工。他的纤秀的笔势，应该也是从画院传统而来。

他写鸟，有的用墨很重。毛羽只用晕染，而不加疏渲。同时，他发明用生漆点睛，使它突出在纸素之上，这一画法，却只见于历来的叙说了。

他写花果，有时只用墨染，完全不用勾勒，则情调特别秀润。

他的风貌既多，而意趣也个别，墨彩流动而细腻，一种文静的气氛，弥漫在形象的描绘中，通过这种气氛所流露出来的生动性，充满了亲切的、动人的情感。

梁楷与法常　南宋的水墨花鸟画，和人物、山水一样，也是阔略豪放的，如梁楷的画笔，喜欢表达水边石上、枯木丛篁中的景色。这些景色，都缩得很小，正如写山水的方式，是属于远景的。

他的豪爽而泼辣的笔墨，表现幽邃而辽阔的景色，那些禽鸟，飞翔的或静止的，是多么的生动而有野趣，是多么的引发人的清思呀!

法常，也是属于阔略的，而描绘方式，是采取的近景，对象也不缩得那么小。善于写龙、虎、猿、鸟，而龙虎不如猿鸟生动而有艺术特性。

通过淋漓的水墨所刷出的鸟，粗中带细尖而毛的笔势所描出的猿，它的情调，特殊的灵活而清冷，是豪放中突出的风格。他已临近南宋末期，这一风格，勃然的兴起，却忽焉绝响了。

扬补之梅　一种不同于豪放的水墨画派，同时在南宋兴起，如扬补之的画格，是当时的创始者。

据叙说，扬补之曾经把自己画的梅花献给赵佶，赵佶批评它是“村梅”。因此在当时就不被重视了。

赵佶提倡的工整细密的写生，是北宋传统的一般风尚，而赵佶只是更精密的在传统形式的基础上进入新的阶段，到南宋改道易辙，创始了截然不同的豪放风格。而扬补之，他既不是工整的流派，也不是豪放的风貌。他讲求潇洒，讲求清高，既不同意无微不至的描绘方式，也反对狂纵不经的作风。他所主张的是幽静的、斯文的、谈言微中的情意，使整个的气氛，在于笔的洒脱与墨的珍惜。写实的功夫，是画意与诗情的结合。

他以写梅著称，据赵孟坚的论证，出于北宋华光长老仲仁，华光长老的梅花，是当时一种新的创造，如诗人黄庭坚等都大加赞赏，诗篇题咏，认为是至高无上的艺术作品，可惜画笔现在已无流传。据叙说，华光偶于月夜，看到窗间的疏影横斜，用笔写出了影子的情状，从此就专爱写梅了。

久已闻名于世，除他的梅花之外，还有十首咏梅花的“柳梢青”词，词与画的结合，他自己对它的珍视，是曾形之于言语的。

他的画梅，是淡泊的，“一襟清思”的风格，如所写的大小梅枝，凝练地只用一笔来构成它的形体而不是通过双重线条所组成，墨微淡而有时带干，带干的露出了“飞白”的笔势。通过这种笔势和墨色，来表示梅的苍皮斑剥的老干，显得浑成而没有刻划的痕迹。花瓣，只是作几个圈。也不再表现花瓣的皱叠与正反，最小的蓓蕾，只用浓墨作一点。他的主旨，在于通过这样一种描绘的形式，综合了笔势与墨彩，刻意来表

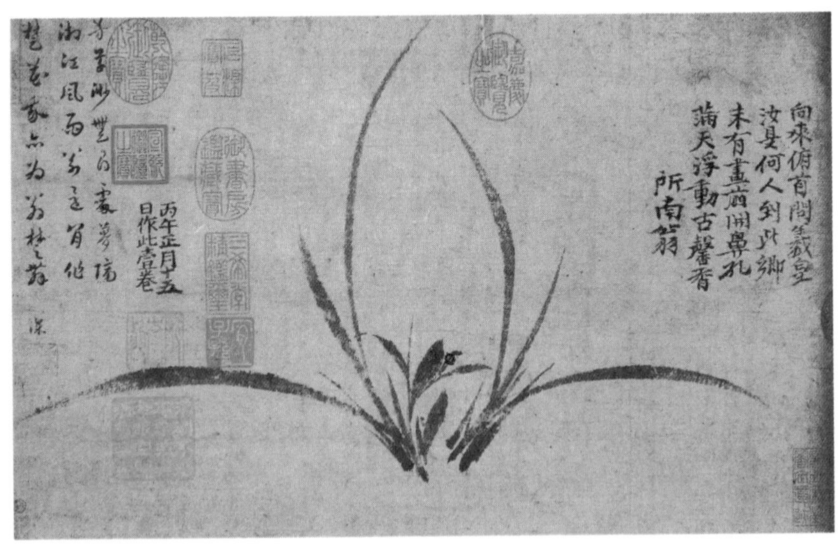

郑思肖 《墨兰图》

现梅的清韵的。

这一描绘的对象，是属于野梅，即单瓣梅花。因此，赵佶的批评，虽说是指梅的品种，但同样的只表达“村梅”的风格，自然也不会被赵佶所满意。

然而到南宋，追随他的画派的，却大有人在，可以明白指出的汤正仲、徐禹功、赵孟坚等，正是祖述他的嫡系。

赵孟坚与郑思肖 宋王朝的宗室而入元隐居不出的赵孟坚，是水墨花竹画的高手，承继了扬补之的画派。对于他，以扬补之的风格，来表达他自己的胸襟与情感，表达这些清高标韵的花竹，就显得非常合适了。因此，他所写的梅花，和扬补之的非常接近，无论在笔墨上或品格上。在这统一的情调之下，他所写的松、兰、竹、水仙，就都是以清高取胜，而水仙，纯粹采取双勾的方式，从单瓣到复瓣，工整而细密的写生，配合了劲挺而纤秀的勾笔，是形与神的综合表现。何必再追求颜色的相似呢！着色的也不见得对水仙能表现如此清绝的风神。而元汤垕《画鉴》，也称说他的“水仙为尤高”。

与他同时的郑思肖，也善于写兰，也同样具有高度的民族气节，到元王朝以后，坐必南向，画兰不画土，以寄托他的“故国之思”。他们两人的墨兰，流传都很少。赵是写兰的态，长长的叶子，转折柔和而有动的情致，郑是兼写兰的质，有一种劲挺的姿势。“幽兰露，如啼眼”。花的情意，是配合了水墨的高华与凄清的情感的。

在赵孟坚之后的水墨花卉画作家赵衷，也是汤正仲的嫡系，工细静穆的墨花，清绝的气格，与赵孟坚的性情，是本质上的契合了。

赵孟頫与元代的墨竹 赵孟頫的画派，一切要推到北宋以上。他的水墨竹禽写生，却不是细致的描绘，又不同扬、汤的风格。他是简略的粗笔，也不同于南宋豪放的体格。据叙说，他的梅花，树干是学的华光长老仲仁，而花用别法，与扬、汤又不能说无渊源了。

他写兰，比较与赵孟坚接近，而老笔纵横。显示了苍劲纷披的意态，风格完全不同了，而情态飞跃的禽鸟，也是通过简略而扼要的笔墨。

他的用笔，是凝练的形体。讲求含蓄，绝不露出笔的锋芒，不主张以清标纤秀为描绘的主要风格，讲求苍苍茫茫沉厚的情味。如清标纤秀就只是总体之中所包含的一点。

他又善于写马，当时的评价，以唐韩幹来比他。试从他的白描画笔看来，流派与李公麟接近而较为纤秀，同是出于唐人画派而为真实描绘。因此，他对自己的艺术评价：他不敢与韩幹相比，却是不输于李公麟的。

元代画马，聚集在赵氏一门，他的儿子赵雍，孙子赵麟，都以画马著称，也都是从他的风格中来，而当时风气最盛的却要推墨竹。

赵孟頫以不露锋芒的厚重笔势，丰腴的水墨所描绘的竹，对于枝叶的向背纷披，俯仰疏密错综而挺拔，生动而多变，深刻地表达了竹的形与神，强调了竹的美点。

他不用双勾而采取撇出的方式，对风前雨后，摇曳生姿的描写，浑成地有亲切的真实感。这种观察与体验的程度，虽与双勾的同等，而表达的手法，却更要比双勾的艰难而卓越。从扬补之、徐禹功、赵孟坚等这些作家看来，他是杰出的墨竹神手了。

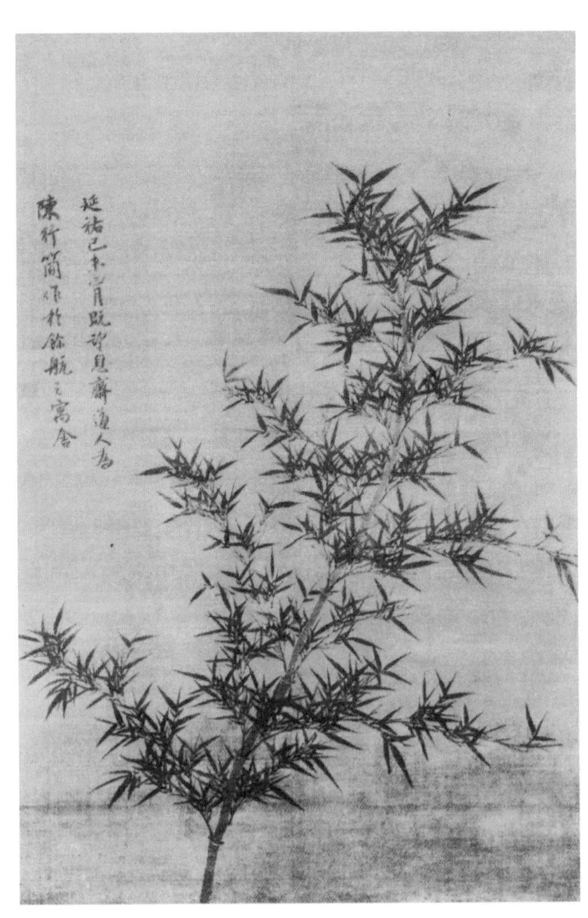

元　李衎　《新篁图》

与赵孟頫同时的李衎，一生从事于写竹，苦心孤诣的追求文同，并且又深入竹林中体察它的风姿雨色，新篁与老梢多种多样的形态，是如此的丰富而多能，从他的技法到体验真实所打下的基础，是毫发无遗憾的。但是，似乎他的学力有余，而才情稍逊。因为他的体察有余而表现较逊。虽然他的精工之处，要超过于赵，而他的气格，显得拘谨不够灵动。不如赵的舒展自如，真态毕露了。

这样的批评李衎，似乎过火了一些，但是，他之不如赵，确乎在这一点。如若不以他们两人来相提并论，那么，不免显得“深文”了。

历来的叙说，吴镇墨竹，宗法文同。“湖州竹派”的李衎，与他的画笔，却并无共同之处。同一的体系，已各立门户，风格自别了。

在元人竹派之中，他写实的方式，是比较粗枝大叶的，他组织竹的形体，阔略随意。显然，他不想在这方面投下多大的注意力，把枝叶间的繁文细节作周密的交代。而刻意于老辣的笔意，对于竹的风情雨意，客观的表达，不免过于删繁就简，脱略形迹，因而妨碍了神情的发挥。这里不是说他老辣苍茫的笔意，有什么不到之处，而是他的艺术创造性，显得过于

元　吴镇　《墨竹坡石图》

朴质了一些，简括了一些。

是他自己的意见，也主张要从竹的一节一叶起，在法度中用工夫，使得胸中真有成竹，久而久之与笔墨相忘。这就说明他的脱略形迹，正是从一节一叶中体验而后所脱化，他自己认为在表现高的境界了。

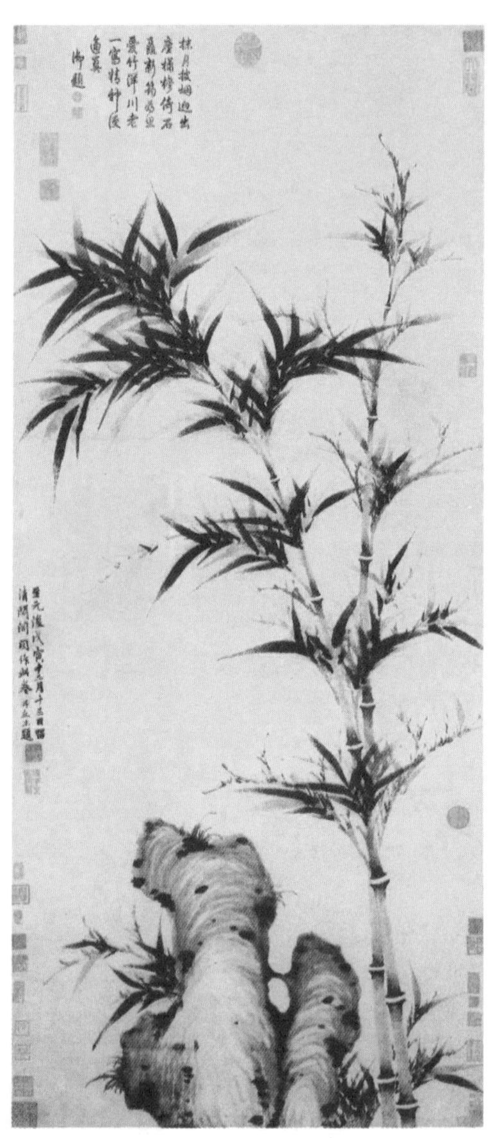

柯九思 《清闷阁墨竹图》

顾安的体貌最近李衎，而风骨较李衎柔媚。明洁的笔墨，精巧的铺陈，表达了清影婆娑的情态，有一种楚楚动人的怜意，显出了他丰富的创造性。由于偏重婀娜的一面，不免有过分修饰的痕迹，而缺乏苍劲的气格。它宜于表达新篁，而不适于老梢的描写。

王渊　王渊在元代是花鸟画的大手笔。元代夏文彦《图绘宝鉴》叙说，他少年时曾受到赵孟頫的指教，通晓许多优良的传统技法，而特别宗尚黄筌，绝无一笔与南宋“院体”有共同之处的。

所谓“院体”，是指南宋画院的画派，不论它任何类别，只要是从画院出来的，都称为“院体”。当时李唐的画派，正是“院体”的首选，而今天我们所见到的绢本团扇形的南宋画，正是所说的“院体”画。

这些画，在元人看来，并没有高超的笔墨，因而艺术性是不高的。

但是，王渊这位水墨花鸟画的高手，说他无一笔“院体”可以，但说他与院体毫无共同之点，恐怕是不见得的。

因为，不承认“院体”，正是元代的风气。在夏文彦看来，这样一位上追黄筌的高手，说他有一笔“院体”，是辱没了王渊的。事实上，南宋“院体”之不能绝对不好，正如元人之不能绝对好一样。

很明显的，王渊所写的“湖石”，所采取的笔势、技法与所形成的“湖石”形体，与南宋“院体”首选的李唐派系，就不可能确认为毫无瓜葛。

论他的才情，是朴实的，所以他的气格，并不崇尚风华。工整双勾加上水墨晕染的情味；浓厚坚实的笔势所描写的形象以及结构，显得分外的庄重。一种风神流动的北宋情调，在他画笔里找寻不出来。与清新俊逸的气格判然两途，而是富于拙茂的情趣。他的画

元　王渊　《桃竹锦鸡图》

派，在元代是很突出的。

王冕 元代末期的墨梅名手王冕，画派出于扬补之、赵孟坚，而更善于修饰，繁枝密花，喜欢表现绚烂盛开的形态，千蕊万朵，有时占满在一幅上。写嫩枝，一笔拉到几尺长，枝的梢头，露出了笔的尖锋，利用这样起落的笔势，特别突出了它的清拔性。总体上，花蕊方面，与扬补之等的形式，没有多大的出入，新的风貌，却出现在枝干上，结构上。明代的王谦、陈宪章，是他的继承者，但显得粗犷，风调较他为低了。

同时对于竹的描绘，开了新风貌，而采取的方式，是白描的与撇出的。以双勾表达的竹叶平侧面，只用一笔。这样的来表现这一角度，是他所新创的，而撇出的，在竹叶的组合形式上起了变动。明代王绂与夏昶，正是从它所发展而具体化，这个形式，通过意造的编排与修饰特别显著，而成为公式化。它的形态，显得小巧而气局狭窄了。

沈周 水墨花鸟画在明代，又经过了一段历史的旅程。王绂、夏昶的墨竹，开启了明代的风格，而沈周的花、果、禽、兽，也是新兴的现实描绘。它的气格是恢廓的，笔势是雄浑的，而墨彩是绚烂的，与元人宁静而拘谨的气质，已完全分道扬镳，一切是开创的局面了。

但是，他的画派，并不是从放弃元人，幡然改图而来，相反地仍然与元人绘画艺术的情感起着共鸣。一切是固有生活中的发展。然而，他扬弃了元人从修炼而成的拘谨性，加上南宋奔放的气格，化宁静的笔墨于恢廓雄浑之中，因此，它显得这样有朝气，这样的精力充沛，锻炼成了健康的体格。

不过，由于他的精力充沛，有时不免有过火之处。

陈道复与徐渭 历来提起明代中期的水墨花鸟画，必然是把“白阳(陈道复)、青藤(徐渭)”并称，这只是并称而已。两人的画派，虽然都属粗笔，而意态悬殊，气格迥别。论他们的现实性，陈的精力所聚，在于秀媚的风姿与疏宕的情趣，墨韵明净，而笔意也非常清发，粗中带细的描绘，法度仍然很谨严。因此，他的意境是亲切的。而徐的注意力，集中在情意的散豁，水墨泛滥，舞秃笔如丈八蛇矛，对于形象的描绘，也只是一种可以意会的神气。论他们的风格，陈是才思清新，笔花墨叶，“芳菲菲兮袭予”。徐是使酒狂歌，放诞不羁，有震惊人的气势。他自己承认，在他擅长的学术之中，他的画笔，并不是居第一的。

朱耷与道济　这两位明王朝的宗室，当明灭亡的时候，还很年轻，都出家为僧，寄情绘画，在清代初期，两人的画笔，都是别开生面，又在沈周、陈道复、徐渭之外的。

朱耷的成就很晚，他的画笔，在中年以前，虽已自创格调，但偏于狂怪。中年以后，修正了过去扁而方的笔势，擅于用秃笔，凝重而圆润，显得朴茂酣畅，有特殊的含蓄情味。表达形象，也突出而有情致。是一种新奇独特的风貌，一种强调了特点的表现。

他的这种表现方式，尤其在鱼、鸟，眼睛很大，有时甚至是方的，黑而圆的眼珠，顶在眼圈的上角，虽然鱼和鸟的眼睛，不可能有这样的情态，但相反地由于这种突出的夸张的描绘，却增强了它的灵动性和特性。至如耸起了背，或鼓起了肚子，展开了翅膀，或缩起了头颈的那些鸟的情态，通过一团团化开的水墨，也突出了它所要表达的部分。其他花竹之类，也是这同一情感之下的表现。而他这种表现的高度能力，正是由于观察的深刻与感受的积累的艺术幻化，因为，他的双勾画笔，证明他对于鸟的组织与理解，是有全部的准确性的。

在豪放的水墨画派之中，在明代的代表作家之中，沈周与陈道复，

明　徐渭　《竹石牡丹图》

清　石涛　《双清图》

风格虽然不同，而他们的创作态度，是循规蹈矩的。徐渭不免过于放肆，包含笔墨在内所表现的内容也感到单调。而朱耷的艺术性，在朴拙之中流露着巧妙，它的奇特的生动性、倔强性与创造性，不是一般寻常的想象所能范围它的。

道济所描绘最多的是梅、竹、兰、菊，墨竹出于夏昶一派，比夏昶要清刚而放纵。才调显得新奇，水墨的变幻，也显得复杂。劲细流动的线条参差重叠地勾出的梅花，是他的创格，他喜欢写弯曲转折的梅枝，在枝干转折之处，有时使它不连接，有一些脱节，来表达正面转折的姿势，这也是他的创格。以明快的笔势所撇出的兰与粗勾的菊，有一种高爽的情调，显示了兰、菊的风露清姿。形成了新的体貌，又如荷花、水仙，在花瓣的尖端，再加上一道浓墨的复勾，强调了花的精神与气格的清新。他的技法与形式，虽与朱耷具有同样的刺激性，而是属于爽利的一面。笔墨的性格，也特别高爽而有锋芒。

结论　水墨的花竹，在唐代次第兴起，到北宋初期已繁盛起来。如米芾，对水墨画所具有的艺术性是赞颂备至的。他议论历来的画派，褒贬了这些画派的风格。如当时的赵昌、王友、崔白之流，都是卑下的。甚至黄筌的画笔，也说它“俗”。而特别被赞扬为写生高手的是徐熙，认为是远远超过那些着色画派的。

不可摹的徐熙落墨，固然精微深奥，而北宋初期画院派对它的歧视与排挤，使惟一继承他的徐崇嗣，最后也放弃了这一画派而创造了完全用彩色的“没骨法”。从此它是绝响了。

北宋末期赵佶的画派，结合了李成、黄筌等的多种风格，而水墨的“枇杷山鸟”，又是从徐崇嗣“没骨法”所流衍而成，据元汤垕《画鉴》，认为他有些画笔是出于当时画院所摹拟的。

北宋的专门水墨画作家是释仲仁与文同，都是新兴的风貌。释仲仁，诗人黄庭坚曾这样称道他的墨梅：“如清晓嫩寒，行孤山篱落间，但欠香耳。”而苏轼的墨竹，据米芾的叙说：“自谓于文(同)拈一瓣香。”在当时就已这样的被尊重了。

南宋，除了豪放的而外，扬补之、汤正仲、徐禹功等都是释仲仁与文同的继承者。更开启了元代的画派，如赵孟坚、赵衷，又是扬补之、汤正仲的嫡传了。而文同的墨竹，更是元人的典范。

元人讲求写实，而以笔墨的修养为先决条件，为风格的先决条件。他们认为只有他们所采取的技法与描绘方式，使写实有高度的艺术性的。

因此，他们不赞成凶险跋扈的、庸俗浅薄的笔势，只顾形象而不顾达成形象的笔墨，使得情味粗俗，格调卑下。他们认为南宋粗的、细的画派，都是如此。

因为，他们叹服北宋高超的画格。而南宋扬、汤之流，气清而格高的风调，正是北宋的延续与笔墨的发展。是写实所应走的正确路线。他们讲求的是稳重的、静婉的风格。而形成它的笔情墨意，就显然要起主要作用。因而这种笔墨的情意，是蕴蓄的，练气于骨的，是融合了文学与清高的胸襟，是“阳春白雪”。所以凡是粗犷的，佻挞的，浅薄的笔墨与情调，都是妨害了艺术的高尚性的。在人物、山水画的原则，也是如此，这就是当时所谓的“士大夫画”、“文人画”。

由于它的戒律尊严，过分的庄重与肃穆，形成了皮毛，又形成了后来的庸碌与痴呆。正如明末项圣谟的画派，董其昌就称说它为“与宋人血战”。

明代开创了新的格调，沈周与陈道复，正是它的代表，虽不能说他们与宋元无关，但确已开始了新的生活。与南宋同样的豪放而情意显然两路的风貌，也开始发扬开来，徐渭、朱耷与道济，就是这一新生命的诞生，是迈绝前代的创格。诚然，真实的形象与先进的笔墨是他们的典范，而从真实的形象与先进的笔墨飞腾变化，滋养与建始了亲切的自己的艺术创造。

图书在版编目(CIP)数据

鉴余杂稿：中国古代书画品鉴/谢稚柳著. —2版
(增订本). —上海：上海人民出版社，2016
(文博大家)
ISBN 978-7-208-13598-7

Ⅰ.①鉴… Ⅱ.①谢… Ⅲ.①汉字-法书-鉴赏-中国-古代 ②中国画-鉴赏-中国-古代 Ⅳ.①J212.052

中国版本图书馆CIP数据核字(2016)第023288号

责任编辑 刘华鱼
封面设计 王小阳

文博大家
鉴余杂稿(增订本)
(第二版)
谢稚柳 著

出　　版 上海人民出版社
(200001 上海福建中路193号)
发　　行 上海人民出版社发行中心
印　　刷 浙江新华数码印务有限公司
开　　本 635×965 1/16
印　　张 24
插　　页 4
字　　数 350,000
版　　次 2016年4月第2版
印　　次 2020年11月第2次印刷
ISBN 978-7-208-13598-7/J·437
定　　价 98.00元